D1048603

LUNE FROIDE

COLLECTION TERREUR
dirigée par Patrice Duvic

DEAN KOONTZ

LUNE FROIDE

POCKET

Titre original de l'ouvrage
WINTER MOON

Traduit de l'anglais
par Claude Califano

Lune froide est inspiré du court roman *Invasion*
publié sous le pseudonyme de Aaron Wolfe

Les extraits du *Livre des Chagrins comptés*
sont dans la traduction de Michel Pagel

Si vous souhaitez recevoir régulièrement
notre zine° **« Rendez-vous ailleurs »**, écrivez-nous à :

« Rendez-vous ailleurs »
Service promo Pocket
12, avenue d'Italie
75627 PARIS Cedex 13

PRESSECO
PAPIER RECYCLÉ
NATURE PROTÉGÉE

© 1994 by Dean R. Koontz
© 1995, Pocket pour la traduction française
ISBN : 2-266-06225-5

Pour Gerda,
qui en sait les mille raisons,
avec beaucoup d'amour.

PREMIÈRE PARTIE

LA CITÉ DU CRÉPUSCULE

Et les plages et le surf et les filles aux yeux d'ange.
Et le vent parfumé de rêves fabuleux.
Et les bougainvillées, les plantation d'oranges.
Des étoiles se créent, tout n'est qu'éclat radieux.

Un changement de temps et s'abattent les ombres.
Pour la brise un parfum neuf — décomposition.
Cocaïne et Uzis, fusillades et décombres.
La mort est un banquier que tous, nous engraissons.

Le Livre des Chagrins comptés

CHAPITRE UN

Ce jour-là, la mort roulait à bord d'une Lexus vert émeraude. S'engageant dans la contre-allée, la voiture passa devant les quatre premières pompes à essence, pour s'arrêter au pied de l'une des deux suivantes, où un pompiste assurait le service.

Jack McGarvey vit la voiture, mais pas son conducteur. En dépit de la couche de nuages boursouflés qui masquait le soleil, la carrosserie parfaitement lustrée de la Lexus étincelait. Les vitres teintées étaient si sombres qu'il était tout à fait impossible d'apercevoir la personne au volant.

A trente-deux ans, Jack McGarvey, fonctionnaire de police, marié, avec un gosse et un énorme crédit à rembourser, n'ayant aucune intention d'acheter une voiture de luxe, n'éprouva pas la moindre jalousie à la vue de l'engin rutilant. Il se souvenait de ce que son père lui avait souvent répété, que l'envie était une forme de vol mental. Si l'on convoitait les biens de son prochain, disait le père de Jack, il fallait aussi être prêt à endosser, en plus de son argent, ses responsabilités, ses migraines et tous ses problèmes personnels.

Il contempla un instant la voiture, l'admirant comme s'il s'agissait d'une toile inestimable exposée au Getty Museum, ou d'une édition originale, reliée pleine peau, d'un roman de James McCain — sans pour autant avoir envie de se l'approprier, se contentant, au contraire, du plaisir procuré par le simple fait qu'elle existait.

Dans une société qui donnait souvent l'impression de courir à l'anarchie, où la laideur et la corruption gagnaient tous

11

les jours du terrain, toutes les preuves de la capacité humaine à produire de belles choses apportaient un peu de réconfort à Jack. La Lexus, évidemment, était un produit d'importation, entièrement conçu et monté à l'étranger, mais comme l'humanité tout entière, et pas seulement ses compatriotes, semblait condamnée au même sort, tout ce qui témoignait en faveur de la conscience professionnelle et du talent lui réchauffait le cœur.

Se précipitant hors du bureau de la station-service, un jeune blond en combinaison grise de pompiste se dirigea vers la Lexus, et Jack porta à nouveau son attention sur Hassam Arkadian.

« Ma station-service, c'est un îlot de propreté dans un océan de crasse, c'est un havre de paix dans l'œil du cyclone », affirmait Arkadian, sans se rendre compte des accents mélodramatiques de sa voix.

Elancé, d'une quarantaine d'années, il était très brun, avec une moustache soigneusement taillée. Son pantalon en coton gris était impeccablement repassé, et sa chemise et sa veste rigoureusement immaculées.

« J'ai fait traiter les montants en alu et les murs », dit-il en montrant d'un geste du bras la façade de la station-service. « C'est un enduit spécial, antigraffitis. Même la peinture métallisée n'adhère pas. Pas donnée, d'ailleurs, cette peinture, mais maintenant, quand un gang viendra barbouiller les murs pendant la nuit, on pourra tout effacer, et dès le lendemain matin. »

Avec son allure soignée, la singulière intensité de ses propos et les gestes rapides de ses longues mains, Arkadian aurait aisément pu passer pour un chirurgien sur le point de passer en salle d'opération. En fait, c'était le propriétaire de la station-service.

« Vous savez quoi ? lança-t-il, sceptique. Des professeurs d'Université ont même écrit des thèses sur l'importance artistique des graffitis. *L'importance des graffitis ?* Leur importance *artistique* ?

— Ouais, ils appellent ça de l'art urbain », répondit laconiquement Luther Bryson, le coéquipier de Jack.

Arkadian lança un regard incrédule au policier, un Noir athlétique qui le dominait de toute sa taille. « Vous croyez que, ce que font ces vandales, c'est de l'art, vraiment ?

« — Hé, c'est pas moi qui dis ça », répliqua Luther.

Avec son mètre quatre-vingt-dix et ses cent kilos, Luther Bryson était plus grand que Jack, et plus lourd que lui d'une quarantaine de livres. Un excellent coéquipier, et un brave homme, de surcroît. Jamais un sourire n'animait son visage quasi minéral, et ses yeux dardaient du fond de leur orbite un regard sans faiblesse. *Le regard Malcolm X*, comme il l'appelait. Avec ou sans son uniforme, Luther Bryson aurait impressionné n'importe qui, du pape lui-même au dernier des malfrats.

Pourtant, il n'essayait pas d'intimider Arkadian, puisqu'il était complètement d'accord avec lui. « Ce sont les branchés et les intellos qui appellent les graffitis de l'art urbain. »

Le propriétaire de la station-service n'en croyait pas ses oreilles. « Mais ce sont des professeurs... Des hommes et des femmes qui ont fait de longues études, des diplômés d'art et de littérature. Ils ont bénéficié d'une éducation que mes propres parents n'avaient pas les moyens de me donner, mais ils sont idiots, il n'y a pas d'autres termes. Ils sont *complètement* idiots. » Son visage mobile exprimait la frustration et la colère, deux sentiments que Jack rencontrait de plus en plus fréquemment chez les habitants de la Cité des Anges. « Mais quelles bêtises apprend-on à nos étudiants, ces temps-ci, vous pouvez me le dire ? »

Arkadian s'était donné beaucoup de mal. Tout autour de la station-service, dans de grands bacs, il avait planté des palmiers, des pieds d'azalées dégoulinants de fleurs écarlates, et une multitude d'impatients roses et mauves. Pas le moindre papier gras en vue. Le dais situé au-dessus des pompes à essence était supporté par des colonnes en brique, et l'ensemble arborait une allure fièrement coloniale.

A Los Angeles, une telle station-service ne pouvait qu'avoir l'air totalement déplacée. Propre et fraîchement repeinte, elle paraissait doublement égarée dans la fange qui inondait la ville depuis le début des années quatre-vingt-dix.

« Venez, venez voir, fit Arkadian en se dirigeant vers l'extrémité du bâtiment.

— Ce pauvre type va se faire péter une artère, à s'inquiéter comme ça, dit Luther.

— Faudrait quand même que quelqu'un lui dise que c'est plus du tout à la mode », renchérit Jack.

Menaçant, un grondement sourd retentit dans le ciel orageux.

Levant les yeux vers les nuages bas, Luther lança :

« La météo avait prévu du beau temps pour aujourd'hui.

— Ce n'était peut-être pas le tonnerre, après tout. Quelqu'un a finalement dû se décider à faire sauter la mairie.

— Tu crois ? Eh bien, si c'était le jour de la réunion des conseillers municipaux, je crois qu'on devrait illico se mettre en congé, et fêter ça dans le premier bar venu.

— Messieurs les policiers, approchez, approchez ! », leur cria Arkadian en agitant le bras. Il avait atteint l'angle sud du bâtiment, non loin de l'endroit où était garée la voiture de patrouille. « Regardez-moi ça. Je veux que vous soyez témoins, tous les deux. Je veux que vous jetiez un coup d'œil à mes toilettes.

— Aux toilettes ? » s'exclama Luther.

Jack éclata de rire. « Quoi ? Tu as quelque chose de prévu ?

— C'est toujours moins dangereux que de poursuivre les voleurs », fit Luther en se dirigeant vers Arkadian.

Jack lança un coup d'œil à la Lexus. Très belle mécanique. En combien de temps ce genre d'engin atteignait-il les quatre-vingt-dix kilomètres à l'heure ? Huit secondes ? Sept ? Cette voiture, c'était du rêve à l'état pur.

Le conducteur se tenait à présent à côté de sa voiture. Jack ne remarqua sur l'homme aucun détail particulier, à l'exception de son costume croisé Armani.

La Lexus, en revanche, était dotée de jantes à rayons et de pare-chocs chromés. Le reflet des nuages noirs se mouvait lentement sur le pare-brise, dessinant sur le verre teinté de mystérieuses ombres moirées.

Poussant un profond soupir, Jack se décida à suivre Luther, et les deux hommes passèrent ensemble devant l'atelier de mécanique, dont les deux grandes baies vitrées étaient largement ouvertes. Le premier box était vide, mais une BMW grise se trouvait sur le pont hydraulique de la deuxième. Un jeune Asiatique en bleu de travail s'affairait autour de la voiture. Outils et pièces de rechange étaient soigneusement rangés sur des étagères qui couraient sur les murs ; quant aux baies vitrées, elles étaient plus étincelantes que celles de la cuisine d'un restaurant quatre étoiles.

Dans un coin, se dressaient deux distributeurs automatiques de boissons, qui ronronnaient et cliquetaient comme si la fabrication des breuvages se déroulait dans leurs entrailles.

Un peu plus loin, Arkadian avait ouvert les portes des toilettes. « Regardez, allez-y. Je tiens à ce que vous jugiez par vous-mêmes. »

Le sol et les murs de chacune des deux petites pièces, carrelées de blanc, étaient d'une propreté remarquable, tout comme les petits meubles situés sous les lavabos, les robinets chromés rutilants et les grands miroirs.

« Impeccable ! », lança Arkadian, qui parlait vite, emporté par une colère qu'il essayait pourtant de contenir de son mieux. « Pas une seule tache sur les miroirs, ni sur les lavabos. On nettoie après chaque client, et on désinfecte les toilettes tous les jours, et je vous assure que vous pourriez manger par terre, exactement comme dans les assiettes de votre propre mère. »

Jetant un coup d'œil à Jack par-dessus la tête d'Arkadian, Luther sourit. « Personnellement, je prendrais volontiers un steak. Et toi ?

— Une salade me suffira, dit Jack. C'est que j'essaie justement de perdre quelques kilos. »

Même s'il les avait écoutés, l'humeur d'Arkadian était si sombre que rien n'aurait pu le dérider. Il fit tinter le trousseau de clés qu'il tenait à la main.

« Les toilettes sont toujours fermées, et on donne la clé aux seuls clients qui veulent les utiliser. Et voilà qu'un inspecteur municipal vient faire un tour l'autre jour, et qu'il m'apprend que, d'après le nouveau règlement, mes toilettes sont à la disposition du public, pas seulement de mes clients, et que je n'ai pas le droit d'en empêcher l'accès. »

Il agita le trousseau à nouveau, plus violemment cette fois. Visiblement, sa colère s'intensifiait, et ni Jack ni Luther ne tentèrent d'exprimer le moindre commentaire.

« Qu'ils me dressent procès-verbal. Je paierai l'amende. Quand les portes des toilettes restent ouvertes, les poivrots et les junkies qui zonent dans le quartier en profitent pour pisser sur le sol et vomir dans les lavabos. Vous ne pouvez pas imaginer l'état dans lequel ils laissent les lieux, c'est dégueulasse, j'ai même honte d'en parler. »

La simple évocation des révélations qu'il aurait pu faire aux deux policiers avait empourpré les joues d'Arkadian. Il brandit soudain son trousseau de clés en direction des toilettes, et Jack crut voir un instant un sorcier vaudou en train de jeter un sort — destiné à éliminer tous ceux qui s'aviseraient de ne pas laisser les toilettes dans l'état dans lequel ils les avaient trouvées. Le visage d'Arkadian était aussi tourmenté que le ciel nuageux.

« Je vais vous dire une bonne chose. Hassam Arkadian travaille entre soixante et soixante-dix heures par semaine, Hassam Arkadian emploie huit personnes, et à plein temps, et Hassam Arkadian donne aux impôts la moitié de ce qu'il gagne, mais Hassam Arkadian n'a pas du tout l'intention de passer le reste de ses jours à ramasser la merde des autres, sous prétexte qu'une bande de bureaucrates débiles éprouvent plus de compassion à l'égard des zonards que pour ceux qui font leur possible pour mener une vie décente. »

A bout de souffle, il finit sa phrase en toute hâte. Le trousseau de clés ne carillonnait plus. Arkadian poussa un profond soupir, puis il entreprit de refermer à clé chacune des deux portes.

Jack se sentait parfaitement inutile, et Luther n'avait pas non plus l'air très à l'aise. Parfois, un flic n'avait pas grand-chose de plus à faire que serrer la main de la victime, d'un air compatissant, tout en partageant sincèrement son avis sur l'état de dégradation constante de la ville. C'était bien l'un des pires inconvénients du boulot de flic, d'ailleurs.

Hassam Arkadian était reparti en direction des pompes à essence. Il marchait d'un pas beaucoup moins rapide qu'à l'aller, et ses épaules plongeantes lui donnaient une allure plus abattue que furieuse, comme s'il venait de décider, peut-être inconsciemment, de tout laisser tomber.

Jack se prit à espérer que ce ne soit pas le cas. Jour après jour, Hassam luttait pour réaliser un rêve, celui d'un avenir meilleur, d'un monde meilleur. Il faisait partie d'une catégorie de gens de plus en plus rares, dont la caractéristique était d'avoir assez de tripes pour ne pas céder à l'entropie ambiante. Les soldats de la civilisation, qui se battaient sur le front de l'espoir, étaient déjà trop peu nombreux pour constituer une armée décente.

Rajustant leur ceinturon, Jack et Luther suivirent Arkadian, qui avait déjà dépassé les distributeurs.

Debout devant la deuxième machine, l'homme en complet Armani étudiait le choix de boissons disponibles. Grand, l'âge de Jack, environ, il était blond et bien rasé, avec un hâle bronze doré qu'il était impossible d'acquérir à cette époque de l'année dans la région, ailleurs que sous une lampe à bronzer. Tandis qu'ils passaient à côté de lui, le type tira de la poche de son pantalon à pinces une poignée de pièces, et commença à rassembler la somme à glisser dans la fente du distributeur automatique.

Plus loin, le pompiste s'activait sur le pare-brise de la Lexus, bien que ce dernier ait semblé parfaitement propre lorsque la Lexus était arrivée dans la station-service.

Arkadian s'arrêta devant la vitrine qui occupait la moitié de la façade du bureau. « De l'art urbain... », murmura-t-il d'une voix triste, tandis que Jack et Luther le rejoignaient. « Seul un imbécile n'appellerait pas ça du vandalisme. Les barbares sont lâchés. »

Des vandales avaient récemment échangé leurs aérosols de peinture contre des marqueurs et de l'acide. Depuis, ils gravaient leurs initiales et leurs mots d'ordre sur les vitres des voitures en stationnement, et sur les vitrines des magasins qui, la nuit venue, n'étaient pas protégées par un rideau métallique.

La vitrine d'Arkadian portait en permanence une demi-douzaine de graffitis différents, dont les auteurs appartenaient visiblement au même gang, et certains se répétaient deux ou trois fois. En lettres de dix centimètres de haut, ils avaient également inscrit les mots : LE BAIN DE SANG EST POUR BIENTOT.

Ces actes antisociaux rappelaient souvent à Jack un épisode de l'histoire de l'Allemagne nazie, qu'il avait lu quelque part : avant même que la guerre n'ait été déclarée, des truands psychopathes avaient semé la terreur toute une nuit durant, une longue nuit qu'on avait ensuite appelée la Nuit de cristal, inscrivant sur les murs des slogans pleins de haine, brisant les vitrines des boutiques appartenant aux juifs, au point que les rues s'étaient mises à briller sous les éclats de verre comme si elles avaient été pavées de cristal. Parfois, il avait l'impression que les barbares auxquels

Arkadian faisait référence étaient les nouveaux nazis, mais que les néo-fascistes provenaient cette fois des deux extrêmes du spectre politique, et qu'ils haïssaient non seulement les juifs, mais aussi les classes moyennes et tous les partisans légitimes de l'ordre social. Le vandalisme dont ils faisaient preuve était une nuit de cristal au ralenti, se déroulant sur plusieurs années, et non plus en quelques heures.

« Sur l'autre vitrine, c'est pire », leur annonça alors Arkadian, en les entraînant de l'autre côté du bâtiment.

Là, sur la grande paroi de verre, à côté des graffitis personnels des différents membres du gang, on lisait : CONNARD D'ARMÉNIEN, en capitales.

Même cette affirmation raciste ne réussit pas à ranimer l'ire de Hassam Arkadian. Le regard vide, il contemplait les lettres insultantes. « J'ai toujours essayé de traiter les gens de façon correcte. Je suis loin d'être parfait, comme tout le monde. Qui peut se vanter de n'avoir aucun défaut ? Mais j'ai fait de mon mieux pour être un honnête homme, juste envers tous... Et voilà le résultat.

— Ça ne va pas vraiment vous remonter le moral, fit Luther, mais, si tout dépendait de moi, la loi nous autoriserait à tatouer le premier mot sur le front de ceux qui ont écrit ce truc. *Connard.* Leur graver ça dans le crâne avec de l'acide, exactement comme ils l'ont fait sur votre vitrine. On les oblige à se balader comme ça pendant un ou deux ans et on attend de voir si leur comportement s'améliore et, si c'est le cas, on leur accorde peut-être une opération de chirurgie esthétique.

— Vous croyez que vous allez retrouver ceux qui ont fait ça ? » demanda Arkadian, qui devait se douter de la réponse.

Luther secoua la tête en signe de dénégation, et Jack prit la parole. « Pas l'ombre d'une seule chance. On va faire un rapport, naturellement, mais aucune équipe chez nous ne va se mettre sur un coup aussi petit. Manque d'effectifs... La meilleure chose à faire, c'est encore d'installer un rideau de fer devant les deux vitrines dès que vous les aurez remplacées, pour qu'elles soient protégées pendant la nuit.

— Sinon, vous allez changer les vitres toutes les semaines, ajouta Luther, et je ne donne pas longtemps à votre compagnie d'assurances pour vous laisser tomber.

— Ils ont résilié la clause de mon contrat qui concernait

le vandalisme, après ma toute première déclaration, fit Hassan. Les seuls risques qui soient couverts, ce sont les tremblements de terre, les inondations et les incendies. Pas tous les incendies, bien sûr. *Sont exclus tous les dégâts par le feu causés lors d'une émeute*, voilà la formule exacte. »

Les trois hommes fixaient la vitrine en silence, comme si leur impuissance à modifier la situation les avait rendus muets.

Une fraîche brise printanière s'était levée. Dans la plantation d'à côté, les palmes bruissaient doucement, et les fûts des grands arbres craquaient au rythme de leur balancement.

« Enfin, lança Jack, ça pourrait être pire, monsieur Arkadian. Je veux dire par là que votre station-service est située dans un bon quartier. C'est plutôt tranquille, ici, à West Side.

— Ouais, et ça me tue, répliqua Arkadian, de savoir que c'est ce qu'on appelle de *bons* voisins qui ont fait le coup. »

Jack préféra ne pas insister.

Luther ouvrit la bouche pour parler à son tour, mais le bruit d'un choc et un cri de colère, provenant tous deux de l'avant de la station-service, l'interrompirent. Tandis qu'ils se précipitaient, une violente bourrasque de vent fit vibrer la plaque de verre de la vitrine.

A une vingtaine de mètres, le type en Armani balança à nouveau son pied dans le distributeur de boissons. Dégueulant sa mousse, une boîte métallique de Pepsi gisait à côté.

Face au distributeur, le type se mit soudain à hurler. « Putain de saloperie ! Saloperie de machine, va te faire foutre ! »

Arkadian se précipita vers le client. « Monsieur, je vous prie de m'excuser, vous n'avez pas eu ce que vous aviez sélectionné, ça arrive parfois, hélas...

— Hé, attendez un peu », le coupa Luther, qui parlait autant au propriétaire de la station-service qu'au client, visiblement mécontent.

Jack parvint à rattraper Arkadian devant la porte du bureau et posa fermement la main sur son épaule. « Laissez-nous nous occuper de ça, dit-il.

— Quelle saloperie », répéta le type en brandissant le poing, comme s'il voulait frapper le distributeur.

« C'est la machine, dit Arkadian à Jack et à Luther. Ils me

19

disent toujours qu'elle est réparée, mais elle persiste à donner un Pepsi quand on appuie sur *Jus d'orange.* »

Même si tout allait mal dans la Cité des Anges, Jack avait du mal à croire qu'Arkadian s'était habitué à voir ses clients péter les plombs chaque fois qu'un Pepsi tombait par erreur de la machine.

Le type s'éloigna d'un pas si rapide qu'on aurait pu croire qu'il allait repartir à pied, en abandonnant sa Lexus devant la pompe. Il paraissait trembler de colère, mais c'était à cause du vent qui jouait avec le tissu de son costume.

« Il y a un problème, ici ? » lança Luther en s'approchant du type. Un grondement de tonnerre retentit sous le ciel bas, tandis que les palmiers se détachaient contre les nuages noirs.

Jack emboîta le pas à Luther, avant de se rendre compte que les pans de la veste du type voletaient derrière lui, comme les ailes d'une chauve-souris. Or, un instant plus tôt, la veste était boutonnée.

Epaules tombantes, tête baissée, le type en colère leur tournait le dos. Le tissu souple de son costume, gonflé par la brise légère, lui donnait l'air d'un troll bossu, et sa silhouette n'avait pas grand-chose d'humain. Soudain, il fit volte-face, et Jack crut voir le museau d'un animal enragé, mais non, c'était bien le même visage hâlé.

Pourquoi le fils de pute avait-il déboutonné sa veste ? Parce qu'il avait besoin de quelque chose qui se trouvait au-dessous ? Et qu'est-ce qu'un type pouvait bien garder sous sa veste, hein ? Sous l'ample veste de son putain de costard ?

Jack lança un cri d'avertissement à Luther.

Mais Luther, lui aussi, avait flairé les ennuis, et sa main droite fondit sur l'étui qui lui battait la hanche.

Parce que c'était lui qui commençait, le type avait l'avantage. A part lui, nul n'avait encore pressenti la montée de violence sur le point d'éclater, et il se tourna vers les deux hommes, une arme dans chaque main, avant même que Luther ou Jack n'aient eu le temps de dégainer.

Un tir d'arme automatique déchira l'air. Plusieurs balles atteignirent Luther en plein torse, le fauchant au vol, et il s'écroula en arrière, tandis que Hassam Arkadian, touché à trois endroits, se mettait à hurler de douleur.

Jack se jeta sur la porte en verre du bureau. Il était

presque à l'abri, quand une balle vint se loger dans sa jambe gauche. Instantanément, il eut l'impression qu'un démonte-pneu venait de s'abattre sur sa cuisse, mais il s'agissait bien d'une balle.

Il tomba à plat ventre sur le sol du bureau. La porte se referma derrière lui et la vitre vola instantanément en éclats, faisant s'abattre sur le dos de Jack une pluie d'éclats de verre.

La douleur était déjà plus intense, et il se mit à transpirer abondamment.

La radio persistant à diffuser d'anciens succès, il entendit la voix de Dionne Warwick, justement en train de chanter que le monde avait besoin d'amour.

Dehors, Arkadian hurlait toujours, mais aucun son ne provenait plus du grand corps de Luther Bryson, allongé face contre terre.

Luther était mort. Jack n'arrivait pas à le croire. Mort. Jack n'osait pas envisager une telle possibilité.

Luther, mort...

De nouveaux coups de feu éclatèrent.

Quelqu'un d'autre se mit à crier. Sans doute le pompiste près de la Lexus. Le cri fut bref, et vite étranglé.

Dehors, Arkadian ne hurlait plus. Tout en sanglotant, il récitait une prière.

S'engouffrant par le verre brisé de la porte du bureau, un coup de vent glaça la pièce tout entière.

Le tireur n'allait pas tarder à s'approcher.

CHAPITRE DEUX

D'abord, Jack fut surpris par la quantité de sang répandue autour de lui, et un spasme lui tordit l'estomac. Son front était couvert d'une sueur aigre. Il était incapable de quitter des yeux la grosse tache qui assombrissait la jambe de son pantalon.

C'était la première fois qu'il était blessé pendant le service. La douleur était terrible, quoique pas autant qu'il ne l'aurait cru. Mais c'était surtout la vulnérabilité qu'il ressentait, soudain, qui lui fit prendre conscience de l'extrême fragilité du corps humain.

Il ne serait peut-être pas capable de résister très longtemps à l'évanouissement. Une sorte de voile noir ombrait déjà son champ de vision.

Vraisemblablement, il était incapable de tenir sur sa jambe gauche, et il n'avait pas le temps de chercher à se redresser en se servant uniquement de la droite. Pas en étant à découvert. Laissant derrière lui des éclats de verre et une inévitable traînée de sang, il rampa le long du comptoir en forme de L, derrière lequel Arkadian avait installé la caisse enregistreuse.

Le tireur allait surgir d'une seconde à l'autre.

D'après le bruit de l'arme et le bref aperçu qu'il en avait eu, Jack conclut qu'il s'agissait d'un pistolet-mitrailleur, peut-être même d'un Micro Uzi. Avec son chargeur placé à l'avant, l'Uzi mesurait moins de trente-cinq centimètres, mais l'arme, plus lourde qu'une arme de poing, pesait environ deux kilos, si elle était dotée d'un seul chargeur, et davantage, quand elle en comptait deux, ce qui lui donnait une capacité de tir de quarante coups. C'était comme si l'on transportait un paquet de sucre dans un lance-pierres : on pouvait être sûr d'avoir mal au cou, mais l'avantage, c'était qu'on pouvait porter le Micro Uzi (ou le paquet de sucre) à l'aisselle, sous un costume Armani un peu large — ce qui était particulièrement intéressant quand on avait des ennemis vicieux. Il s'agissait peut-être d'un FN P90, ou d'un British Bushman 2, mais il y avait peu de chance pour que ce soit un Skorpion tchèque, ce dernier ne tirant que du.32 ACP. A la façon dont Luther s'était effondré, l'arme semblait plus efficace qu'un Skorpion, ce qui était le cas du Micro Uzi 9mm. Quarante balles dans l'Uzi au départ, et ce fils de pute avait tiré douze fois, seize au maximum : il lui en restait donc au moins vingt-quatre, sans oublier l'éventuelle poignée de munitions supplémentaires.

Le tonnerre gronda à nouveau. L'air était lourd et la pluie toute proche, et une violente rafale de vent balaya la station-service, lorsque de nouveaux coups de feu éclatèrent. Dehors, les supplications de Hassam Arkadian cessèrent soudain.

Avec l'énergie du désespoir, Jack fit le tour du comptoir. Il pensait à l'impensable. Luther Bryson, mort. Arkadian, mort lui aussi. Le pompiste, mort. Et le jeune mécano asiatique, aussi, probablement. Tous avaient perdu la vie. Le monde avait basculé en moins de soixante secondes.

A présent, c'était le moment du combat singulier, d'où seul le meilleur sortirait vivant, mais Jack n'avait pas peur de ce jeu-là. Bien que la théorie darwinienne de l'évolution ait été en faveur du type armé du plus gros calibre et pourvu d'une grosse réserve de munitions, l'intelligence pouvait parfois l'emporter sur la puissance de feu. Il était déjà arrivé qu'il se sorte d'affaire à l'aide de sa seule matière grise, et il se pouvait fort bien que ça recommence.

S'il était resté le dos au mur, sa position aurait été relativement défendable. Tel qu'il se trouvait à présent, personne n'aurait parié sur ses chances, mais comme il était tout seul, à présent, il n'avait que sa peau à sauver. Seul, il était mieux à même de se concentrer, libre de tenter une sortie ou de rester planqué, au choix. Libre de se comporter en trouillard ou en kamikaze, suivant les circonstances...

Il se traîna laborieusement derrière le comptoir, pour

découvrir qu'il n'était pas le seul survivant. Recroquevillée sur elle-même, une femme s'était mise à l'abri, elle aussi. Minuscule, elle avait de longs cheveux noirs, qui la rendaient tout de suite attirante. Chemise grise, pantalon de travail, socquettes blanches, chaussures noires à épaisse semelle de crêpe. Plus jeune qu'Hassam Arkadian de cinq ou six ans, elle devait avoir dépassé la trentaine. Sa femme, peut-être. Non, pas sa femme. Sa veuve. Accroupie, les genoux serrés contre sa poitrine, les bras passés autour de ses jambes, elle faisait de son mieux pour rapetisser, cherchant à se fondre au maximum dans le décor.

La présence de la femme modifiait radicalement la situation, et Jack se trouvait à présent dans l'obligation de la défendre, ce qui réduisait d'autant ses propres chances de survie. Plus question de se planquer, et encore moins d'opter pour la témérité. Il fallait maintenant qu'il pense vite, pour déterminer un plan d'action, le plus précisément possible. Un *bon* plan. Il était responsable de cette femme. Il avait fait le serment de servir et de protéger les citoyens, et c'était le genre d'homme qui n'avait qu'une parole.

Les yeux de la femme, agrandis par la peur, brillaient de larmes, et elle retenait à grand-peine ses sanglots. Terrorisée, craignant, à juste titre, pour sa vie, elle semblait pourtant avoir compris la signification du silence soudain d'Arkadian.

Jack tira son arme de l'étui.

Servir et protéger.

Son bras était parcouru par un tremblement incontrôlable. Sa jambe gauche était brûlante, mais le reste de son corps demeurait glacé, comme si toute la chaleur de son organisme était en train de se déverser par sa blessure.

A l'extérieur, une rafale d'arme automatique, interminable, se termina brutalement par une explosion qui fit vibrer toute la station-service, renversant le distributeur de friandises installé dans le bureau, et faisant voler en éclats les deux grandes baies vitrées où les gangs avaient inscrit leurs *tags*. La femme se cacha le visage dans les mains, Jack ferma les yeux, et une grêle de verre se fracassa sur le comptoir, et jusque dans le petit espace où ils avaient trouvé refuge.

Quand il ouvrit les yeux, éclairs et ténèbres se succédaient dans le bureau. Le vent s'engouffrant par les vitrines brisées était brûlant, et les explosions de lumière sur les murs du bureau provenaient en fait du reflet des flammes.

Le dingue avait tiré au Uzi dans les pompes à essence.

Prudemment, Jack se hissa contre le comptoir, sans prendre appui sur sa jambe gauche. Ses souffrances étaient relativement supportables, par rapport à la gravité de la blessure, mais elles allaient vite empirer. Il ne voulait surtout pas hâter le processus par une quelconque maladresse, risquant ainsi de déclencher une douleur insupportable, ou même de provoquer un évanouissement.

Des jets d'essence enflammés jaillissaient de l'une des pompes à essence, projetant ce qui ressemblait à de la lave en fusion. Le long de l'allée qui redescendait vers l'avenue encombrée de voitures, un ruisseau de feu s'était mis à couler, lentement.

L'explosion avait mis le feu à la structure qui abritait les pompes, et les flammes se rapprochaient rapidement du bâtiment principal.

La Lexus flambait, elle aussi. Le dingue avait détruit sa propre voiture, ce qui le rendait encore plus imprévisible, donc dangereux.

Et dans cet enfer, qui se faisait plus intense au fur et à mesure que l'essence jaillissait de la pompe éventrée, le tueur restait invisible. Peut-être s'était-il ressaisi et en avait-il profité pour déguerpir.

Plus vraisemblablement, il se trouvait dans l'atelier de mécanique, s'approchant du bureau par là, plutôt que devant la grande vitrine brisée, à l'entrée du bureau. A moins de cinq mètres de Jack, une porte métallique donnait sur l'atelier. La porte était fermée.

Appuyé contre le comptoir, tenant son arme à deux mains, il visa la porte, les bras tendus devant lui, prêt à faire sauter la cervelle du type à la première occasion. Ses mains tremblaient, à cause du froid qui glaçait tout son corps. Il s'efforça de stabiliser l'arme, ce qu'il fit, sans pouvoir complètement cesser de trembler.

L'ombre à chaque extrémité de son champ de vision s'était dissipée quelques instants auparavant, mais elle semblait refaire une apparition. Il cligna furieusement des yeux, dans l'espoir de chasser l'inquiétante cécité périphérique qui commençait à l'accabler. En vain.

L'air puait l'essence et le goudron chaud. Un coup de vent enfuma soudain la pièce — pas trop, juste assez pour lui donner envie de tousser, et il serra les dents pour étouffer la quinte. Le tueur était peut-être derrière la porte, hésitant à la pousser, l'oreille aux aguets.

Pointant toujours son arme sur la porte de communication entre le bureau et l'atelier de mécanique, Jack jeta un coup d'œil sur l'incendie qui grondait toujours au-dehors. Pourvu qu'il ne se trompe pas. Après tout, il n'était pas impossible que le tueur surgisse du rideau de flammes, comme un démon échappé des enfers.

La porte métallique. Peinte en bleu, d'un bleu très pâle. Comme une eau profonde et claire aperçue à travers la banquise cristalline.

Il en frissonna de froid. Tout contribuait à le glacer, des battements sourds de son cœur en alerte aux pleurs discrets de la femme, recroquevillée par terre à côté de lui, en passant par les éclats de verre qui scintillaient sur le sol. Même le grondement de l'incendie qui faisait rage lui donnait des frissons.

Dehors, les flammes avaient traversé la largeur du portique et s'attaquaient à présent au bâtiment principal. Le toit était probablement déjà en train de brûler.

La porte, d'un bleu si pâle.

Ouvre-moi cette porte, fils de pute. Viens, viens, viens.

Une nouvelle explosion.

Il lui fallut quitter la porte des yeux et tourner complètement la tête, pour regarder directement ce qui venait de se passer. Presque toute sa vision périphérique avait disparu.

Le réservoir d'essence de la Lexus. La voiture fut instantanément en flammes, réduite en quelques secondes à l'état de squelette automobile, forme noire léchée par des langues de feu voraces, dévorant sur leur passage l'émeraude de la carrosserie et le cuir des sièges, en passant par toutes les options imaginables.

La porte bleu pâle ne s'ouvrait toujours pas.

Jack avait l'impression que son arme pesait des tonnes, et il avait mal aux bras. Impossible de stabiliser le canon, il avait déjà trop de difficulté à viser.

Tout ce qu'il voulait, c'était s'allonger et fermer les yeux. Dormir un peu, rêver de verts pâturages, de fleurs sauvages, de ciel azur, et aussi d'une ville dont même le souvenir n'existait plus.

Jetant un coup d'œil à sa jambe, il s'aperçut qu'il se tenait au milieu d'une mare de sang. Apparemment, une artère avait été touchée, voire sectionnée, et l'hémorragie allait bon train. En voyant son propre sang couler, il ressentit une incoercible nausée, et ses viscères se contractèrent douloureusement.

Le toit était en train de flamber. Il reconnut le bruit caractéristique qui venait de s'ajouter aux grondements et aux craquements provenant de l'avant de la station-service. Charpente et jointures étant torturées par la chaleur intense, il ne leur restait que quelques secondes avant que le plafond s'embrase et s'effondre.

Il ne comprenait pas pourquoi il avait de plus en plus froid, alors que le feu se rapprochait. La sueur qui ruisselait sur son visage était glacée.

Même si le plafond tenait bon encore quelques instants, Jack serait peut-être mort, ou en tout cas trop faible pour appuyer sur la détente, quand le tueur ferait irruption dans le bureau. Il ne pouvait plus attendre.

D'une main, il lâcha son arme. Il avait besoin de son bras gauche pour prendre appui sur le formica du comptoir, le temps d'en faire le tour, en veillant à ne pas prendre appui sur sa jambe blessée.

Mais, lorsqu'il atteignit son but, il se sentit prêt à tourner de l'œil, et bien trop faible pour sauter à cloche-pied jusqu'à la porte bleue. Il lui fallait se servir de la pointe de son pied gauche pour garder l'équilibre, et il entreprit de traverser le bureau en s'efforçant de faire porter le poids de son corps sur sa jambe valide.

A sa grande surprise, la douleur était supportable, mais, très vite, il comprit qu'en fait, sa jambe gauche était en passe de devenir progressivement insensible. Seul un frémissement électrique la parcourait de la cheville à la hanche. Même sa blessure ne lui procurait plus aucune chaleur.

La porte. Sa main gauche, posée sur la poignée, lui sembla très lointaine, comme s'il l'avait regardée à l'aide d'une paire de jumelles tenue à l'envers.

Dans la main droite, son arme. Celle-ci pendait au bout de son bras, telle une grosse cloche. L'effort qu'il lui fallut fournir pour lever le poing provoqua dans son estomac une série de convulsions.

Le tueur était peut-être posté de l'autre côté de la porte, à guetter le moindre mouvement de la poignée. Jack se décida alors à pousser la porte et à avancer, le revolver en avant. Il trébucha, manquant de peu de perdre l'équilibre, et franchit le seuil, pointant l'arme d'un côté à l'autre, le cœur battant si vite que son bras en tressautait. Pas la moindre cible en vue. La BMW était toujours sur le pont hydraulique, et Jack avait une vue dégagée sur l'ensemble de l'atelier. La seule personne en vue, c'était le jeune Asiatique, étendu par terre, plus mort que le béton sur lequel il gisait.

Jack se retourna vers la porte bleue. De ce côté, elle était noire, ce qui lui parut de mauvais augure, d'un noir brillant, et elle s'était refermée sur lui.

Il fit un pas en avant, dans le but de saisir la poignée, mais il s'écroula contre le battant, à bout de forces.

Portée par une bourrasque, une fumée âcre envahit alors le hangar.

Toussant à s'en déchirer les poumons, Jack parvint à ouvrir la porte. Le bureau, rempli de fumerolles toxiques, s'était transformé en antichambre de l'enfer.

Criant à la femme de venir le rejoindre, il fut forcé de constater que sa voix s'entendait à peine.

Pourtant, la femme cachée derrière le comptoir avait compris et, avant même qu'il ait eu le temps de renouveler son appel, elle apparut dans la fumée, une main plaquée sur le bas de son visage.

Elle vint se pencher vers lui, et Jack crut qu'elle avait besoin d'une aide et d'un soutien qu'il était incapable de lui donner, mais il comprit très vite qu'elle le pressait de s'appuyer sur elle. C'était pourtant lui qui avait prêté serment, et qui avait juré de servir et de protéger ses concitoyens. Parce qu'il lui était parfaitement impossible de prendre la femme dans ses bras et de la sortir de ce foutu bureau, il se sentit totalement incompétent. Pourtant, dans les films, les héros font ça si bien...

Il prit appui sur la femme, aussi légèrement que possible, et ils se tournèrent ensemble vers l'entrée de l'atelier, que la fumée obscurcissait presque complètement. Il traînait la patte, sans ressentir la moindre douleur, la moindre sensation, pas même un frisson. Un poids mort. Les yeux pleins de larmes, il clignait des paupières, faisant jaillir sous son crâne des séries d'étincelles. Retenant sa respiration, il luttait contre une irrésistible envie de vomir. D'une voix suraiguë, quelqu'un hurla, interminablement. Non, ce n'était pas un hurlement. Des sirènes de police. Qui s'approchaient à toute allure. Un soudain changement de température signala enfin à Jack et à la femme qu'ils étaient sortis de l'atelier, et il aspira une grande goulée d'air frais.

Quand il ouvrit les yeux, le monde autour de lui était brouillé par les larmes que les fumées toxiques avaient provoquées, et il se mit à cligner furieusement des paupières, jusqu'à ce que sa vue s'améliore un peu. A cause de l'hémorragie ou du choc qu'il avait subis, son champ de vision se limitait strictement à ce qu'il avait devant lui, exactement comme s'il avait regardé par le canon double d'un fusil de chasse : l'obscurité environnante délimitait ce qu'il voyait à la manière d'une âme d'acier lisse.

A gauche, tout flambait. La Lexus. Le portique. Les pompes à essence. Le corps d'Arkadian était lui aussi en train de brûler. Celui de Luther était encore intact, mais des débris incandescents — bouts enflammés de charpente, morceaux de bois — commençaient à le recouvrir, et son uniforme menaçait de prendre feu d'une seconde à l'autre. L'essence continuait à jaillir de ce qui restait des pompes à essence, et les flammes couraient allégrement vers l'avenue, en contrebas. Le goudron alentour avait fondu sous l'effet de la chaleur, et bouillonnait même à certains endroits. Une fumée noire et épaisse s'élevait haut dans le ciel, se mêlant aux nuages lourds que l'orage tout proche suspendait au-dessus de la ville.

Quelqu'un jura.

Jack tourna la tête vers la droite, afin d'échapper au spectacle terrible et fascinant de la fournaise, et il chercha à placer dans son champ de vision réduit les distributeurs automatiques de boissons, qui se tenaient au coin du bâtiment.

Le tueur. Il était là, apparemment oublieux du carnage qu'il venait d'accomplir, en train de glisser des pièces dans la première des deux machines.

Sur le bitume, derrière lui, deux boîtes de Pepsi crachaient leurs bulles. Le Micro Uzi était encore dans la main gauche du type, le canon dirigé vers le sol. Du plat de la main, il frappa rageusement l'une des touches de sélection.

Tout en la repoussant, Jack murmura à l'intention de la femme : « Couchez-vous par terre ! »

Maladroitement, à peine capable de tenir debout, il fit face au tueur en vacillant.

La boîte métallique tomba dans le réceptacle situé au bas du distributeur. Le type se pencha en avant, examina sa prise et poussa un juron.

Tremblant, Jack rassembla toutes ses forces pour pointer son arme sur l'homme. Mais celle-ci lui parut être rivée au sol, si bien qu'il avait l'impression de devoir soulever le globe tout entier avant de pouvoir lever le bras assez haut pour viser le type.

Ce dernier venait de repérer Jack. Réagissant à sa présence avec une nonchalance très arrogante, le psychopathe dans son beau costume se retourna et fit deux pas en avant, tout en relevant le nez de son Uzi.

Jack réussit à tirer, mais son état de faiblesse était tel que le recul de l'arme suffit à le déséquilibrer, et il s'effondra à la renverse.

Le tueur lâcha une rafale de sept ou huit coups.

Déjà hors de portée des balles qui sifflaient au-dessus de sa tête, il tira une seconde fois, puis une troisième, tandis qu'il commençait à ramper sur le bitume.

Miraculeusement, la troisième balle cueillit le type en pleine poitrine, le projetant contre le distributeur de boissons. Dans un ultime rebond, il tomba à genoux. Il était salement touché, peut-être même mortellement blessé, comme paraissait l'indiquer sa chemise de soie blanche, qui se teinta d'écarlate, instantanément. Non. Le type n'était pas encore mort, et il avait toujours son arme à la main.

Le hurlement des sirènes s'intensifiait. De l'aide allait arriver, mais trop tard, sans doute.

Un coup de tonnerre défonça alors la digue céleste, et un torrent de pluie glacée se répandit soudain sur la ville.

Faisant un effort démesuré, Jack parvint à s'asseoir et prit son arme à deux mains. Il tira une première fois, ratant la cible, et de beaucoup. Le recul de l'arme fit jaillir dans ses bras des éclairs de douleur. Ses mains se vidèrent de leur force, et il lâcha son arme, qui atterrit sur le bitume, entre ses pieds.

Le tueur fou appuya sur la détente deux-trois-quatre fois, et Jack se prit dans la poitrine deux balles supplémentaires, qui le projetèrent violemment sur le sol, où son crâne rebondit, douloureusement.

Il tenta de s'asseoir à nouveau, mais il ne parvint qu'à soulever la tête, juste assez pour voir que le type venait de lâcher sa dernière rafale. Il gisait à présent à terre. La balle qu'il avait reçue dans la poitrine avait eu raison de lui, mais pas assez vite.

La tête de Jack roula sur le côté. Même avec le peu d'acuité visuelle qui lui restait, il aperçut alors une voiture noire et blanche qui fonçait vers la station-service. Dérapant bruyamment, elle pila à côté de lui.

La vue de Jack se brouilla. Il était complètement aveugle.

Il entendit des portières s'ouvrir, et des policiers crier des consignes.

C'était fini.

Luther était mort. Ça faisait presque un an que Tommy Fernandez avait trouvé la mort à ses côtés. Tommy, et maintenant Luther. Deux bons coéquipiers, deux bons amis, en une année seulement. Mais c'était fini.

Des voix. D'autres sirènes. Le bruit d'un choc provenant peut-être du grand dais en train de s'effondrer sur les pompes à essence.

Les sons alentour lui parvenaient de plus en plus étouffés, comme si on était en train de lui bourrer les oreilles de coton. Son ouïe, elle aussi, diminuait progressivement.

Ses autres sens allaient suivre. Il tenta d'humecter son palais desséché, essayant en vain de saliver et de retrouver dans sa bouche un goût, n'importe quel goût, même celui de l'essence et du bitume fondu. D'ailleurs, il ne sentait rien non plus, bien qu'une minute auparavant, l'air ait été lourd de puanteurs diverses.

Il ne sentait pas le sol au-dessous de lui. Ni les rafales de vent. Ni même la douleur. Pas même un frémissement nerveux. Seulement le froid. Un froid intense et pénétrant.

Un silence total le submergea.

S'accrochant désespérément à la dernière étincelle de vie qui brillait au fond d'un corps devenu le réceptacle inerte de son esprit, Jack se demanda s'il reverrait un jour Heather et Toby. Quand il voulut se rappeler leur visage, sa mémoire fut incapable de lui dire à quoi ressemblaient sa femme et son fils, les deux êtres humains qu'il chérissait entre tous. Il était incapable de retrouver la couleur de leurs yeux. L'idée le terrifia. Son corps en tremblait de chagrin, mais il ne sentait rien ; il se mit à pleurer, sans verser de larmes, tout en s'efforçant de ranimer le précieux souvenir qu'il avait de Toby et de Heather. Heather et Toby. Mais son imagination était aussi aveugle que ses yeux. Son monde intérieur n'était pas un abîme insondable noyé dans les ténèbres, mais plutôt une sorte de brouillard opaque, une neige lourde et humide, un blizzard de l'Arctique, glacial et acharné.

CHAPITRE TROIS

Un éclair zébra le ciel, suivi d'un coup de tonnerre si puissant que les vitres de la cuisine en tremblèrent. L'orage éclata soudain et des trombes de pluie s'abattirent sur la ville, sans autre préliminaire, comme si les nuages étaient des choses creuses, dont la coquille cassait, comme celle d'un œuf, pour libérer d'un coup leur cargaison d'eau.

Devant le comptoir, à côté du réfrigérateur, Heather était en train d'extraire de son emballage un sorbet à l'orange, et elle se retourna vers la fenêtre au-dessus de l'évier pour jeter un coup d'œil à l'extérieur. La pluie tombait si fort qu'on aurait pu croire qu'il neigeait. Un vrai déluge. Dans la cour, les branches de l'immense *ficus benjamina* ployaient sous les assauts de cette rivière verticale, trempant leurs feuilles dans la boue.

Elle était soulagée de savoir qu'elle n'avait pas à prendre la route pour rentrer chez elle. A cause d'un manque de pratique, les Californiens ne savaient pas conduire par temps pluvieux ; soit ils ralentissaient exagérément, conduisant si prudemment que le trafic s'interrompait, soit ils faisaient comme d'habitude, à savoir n'importe quoi, provoquant de spectaculaires carambolages sur l'autoroute. Dans quelques heures, nombreux seraient ceux qui verraient leur trajet habituel, long d'une heure, se transformer en un embouteillage de plus de deux heures.

Finalement, le fait d'être au chômage ne comportait pas que des inconvénients. Il suffisait de faire preuve d'un peu de bonne volonté pour en reconnaître tous les avantages, et en réfléchissant, on en trouvait toute une liste. Le premier, c'était de ne plus avoir à courir les boutiques pour dénicher un truc potable à porter au bureau. Elle avait déjà économisé pas mal d'argent, comme ça. Le second ? Ils n'avaient plus à s'inquiéter de la stabilité de l'organisme bancaire auquel ils avaient confié leur compte épargne, puisque, de toute façon, à ce rythme-là, ils n'allaient pas tarder à ne plus rien épargner du tout. Avec ce que gagnait Jack, à qui la dernière crise municipale avait coûté une réduction de salaire, il leur était impossible de songer sérieusement à économiser. Les impôts, quant à eux, avaient augmenté, et elle économisait ainsi tout l'argent que le gouvernement aurait ponctionné sur son salaire si elle avait travaillé. Quand on examinait le problème, être licenciée par IBM, au bout de dix ans d'excellents et loyaux services, n'avait rien de tragique ni de critique, mais représentait au contraire toute une série de changements hautement bénéfiques pour la licenciée.

« Laisses-en un peu pour les autres, Heather », s'admonesta-t-elle en refermant la boîte de sorbet pour la replacer dans le congélateur.

Jack, en optimiste convaincu qu'il était, disait qu'il n'y avait rien à gagner à ressasser les mauvaises nouvelles, et il avait raison, évidemment. Son caractère enjoué, sa gentillesse, sa personnalité chaleureuse et son bon cœur lui avaient permis de supporter une enfance et une adolescence cauchemardesques, qui auraient définitivement brisé pas mal de gens.

Plus récemment, sa philosophie personnelle lui avait été très utile lorsqu'il lui avait fallu surmonter l'année la plus terrible de toute sa carrière dans la police. Après avoir passé presque dix ans à patrouiller ensemble dans les rues de Los Angeles, Tommy Fernandez et lui se considéraient comme des frères. Tommy avait disparu plus de onze mois auparavant, mais, une fois par semaine, Jack se réveillait encore en sueur, après avoir rêvé que son partenaire, son ami, mourait dans ses bras. Il préférait alors se glisser hors du lit conjugal pour aller prendre une bière dans la cuisine, ou s'asseoir dans le salon, dans le noir. Il ne se rendait pas compte que Heather avait parfaitement entendu les gémissements qui lui avaient échappé pendant son sommeil agité. Des mois auparavant, elle avait compris qu'il n'y avait rien qu'elle puisse faire, ou dire, pour lui venir en aide ; il avait simplement besoin de rester seul. Mais, dès qu'il avait quitté leur chambre, elle glissait sa main vers la chaleur un peu moite que Jack avait laissée entre les draps.

Malgré tout, Jack était resté une réclame vivante pour les bienfaits de la pensée positive, et Heather était résolue à rivaliser avec lui en matière de bonne humeur et d'optimisme.

Elle rinça la cuillère dans l'évier.

La propre mère de Heather, Sally, était une femme fondamentalement négative, pour qui chaque mauvaise nouvelle prenait des allures de catastrophe personnelle, même si le drame du jour s'était déroulé à l'autre bout du monde et ne concernait finalement que de parfaits étrangers. Une crise politique aux Philippines pouvait déclencher chez Sally un monologue déprimant, au cours duquel elle exprimait son inquiétude quant à la montée des prix du sucre et de tous les produits dérivés, au cas où les plantations de canne à sucre seraient détruites par une guerre civile sanglante. Pour elle, un ongle cassé était aussi ennuyeux qu'une fracture de la clavicule, des maux de tête signalaient invariablement l'imminence d'une hémorragie cérébrale, et un aphte à la bouche était la preuve indéniable d'un cancer généralisé. La mère de Heather se repaissait littéralement de mauvaises nouvelles et d'histoires sinistres.

Onze ans plus tôt, Heather, alors âgée de vingt ans, avait été ravie de cesser de s'appeler Beckerman pour devenir Mme McGarvey — à la différence de certaines amies qui, en ces temps de féminisme naissant, avaient continué à utiliser leur nom de jeune fille, ou à l'accoler à celui de leur mari. Elle n'était certes pas la première à refuser de ressembler à ses parents, mais elle aimait à penser qu'elle s'était débarrassée de ses stigmates parentaux avec une application peu ordinaire.

Tout en tirant une cuillère d'un tiroir, elle saisit le bol de sorbet et se rendit dans le salon. Heather avait également conscience que le fait d'être au chômage signifiait qu'elle n'avait plus besoin de prendre un jour de congé pour s'occuper de Toby quand il était malade, ni de payer une baby-sitter. Dorénavant, elle serait toujours là quand il aurait besoin d'elle, et elle n'aurait plus jamais à se sentir coupable d'être une mère professionnellement active.

Evidemment, leur assurance médicale n'avait pris en charge que quatre-vingts pour cent du montant de la visite chez le médecin, où elle avait emmené Toby le lundi précédent, et les vingt pour cent restants, qu'elle avait payés, lui avaient paru représenter une somme énorme. Mais c'était un raisonnement typiquement Beckerman, indigne d'une McGarvey.

Dans le salon, Toby, en pyjama, bien au chaud sous une couverture, était installé dans un fauteuil face à la télévision, les pieds posés sur un coussin, complètement absorbé par les dessins animés que diffusait une chaîne câblée spécialisée dans les programmes pour enfants.

Heather connaissait par cœur le prix de l'abonnement. En octobre dernier, alors qu'elle travaillait encore, elle n'aurait probablement pas su, à cinq dollars près, combien il lui en coûtait.

Sur l'écran, une souris minuscule coursait un chat, qui, visiblement hypnotisé, croyait dur comme fer que la souris mesurait deux mètres de haut.

« Sorbet à l'orange supérieur », dit-elle en tendant le bol et la cuillère à Toby. « Le meilleur du monde, préparé par mes soins, après de longues heures passées à traquer le sorbet sauvage au fond des bois.

— Merci, maman », répondit-il, en souriant. Son sourire s'élargit encore à la vue de la portion de sorbet qui attendait au fond du bol, puis le garçon reporta son attention sur les images qui défilaient sur l'écran.

De dimanche à mardi, il était resté au lit sans rouspéter, trop malade pour réclamer sa ration de télé. Il avait dormi si longtemps qu'elle avait même fini par s'inquiéter, mais, de toute évidence, le sommeil était ce dont il avait le plus besoin. La nuit dernière, pour la première fois depuis dimanche, il avait pu avaler quelque chose de solide sans vomir tout de suite après ; il avait demandé de la glace et, pour l'instant, ce régime semblait lui convenir. Ce matin, il s'était même risqué à manger deux tranches de pain blanc, sans beurre, et voilà qu'il reprenait du sorbet. La fièvre était tombée, et la grippe semblait tirer à sa fin.

Heather prit place dans un fauteuil. Sur la table basse à côté d'elle, un thermos en forme de cafetière et une tasse en céramique décorée de fleurs rouges étaient posées sur un petit plateau. Elle ôta le bouchon du thermos et remplit sa tasse. L'arôme du café, délicatement parfumé au chocolat et aux amandes, lui chatouillait agréablement les narines, et elle s'efforça de le déguster sans chercher à calculer le prix de revient de chaque gorgée.

Confortablement installée, les jambes repliées sous elle, un châle posé sur les genoux, elle attrapa une édition de poche d'un roman de Dick Francis. L'ouvrant à la page qu'elle avait marquée d'une bande de papier, elle s'apprêta à se replonger dans les coutumes et les mystères de l'Angleterre hippique.

Bien qu'elle n'ait rien d'autre à faire que lire, elle se sentait coupable. Pourtant, elle s'était acquittée de toutes ses tâches ménagères. Quand ils travaillaient tous les deux, Jack et elle se partageaient le boulot de la maison, et ils continuaient à le faire. Après son licenciement, elle avait insisté pour faire la part de Jack, mais il avait refusé. Il pensait probablement que passer son temps à nettoyer et à ranger la mènerait tout droit à la déprime, et qu'elle se persuaderait vite d'être incapable de retrouver un nouvel emploi. Jack avait toujours fait preuve à l'égard d'autrui de beaucoup de respect, tout en étant lui-même débordant d'optimisme en ce qui concernait ses propres projets. Le résultat, c'était que la maison était impeccable, la lessive faite, et que la seule obligation de Heather était de tenir compagnie à Toby, ce qui n'était pas vraiment une contrainte, car c'était un enfant délicieux. Irrationnelle et pourtant bien présente, la culpabilité qu'elle éprouvait provenait du fait qu'elle était, naturellement et par choix, une femme active, que ces temps de récession économique forçaient à rester chez elle.

Elle avait envoyé des lettres de candidature à vingt-six compagnies différentes. A présent, il ne lui restait plus qu'à attendre les réponses. Et à lire les romans de Dick Francis.

La musique mélodramatique et les voix des personnages du dessin animé qui défilait sur l'écran ne la dérangeaient pas. Au contraire, l'odeur du café, le fauteuil confortable et le bruit monotone de la pluie sur le toit se conjuguaient pour créer une atmosphère détendue, et elle se laissa emporter par sa lecture.

Heather lisait depuis un quart d'heure quand Toby lança : « Maman ?

— Mmmm ? répondit-elle sans lever les yeux.

— Pourquoi les chats veulent toujours tuer les souris ? »

Un doigt sur le paragraphe qu'elle était en train de lire, elle jeta un coup d'œil sur la télé. Un autre chat et une autre souris étaient engagés dans une autre poursuite effrénée, avec, cette fois, le premier serrant de près la seconde.

« Pourquoi ils ne peuvent pas être amis avec les souris, demanda le petit garçon, au lieu de vouloir tout le temps les tuer ?

— C'est la nature des chats, dit-elle.

— Mais pourquoi ?

— Dieu les a faits comme ça.

— Dieu n'aime pas les souris ?

— Eh bien, Il les aime certainement, puisqu'Il les a créées, elles aussi.

— Mais alors, pourquoi est-ce que Dieu a créé des chats pour les tuer ?

— Si les souris n'avaient pas d'ennemis naturels, comme les chats, les chouettes et les coyotes, elles envahiraient la planète entière.

— Pourquoi est-ce que les souris envahiraient la planète entière ?

— Parce qu'elles donnent naissance à des portées de plusieurs bébés souris.

— Et alors ?

— Alors, si les ennemis naturels des souris n'étaient pas là pour limiter leur nombre, il y aurait sur terre un trillion de billions de souris qui mangeraient toute la nourriture du monde, sans laisser la moindre miette aux chats et sans rien *nous* laisser.

— Si Dieu ne voulait pas que les souris envahissent le monde, pourquoi est-ce qu'il les a faites avec beaucoup de bébés ? »

Au jeu du « pourquoi ? », les adultes perdaient toujours, parce que la succession de questions aboutissait invariablement à un cul-de-sac, sans réponses possibles.

« Tu me poses une colle, fiston, dit Heather.

— Je trouve que c'est méchant de créer des souris pour faire ensuite des chats qui les tueront.

— Je crois qu'il va falloir que tu en parles à Dieu toi-même, Toby.

— Ce soir, quand j'irai me coucher et que je réciterai ma prière ?

— C'est le moment idéal », affirma-t-elle en rajoutant un peu de café dans sa tasse.

Toby reprit la parole. « Je Lui pose toujours des questions, mais je m'endors avant d'avoir les réponses. Pourquoi est-ce qu'Il me laisse m'endormir ?

— C'est de cette façon que Dieu procède. Il te parle seulement pendant ton sommeil. Si tu écoutes attentivement, tu verras que tu te réveilleras avec la réponse à ta question. »

Cette dernière réplique provoqua chez Heather une certaine fierté ; pour une fois, elle ne lâchait pas prise.

Les sourcils froncés, Toby dit alors : « Oui, mais, en général, je ne connais pas la réponse quand je me réveille. Pourquoi est-ce que je ne connais pas la réponse, si Dieu me parle quand je dors ? »

Histoire de gagner un peu de temps, Heather but quelques gorgées de café. Puis elle lança : « Tu vois, Dieu ne veut pas non plus te donner toutes les réponses. La raison pour laquelle nous sommes sur cette terre, c'est qu'il nous faut chercher nous-même les réponses, afin d'apprendre par nos propres efforts. »

Bien. Très bien. Elle se sentait plutôt satisfaite, et jubilait modestement, comme si elle venait de tenir un set entier face à un joueur de tennis de classe internationale.

« Il n'y a pas que les souris qui se font chasser et tuer. Pour chaque animal, il y en a un autre qui veut le bouffer », dit Toby. Il jeta un coup d'œil sur la télé. « Tu vois, comme ça, comme le chien qui veut tuer le chat. »

Le chat qui poursuivait la souris était en train de se faire pourchasser par un énorme bouledogue portant un collier à pointes.

Se tournant à nouveau vers sa mère, Toby dit : « Pourquoi est-ce que chaque animal a un ennemi naturel ? Est-ce que les chats envahiraient la Terre si personne ne les tuait ? »

Nouveau cul-de-sac. Oh, bien sûr, elle aurait pu entamer un débat sur le concept de péché originel, et raconter à Toby que le monde avait été un paradis de paix et de sérénité, jusqu'à ce qu'Eve et Adam en soient chassés, à cause d'une sombre histoire de pomme et de serpent, et que les choses deviennent diaboliquement compliquées, avec la Mort débarquant dans tout ça.... Mais c'était peut-être un peu difficile pour un garçon de huit ans. D'ailleurs, elle n'était pas certaine d'y croire elle-même, bien qu'elle ait été élevée dans cette religion, qui expliquait ainsi l'existence du diable, de la violence et de la mort.

Heureusement, Toby lui évita d'admettre qu'elle n'avait aucune réponse précise à lui soumettre. « Si j'étais Dieu, je ferais juste un papa, et une maman, et un enfant de chaque genre de chose. Tu comprends ? Par exemple, comme un papa labrador, une maman labrador et un chiot. »

Depuis longtemps, il voulait un labrador, mais les cinq pièces de la maison n'offraient pas assez d'espace à un chien aussi grand.

« Personne ne mourrait, et personne ne deviendrait vieux, dit Toby, continuant à décrire le monde tel qu'il l'aurait créé, et le chiot serait toujours un chiot, et il n'y aurait jamais personne qui envahirait le monde, et comme ça, personne ne tuerait personne. »

Ça, évidemment, c'était le paradis perdu.

« Et puis, je ne créerais pas les guêpes et les araignées, ni les cafards, ni les serpents, dit-il en faisant une grimace de dégoût. J'ai jamais compris pourquoi ils existaient, eux. Dieu devait vraiment être de mauvaise humeur, ce jour-là. »

Heather éclata de rire. Ce gamin, elle l'adorait.

« De très mauvaise humeur », insista Toby en se tournant vers la télé.

Il ressemblait tant à Jack... Il avait hérité de ses magnifiques yeux bleu-gris, et de son regard. Ils avaient le même nez. Mais Toby avait sa blondeur à elle, et il était petit pour son âge, ce qui semblait indiquer qu'il tenait sa morphologie de sa mère, et pas de son père. Jack était grand et robuste, solidement charpenté ; Heather, très mince, ne dépassait pas le mètre soixante. Toby était de toute évidence leur fils à tous les deux, et parfois, comme maintenant, son existence était un vrai miracle. Il était le symbole vivant de leur amour, et si la mort était le prix à payer pour le miracle de la procréation, l'arrangement conclu il y avait bien longtemps, là-haut, au paradis, n'était pas aussi injuste qu'il en avait l'air.

Sur l'écran, le chat Sylvestre était en train d'essayer de supprimer Titi, le canari, mais, contrairement à ce qui se passe dans la vraie vie, le petit oiseau avait le dessus.

Le téléphone se mit à sonner.

Heather posa son livre sur l'accoudoir du fauteuil, poussa le châle afghan sur le côté et se leva d'un bond. Toby avait fini le sorbet à l'orange, et, cueillant au passage le bol vide, elle se dirigea vers la cuisine.

Le téléphone était installé sur le mur, à côté du réfrigérateur. Elle déposa le bol sur le comptoir et décrocha : « Allô ?

— Heather ?

— C'est moi, oui.

— C'est Lyle Crawford. »

Crawford était le capitaine de brigade de Jack, son supérieur hiérarchique.

Peut-être parce que Crawford n'avait jamais appelé à la maison, ou à cause du timbre de sa voix, ou peut-être grâce à l'instinct qui caractérise les femmes de flics, elle sut immédiatement qu'il s'était passé quelque chose de *très* grave. Les battements de son cœur s'accélérèrent, et elle eut du mal à retrouver son souffle. Soudain, elle se mit à haleter, répétant le même mot : *« Non, non, non, non. »*

Crawford lui parlait, mais Heather ne pouvait se résoudre à l'écouter, comme si ce qui venait d'arriver à Jack ne pouvait pas être réel tant qu'elle refusait toute explication.

Quelqu'un frappa à la porte de derrière.

Elle se retourna et aperçut un homme en uniforme, dégoulinant de pluie, qui la regardait, de l'autre côté de la fenêtre. C'était Louie Silverman, un collègue de Jack qui appartenait à la même division, et qu'il connaissait depuis plus de huit ans. Louie, roux de poil et toujours mal coiffé. Il était un ami de la famille, et avait fait le tour de la maison au lieu de frapper à la porte d'entrée, ce qui était une façon plus amicale de s'annoncer, moins formelle, plus chaleureuse. Un ami qui frappe à la porte de derrière... Seulement un ami qui vient apporter des nouvelles...

« Heather ! » La voix de Louie était étouffée par la vitre. Mais Heather eut l'impression qu'il avait prononcé son prénom d'une façon tout à fait inhabituelle.

« Attendez », dit-elle à l'intention de Lyle Crawford. Elle éloigna le combiné de son oreille et le posa contre sa poitrine.

Elle ferma les yeux. Elle ne voulait plus voir le visage de ce pauvre Louie, pressé contre la vitre. Un visage gris, aux traits tirés. Lui aussi aimait bien Jack. Pauvre Louie.

Elle se mordit la lèvre et serra contre elle le combiné du téléphone, qu'elle agrippait des deux mains, rassemblant en elle toute la force nécessaire, et priant pour la trouver.

Elle entendit une clé tourner dans la serrure de la porte. Louie savait où ils cachaient le double.

La porte s'ouvrit, et il entra. Dehors, il pleuvait toujours. « Heather », dit-il.

Le bruit de la pluie. La pluie. Le bruit glacé et implacable de la pluie d'hiver.

CHAPITRE QUATRE

La matinée s'annonçait belle, et le ciel du Montana était d'un bleu splendide, que perçait çà et là le sommet des montagnes immaculées, où l'on devinait sous la neige le vert profond de la forêt et les contours arrondis des pâturages. L'air transparent était si pur qu'on aurait pu apercevoir la Chine, si la Terre avait été plate.

Eduardo Fernandez se tenait sous le porche de son ranch, englobant du regard les champs en pente douce et l'orée des bois, à quelques centaines de mètres de là. Sapins et mélèzes, serrés les uns contre les autres, projetaient sur le sol leur ombre violette, comme si la nuit restait prisonnière de leurs aiguilles, même quand le soleil brillait joyeusement dans un ciel sans nuage.

Alentour, le silence était profond. Eduardo vivait seul, et son plus proche voisin se trouvait à trois kilomètres du ranch. Le vent n'était pas encore levé, et rien ne bougeait dans le vaste panorama qui s'étendait autour de lui, à l'exception de deux rapaces, peut-être un couple de faucons, qui planaient haut dans le ciel.

La nuit dernière, peu après une heure, alors que tout aurait dû être calme, Eduardo avait été réveillé par un drôle de bruit. Il avait tendu l'oreille, et le bruit lui avait paru de plus en plus étrange. Comme il sortait du lit pour aller voir ce qui se passait, il s'aperçut, à sa grande surprise, qu'il avait peur. Après soixante-dix années passées à prendre la vie comme elle venait, ayant trouvé la paix de l'âme, et accepté l'idée d'une mort inévitable, il n'avait plus peur de rien, depuis longtemps. Par conséquent, les furieux battements de cœur et le nœud dans les tripes que lui avait causé, la veille, ce bruit bizarre l'avaient énervé au plus haut point.

A la différence des autres septuagénaires, Eduardo n'éprouvait jamais la moindre difficulté à trouver un sommeil de plomb qui durait huit bonnes heures. L'activité physique remplissait ses journées, et il occupait ses soirées à lire ; une existence bien réglée, basée sur des principes de modération, avait fait de lui un vieillard vigoureux, sans regrets ni remords, que sa vie contentait. La solitude était sa seule servitude, Margarite s'étant éteinte trois ans auparavant, et lorsqu'il lui arrivait — rarement — de se réveiller au milieu de la nuit, c'était toujours parce que le souvenir de sa femme disparue était venu hanter ses rêves.

Le bruit n'était pas très fort, mais plutôt... pénétrant. Un grondement sourd, qui roulait à la façon d'une série de vagues à l'assaut d'une plage. Au-delà du grondement, une vibration, presque subliminale, comme une oscillation électronique surnaturelle. Il ne l'avait pas seulement entendue, il l'avait *ressentie* qui vibrait dans ses dents, dans ses os. Les vitres s'étaient mises à vibrer à l'unisson. Posant sa main à plat sur le mur, il constata qu'il percevait une onde sonore parcourant toute la maison, et palpitant sous le plâtre de la cloison.

Un certain sentiment d'oppression accompagnait cette pulsation, comme si quelqu'un ou quelque chose tentait, à intervalles réguliers, d'échapper à son confinement, luttant pour s'évader d'une cellule de prison ou franchir un mur d'enceinte.

Mais qui ?

Ou quoi ?

Finalement, après s'être tiré du lit et avoir passé un paire de pantalons et des chaussures, il était sorti sous le porche, à l'avant de la maison, d'où il avait repéré la lumière qui brillait dans les bois. Non, il fallait qu'il soit plus honnête avec lui-même. Il ne s'agissait pas seulement d'une lumière sous les arbres, les choses n'étaient pas aussi simples.

Il n'était pas superstitieux. Quand il était jeune homme, il se vantait même de toujours garder la tête froide, et de posséder un solide bon sens, joint à une conception des réalités de la vie dépourvue de toute sentimentalité. Les auteurs dont les œuvres tapissaient les murs de son bureau écrivaient tous dans un même style, précis, simple, sans aucun goût pour la fantaisie, c'étaient des hommes qui regardaient le monde froidement, qui le prenaient pour ce qu'il était, et non pour ce qu'il aurait pu être. Des hommes comme Hemingway, Raymond Carver, Ford Madox Ford.

Ce qu'il avait vu dans les bois, aucun de ses auteurs favoris, tous farouchement réalistes, ne l'aurait incorporé à l'une de ses histoires. La lumière qu'il avait vue ne provenait pas d'un objet caché sous les arbres, qui aurait pu projeter la silhouette des arbres en ombres chinoises ; non, c'était plutôt les arbres eux-mêmes qui diffusaient une lueur ambrée, émanant de l'intérieur de leur écorce et des rameaux eux-mêmes, comme si les racines des sapins avaient siphonné l'eau d'une nappe phréatique contaminée par du radium. Un radium *beaucoup* plus concentré que celui dont on recouvrait jadis les aiguilles des réveille-matin afin de les rendre visibles dans l'obscurité.

Seul un groupe d'une quinzaine d'arbres avait été concerné par le phénomène. Quinze arbres luminescents, qui se détachaient de la masse sombre de la forêt.

La mystérieuse source lumineuse était indubitablement à l'origine de l'étrange bruit. Le son avait progressivement disparu, et la lumière s'était éteinte elle aussi. De moins en moins fort, et de moins en moins visible. Le silence et les ténèbres étaient aussitôt revenus, et la nuit n'avait plus été troublée que par le souffle régulier d'Eduardo, tandis que le croissant de lune répandait sa lueur argentée sur la neige nacrée qui recouvrait les champs.

Le phénomène avait duré sept minutes à peine.

Sept très longues minutes.

De retour à l'intérieur, Eduardo s'était posté près d'une fenêtre, guettant ce qui allait suivre. Constatant que rien ne se produisait, il s'était décidé à se recoucher.

Incapable de dormir, il avait passé le reste de la nuit à réfléchir.

Il prenait son petit déjeuner tous les matins à six heures et demie, et il écoutait toujours la radio, qu'il avait réglée sur une station de Chicago qui diffusait les nouvelles internationales vingt-quatre heures sur vingt-quatre. L'expérience étonnante de la nuit précédente n'avait pas modifié ses habitudes, et il entendait bien respecter son emploi du temps. Ce matin-là, il mangea une boîte entière de quartiers de pamplemousse, deux œufs au plat, des pommes de terre sautées, une grosse tranche de bacon, et quatre larges toasts beurrés. L'âge ne lui avait pas fait perdre son gros appétit, et son amour de la bonne chère semblait lui avoir donné une santé de jeune homme.

Quand il avait fini de manger, il aimait bien rester à table, à boire du café, écoutant à la radio les nouvelles du monde. Nouvelles en général si mauvaises qu'Eduardo ne pouvait que se féliciter de vivre dans les montagnes, à l'écart de tout, et sans le moindre voisin à des kilomètres à la ronde.

Ce matin-là, tandis que la radio diffusait ses bulletins d'information, il passa plus de temps que d'habitude à siroter son café. Pourtant, lorsqu'il repoussa sa chaise derrière lui et se leva, il fut incapable de se souvenir de ce qu'il avait entendu. Il avait passé tout ce temps à observer la forêt par la fenêtre de la cuisine, se demandant s'il fallait qu'il se rende de l'autre côté de la prairie pour y chercher des preuves de l'énigmatique vision.

A présent, debout sous le porche d'entrée, chaussé de bottes, vêtu d'une paire de jeans, d'un pull et d'une veste en peau de mouton, ses protège-oreilles en fourrure attachés sous le menton, il ne savait toujours pas ce qu'il devait faire.

C'était à peine croyable, mais la même peur que la nuit précédente l'habitait encore. Bizarrement, les sortes de pulsations sonores qu'il avait entendues et la lumière dans les arbres ne lui avaient pas causé le moindre mal. La menace qu'il percevait confusément était entièrement subjective, sans doute plus imaginaire que réelle.

Ses propres hésitations finirent par le mettre en colère, et sa peur disparut. Il descendit résolument les marches du porche et traversa la cour devant le ranch.

La limite entre cour et prairie était dissimulée sous une épaisse couche de neige, qui atteignait à certains endroits vingt-cinq centimètres, et à d'autres, plus de cinquante, en fonction de l'action du vent. Après trente années passées dans le ranch, il connaissait si bien ses terres et le vent des montagnes qu'il empruntait sans réfléchir, à travers la neige, le meilleur itinéraire.

Des volutes de vapeur blanche s'échappaient de sa

bouche, et l'air piquant rosissait ses joues. Reportant ses pensées sur cette matinée d'hiver, il tenta de se calmer.

Il resta un long moment à la limite de la prairie, observant de loin les arbres qui s'étaient mis à luire, se détachant de l'obscurité environnante comme si une présence divine les avait illuminés, à la façon de Dieu dans le buisson ardent, qui brûlait sans se consumer. Ce matin, ils avaient l'air de sapins tout à fait ordinaires, d'un vert plus ou moins profond, suivant les espèces de résineux.

Ceux qui poussaient à la lisière de la forêt étaient plus jeunes que les autres, et hauts d'une dizaine de mètres seulement. Une vingtaine d'années auparavant, des graines tombées à terre avaient germé, alors qu'il vivait au ranch depuis déjà dix ans, et il avait l'impression de connaître ces arbres plus intimement que la plupart des gens qu'il avait rencontrés dans sa vie.

Pour Eduardo, la forêt était une cathédrale. Les troncs des grands résineux lui rappelaient les colonnes de granit d'une nef médiévale, s'élançant dans les airs pour supporter la voûte végétale. Le silence et le parfum de la résine incitaient à la méditation et, lorsqu'il suivait les traces du passage d'un daim, il avait souvent la sensation de fouler une terre sacrée. Dans ces moments-là, il n'était pas simplement un homme fait de chair et de sang, mais l'héritier de temps immémoriaux.

Dans la forêt, il se sentait toujours en sécurité.

Jusqu'à aujourd'hui.

Quittant la prairie pour pénétrer dans la pénombre qui régnait sous les branches entremêlées des sapins, Eduardo avança sans rien remarquer d'extraordinaire. Ni les troncs ni le branchage ne portaient la trace des flammes, et il ne trouva pas le moindre bout d'écorce carbonisée. La fine couche de neige au pied des arbres n'avait fondu nulle part, et les seules empreintes visibles étaient celles d'un cerf.

Arrachant un morceau d'écorce du tronc d'un mélèze, il l'écrasa entre le pouce et l'index. Rien d'anormal.

Il s'enfonça dans la forêt, laissant derrière lui les sapins qu'il avait vus resplendir la nuit précédente. Certains des arbres les plus anciens mesuraient plus de soixante mètres de haut, et la pénombre s'épaississait, les rayons du soleil ne parvenant plus à percer jusqu'au sol.

Son cœur cognait dans sa poitrine, de plus en plus fort.

Il savait que la forêt ne lui apprendrait rien qu'il ne connaissait déjà, mais cela ne suffisait pas à le rassurer.

Il avait la bouche sèche. Sa colonne vertébrale était parcourue par un frisson électrique qui n'avait rien à voir avec la température hivernale.

Profondément agacé, Eduardo rebroussa chemin, suivant les traces qu'il avait laissées dans les plaques de neige et l'épais tapis d'aiguilles de pin, et le bruit de ses pas dérangea soudain une chouette, endormie quelque part en haut d'un sapin.

Il sentait que quelque chose n'allait pas, mais il était incapable de préciser sa pensée. Ce qui l'énervait encore plus. Ce qui n'allait pas, c'était la sensation d'anormalité qui se dégageait de la scène. Oui, une certaine *anormalité*.

Le hululement de la chouette.

Les pommes de pins qui se détachaient sur la blancheur de la neige.

Les rayons pâles du soleil jouant dans le gris-vert des branches.

Une scène ordinaire. Paisible. Mais qui pourtant sonnait *faux*.

Il se dirigeait vers l'orée de la forêt. Apercevant à travers les sapins, plus loin devant lui, la neige qui recouvrait la prairie, il eut soudain la certitude qu'il n'atteindrait jamais le ranch, et que quelque chose allait lui sauter dessus, une chose tout aussi indéfinissable que l'impression d'anormalité ressentie tout à l'heure. Il accéléra le pas. La peur le gagnait à nouveau. Le hululement de la chouette n'était plus qu'un grincement sinistre et surnaturel. Il trébucha alors sur une racine qui dépassait du sol, son cœur faillit exploser, et il se retourna en hurlant, prêt à affronter le démon qui le poursuivait.

Il était seul, évidemment.

La pénombre du sous-bois et la clarté du soleil.

La chouette qui hululait, solitaire. Comme à l'accoutumée.

Tout en se maudissant, il reprit la direction de la prairie. L'atteignit enfin. La forêt était derrière lui, à présent. Il était sauvé.

Puis la peur le reprit, pire qu'avant, nourrie d'une certitude absolue : *c*'était tout proche — *quoi* donc ? — et *ça* gagnait du terrain tous les jours. *Ça* finirait par l'avoir, lui, Eduardo Fernandez, et par commettre un acte infiniment pire qu'un meurtre : *ça* suivait un but précis et inhumain, en utilisant des moyens inconnus, si étranges qu'ils dépassaient tout ce que le vieil homme pouvait concevoir. Il fut alors saisi d'une telle terreur qu'il n'eut pas le courage de se retourner, paniqué à l'idée de *voir* quelque chose. Prenant ses jambes à son cou, il courut vers le ranch, qui lui parut soudain très éloigné, telle une forteresse inaccessible. La neige volait sous ses bottes et il haletait, perdant l'équilibre, se relevant, puis tombant à nouveau. De sa gorge s'échappaient toutes sortes de grognements de panique, indiquant que l'instinct de survie dictait sa loi aux facultés mentales du septuagénaire, qui s'élança enfin en haut des marches menant au porche de son ranch. Là, il se retourna et hurla un « Non ! » déchirant, dont l'écho zébra le ciel bleu et pur du Montana.

Le manteau de neige qui s'étendait sur la prairie s'ornait à présent des traces désordonnées du passage d'Eduardo.

Il rentra à l'intérieur.

Il ferma la porte à double tour.

Dans la vaste cuisine, il resta longtemps debout devant la cheminée en brique, sans songer à changer de vêtements, baignant dans la chaleur que prodiguait le foyer, et pourtant incapable de se réchauffer.

Vieux. Il était vieux. Soixante-dix ans. Il n'était qu'un vieillard seul depuis trop longtemps, et à qui sa femme manquait cruellement. S'il venait à perdre l'esprit, qui le remarquerait ? Qui s'intéresserait au sort d'un vieux radoteur solitaire, qui délirait et qui s'imaginait des choses ?

« Mais qu'est-ce que je raconte, bon sang ? », dit-il au bout d'un moment.

Il vivait seul, d'accord, mais il n'était pas sénile.

Après avoir enlevé ses protège-oreilles, sa veste, ses gants et ses bottes, il alla chercher les carabines et les fusils qu'il rangeait habituellement dans le bureau, et entreprit de tous les charger

CHAPITRE CINQ

Mae Hong, qui habitait à côté, vint tout de suite s'occuper de Toby. Elle aussi était mariée à un policier, mais celui-ci ne se trouvait pas dans la même équipe que Jack. Comme les Hong n'avaient pas d'enfant, Mae était disponible aussi longtemps que nécessaire, au cas où Heather aurait besoin de passer la nuit à l'hôpital, au chevet de son mari.

Tandis que Louie Silverman et Mae restaient dans la cuisine, Heather vint baisser le volume de la télé et commença à expliquer à Toby ce qui s'était passé. Elle avait pris place sur un coussin, par terre, à côté de lui, et après avoir repoussé la couverture qui couvrait ses jambes, Toby s'assit au bord du fauteuil. Elle prit ses petites mains dans les siennes.

Elle préférait garder pour elle les pires détails de la fusillade, d'abord parce qu'elle ne les connaissait pas tous, et ensuite parce qu'il y avait des choses qu'un garçon de huit ans était incapable d'assumer. D'un autre côté, elle ne pouvait pas non plus enjoliver la situation, car ils formaient une famille dont le chef se trouvait être un policier. Par conséquent, ils vivaient en permanence dans l'attente d'un drame comme celui qui venait de se produire le matin même, et un enfant, même jeune, avait le droit de savoir que son père était grièvement blessé.

« Est-ce que je peux venir à l'hôpital avec toi ? », lui demanda Toby, qui serrait la main de sa mère plus fort qu'il ne semblait s'en rendre compte.

« Il vaut mieux que tu restes à la maison pour l'instant, trésor.

— Mais je ne suis plus malade.

— Si, tu l'es encore un peu.

— Je me sens très bien.

— Tu ne veux quand même pas transmettre tous tes microbes à papa ?

— Est-ce que papa va bientôt guérir ? »

Une seule réponse était possible, même si elle n'était pas certaine d'avoir raison : « Oui, mon bébé, papa va guérir. »

Les yeux de Toby étaient rivés à ceux de Heather. Il voulait savoir la vérité. A cet instant précis, il lui donna l'impression d'être beaucoup plus vieux que son âge. Les gosses des flics grandissaient peut-être plus vite que les autres. Trop vite.

« C'est vrai ?

— Oui, c'est vrai.

— Où... où est-il blessé ?

— A la jambe. »

Demi-mensonge. Il avait été touché à la jambe. Une fois à la jambe, deux fois dans le torse. C'était Crawford qui le lui avait dit. Deux balles dans le torse. Seigneur... Ça voulait dire quoi ? Qu'on allait lui retirer un poumon ? Qu'il avait pris la balle dans le ventre ? En plein cœur ? Dieu merci, il n'avait rien à la tête. Tommy Fernandez, lui, avait eu moins de chance.

Elle sentit un sanglot lui monter aux lèvres, et elle se força à respirer profondément, afin de ne pas craquer, surtout devant Toby.

« C'est pas trop grave, à la jambe, dit Toby, dont la lèvre inférieure tremblait. Et le bandit ?

— Il est mort.

— C'est papa qui l'a eu ?

— Oui, c'est papa.

— Bien, laissa tomber Toby d'un ton solennel.

— Papa a fait ce qu'il devait faire, et il faut que nous fassions comme lui, et que nous soyons très forts. D'accord ?

— Ouais. »

Il était si jeune. C'était vraiment injuste, qu'un garçon aussi petit ait un tel poids à porter.

« Papa a besoin de savoir que nous allons bien et que nous sommes forts, reprit-elle. Comme ça, il ne se fait pas de souci et il peut se concentrer sur sa guérison.

« — Je sais.

— Mon petit garçon... » Elle serra les mains de son fils encore plus étroitement. « Je suis très fière de toi, tu sais. »

Une soudaine timidité le fit baisser les yeux. « Moi, eh bien... je suis fier de papa.

— Tu peux l'être, tu sais. Ton père est un héros. »

Il hocha la tête, incapable d'articuler un mot. Son petit visage était crispé par l'effort qu'il faisait pour retenir ses larmes.

« Tu seras gentil avec Mae.

— Ouais.

— Je reviens aussi vite que possible.

— Quand ?

— Dès que je peux. »

Il bondit soudain du fauteuil et se jeta dans les bras de sa mère, avec tant de force qu'elle faillit perdre l'équilibre. Elle l'étreignit passionnément. Toby tremblait comme si la fièvre l'avait repris, bien qu'elle soit tombée depuis deux jours. Fermant les yeux, Heather se mordit la langue jusqu'au sang. Il fallait qu'elle soit forte.

« Je dois partir, maintenant », dit-elle, très doucement.

Il quitta les bras maternels et elle lui sourit, tout en lui passant tendrement la main dans les cheveux.

Il se rassit dans le fauteuil et posa les pieds sur le coussin. Elle arrangea la couverture autour de lui, puis augmenta le volume de la télé.

Elmer Fudd était justement en train d'essayer d'éliminer définitivement Bugs Bunny, et les deux compères se couraient après, condamnés à perpétuité à tourner en rond...

Dans la cuisine, Heather serra Mae dans ses bras et lui chuchota à l'oreille : « Ne le laisse pas regarder les autres chaînes, il pourrait tomber sur un bulletin d'information. »

Mae l'approuva d'un signe de tête. « S'il en a marre des dessins animés, on fera une partie de cartes.

— Ces salauds du journal télévisé, tout ce qu'ils veulent, c'est montrer du sang à l'écran, histoire de gagner des points d'audience. Je n'ai pas envie que mon fils voie couler le sang de son père. »

La tempête avait plongé la ville dans l'obscurité. Sous le ciel bas et charbonneux, les silhouettes des palmiers avaient noirci, et les bourrasques de pluie charriaient des gouttes longues comme des clous d'acier. Partout, les caniveaux débordaient.

Au volant d'une voiture de patrouille, Louie Silverman, dans son uniforme de policier, mit en marche la sirène et les gyrophares. Devant eux, les voitures s'écartèrent comme par miracle.

Assise à côté de Louie, les mains coincées entre ses cuisses, prostrée et tremblante, Heather tourna le visage vers lui. « Nous ne sommes plus que tous les deux, à présent, et Toby ne risque pas de nous entendre. S'il te plaît, je veux que tu me dises exactement dans quel état est Jack.

— C'est grave. Une balle dans la jambe gauche, une autre dans l'abdomen, et une troisième dans la poitrine, du côté droit. Le tueur avait un Micro Uzi et des balles de neuf millimètres, et ça ne plaisante pas, crois-moi. Jack avait déjà perdu conscience quand nous sommes arrivés sur les lieux, et l'équipe d'urgence n'est pas arrivée à le ranimer.

— Et Luther est mort.

— Oui.

— Luther avait l'air toujours si...

— Un vrai roc.

— C'est ça ! On avait l'impression qu'il était là pour toujours, comme une montagne. »

Ils roulèrent en silence pendant quelques centaines de mètres, puis Heather reprit la parole. « Combien de victimes ?

— Trois. L'un des propriétaires de la station-service, un mécano, un pompiste. Mais, grâce à Jack, Mme Arkadian, la femme du patron, est encore en vie. »

Ils n'étaient plus très loin de l'hôpital quand une Pontiac, qui roulait devant eux, refusa de céder le passage à la voiture de patrouille. La Pontiac était équipée de pneus à jantes larges et de déflecteurs, à l'avant et à l'arrière. A la première occasion, Louie franchit la ligne blanche et dépassa la Pontiac, la contournant par la gauche. Heather aperçut alors quatre jeunes gens, visiblement furieux. Tous portaient leurs cheveux noués en catogan derrière la nuque, se donnant ainsi des airs de gangsters branchés, et leurs visages exprimaient l'hostilité et la méfiance.

« Jack va s'en tirer, Heather. »

Sur la chaussée noire et luisante, où se reflétaient les lumières scintillantes de la ville, les phares des automobiles traçaient de longs serpentins lumineux.

« C'est un dur à cuire, fit Louie.

— Ça tombe bien, nous aussi », répliqua-t-elle.

Jack était toujours dans l'une des salles de réanimation du Westside General Hospital quand Heather arriva, un peu avant dix heures. A l'accueil, une infirmière lui donna le nom du chirurgien — le Dr Emil Procnow — et lui conseilla d'attendre à côté de l'unité de soins intensifs, plutôt que dans la salle d'attente du bâtiment principal.

La pièce dans laquelle elle se rendit ensuite avait été peinte suivant les règles les plus strictes de la chromothérapie. Les murs étaient jaune citron, la structure tubulaire métallique des sièges, grise, et les coussins, orange vif, comme si l'angoisse et le chagrin pouvaient être atténués par des couleurs soigneusement sélectionnées pour leur pouvoir curatif.

Heather n'était pas la seule à attendre. A côté de Louie, trois flics, dont deux en uniforme et un autre en civil, qu'elle connaissait tous. Chacun à leur tour, ils la prirent dans leurs bras, lui répétant que Jack allait s'en tirer, lui proposant d'aller lui chercher un café, et faisant de leur mieux pour lui remonter le moral. Les trois hommes étaient les premiers représentants d'une délégation d'amis et de collègues, qui tenaient tous à soutenir Heather au long de cette nuit de veille. Jack était très apprécié de tout le monde, mais ce n'était pas la seule raison de la présence de ses collègues : dans une société de plus en plus violente, où certains considéraient que respecter la loi était une attitude tout à fait démodée, les flics ressentaient plus que jamais le besoin de prendre soin des leurs.

Pourtant, en dépit de leur présence bienveillante, l'attente était insupportable. Entourée comme elle l'était, Heather se sentait très seule.

Sous la lumière crue des néons, les murs jaunes et le plastique orange des sièges donnaient l'impression de briller de plus en plus intensément. Et, au lieu d'apaiser son angoisse, le décor la rendait nerveuse, et elle n'avait pas d'autre recours que de fermer les yeux à intervalles réguliers, pour les rouvrir ensuite, et regarder anxieusement les aiguilles de sa montre.

Onze heures et quart. Elle était arrivée à l'hôpital une heure auparavant, et Jack était en salle d'opération depuis quatre-vingt-dix minutes. Le comité de soutien, qui comptait maintenant six personnes, estimait qu'autant de temps passé sur le billard ne pouvait qu'être un excellent signe. D'après eux, si Jack avait été trop gravement blessé, le chirurgien ne l'aurait pas gardé, et on leur aurait déjà appris la mauvaise nouvelle.

Heather n'en était pas aussi certaine, et elle était résolue à ne pas placer trop d'espoir dans leur opinion, au cas où celle-ci se révélerait fausse.

Les torrents de pluie qui s'abattaient sur les vitres brouillaient la vue qu'on avait sur la ville : par la fenêtre ruisselante d'eau, on ne distinguait ni lignes ni contours, comme si tous les bâtiments de la métropole avaient fondu, transformés en un amas de ruines aux formes surréalistes.

De nouveaux arrivants débarquèrent à leur tour dans la salle d'attente. Certains avaient les yeux rougis par les larmes, mais tous étaient également tendus, chacun d'entre eux attendant des nouvelles d'autres patients, parents ou amis. Quelques-uns s'étaient fait tremper par l'orage, et une forte odeur de laine mouillée signalait leur présence.

Elle fit les cent pas. Le distributeur de boissons lui fournit un café amer, qu'elle but sans sourciller. Puis elle alla se poster près de la fenêtre. Elle prit sur une table basse un vieux numéro de *Newsweek* et tenta de lire un article consacré à la dernière découverte de Hollywood, une ravissante jeune actrice, mais elle fut incapable d'en mémoriser le moindre mot.

Minuit et quart. Jack était sur la table d'opération depuis deux heures et demie, et les supporters improvisés persistaient à répéter que l'absence de nouvelles était une bonne nouvelle en soi, et que, tant qu'il était sous le scalpel du chirurgien, les chances de survie de Jack augmentaient à chaque seconde. D'autres, comme Louie, évitaient de croiser le regard de Heather, parlant à voix basse comme dans une morgue. Le gris de la tempête qui faisait rage au-dehors avait déteint sur leur visage.

Les yeux fixés sur une page de *Newsweek*, elle commença

à se demander ce qu'elle allait faire, au cas où Jack ne s'en tirerait pas. Mais, une telle pensée lui faisant l'effet d'une trahison, elle s'empressa de l'écarter de son esprit, comme si le simple fait d'envisager l'existence sans Jack pouvait effectivement hâter sa disparition.

Il était impossible qu'il meure. Elle avait besoin de lui, et Toby aussi.

L'idée d'annoncer une nouvelle pareille à son fils lui donna la nausée, et une sueur glacée lui coula le long de la nuque. Elle crut un instant qu'elle allait vomir sur l'horrible moquette le mauvais café qu'elle avait ingurgité tout à l'heure.

Un homme en blouse verte fit son apparition dans la salle d'attente. « Madame McGarvey ? »

Toutes les têtes se tournèrent vers elle, et Heather posa le magazine sur la table basse. Puis elle se leva.

« Je suis le Dr Procnow », dit-il en s'approchant d'elle.

C'était le chirurgien qui venait d'opérer Jack. D'une quarantaine d'années, élancé, il avait les cheveux noirs et bouclés, et des yeux sombres et limpides à la fois qui exprimaient — du moins se l'imagina-t-elle — beaucoup de compassion et une grande sagesse. « Votre mari se trouve actuellement en salle post-opératoire, et nous allons ensuite le transférer dans une unité de soins intensifs. »

Jack était vivant.

« Vous pensez qu'il va s'en sortir ?

— Il y a de grandes chances, oui », dit Procnow.

Le comité de soutien réagit avec enthousiasme aux paroles du chirurgien, mais Heather, moins optimiste, se montra plus prudente. Pourtant, le soulagement qu'elle ressentait lui coupa les jambes, et elle crut qu'elle allait s'évanouir.

Comme s'il avait lu dans son esprit, Procnow la guida jusqu'à un siège, puis il en plaça un autre en face d'elle et s'assit.

« Deux des blessures étaient particulièrement graves, dit-il. Celles de la jambe et de la poitrine. Il a perdu beaucoup de sang et il était pratiquement dans le coma quand l'équipe de soins d'urgence l'a ramassé.

— Mais il va se rétablir, n'est-ce pas, docteur ? »

Pressentant que Procnow hésitait à parler, elle se permettait d'insister.

« Comme je vous l'ai dit, il a de grandes chances de s'en tirer, sincèrement. Mais il n'est pas complètement hors de danger. »

Une sincère inquiétude se lisait dans les yeux doux d'Emil Procnow, et Heather trouva soudain cette compassion intolérable. Survivre à l'intervention chirurgicale n'était en fait que le moindre des défis lancés à Jack. Evitant le regard du chirurgien, elle baissa les yeux.

« J'ai été forcé de pratiquer l'ablation du rein droit, poursuivait Procnow, mais les lésions internes sont très peu nombreuses. Quelques problèmes veineux mineurs, une partie de l'intestin à recoudre... Mais tout ça, c'est arrangé. Nous avons également posé des drains au niveau de l'abdomen, qu'il gardera quelque temps. Il est placé sous antibiotiques, pour prévenir tout risque d'infection. Aucun problème de ce côté-là.

— On peut vivre sans... On peut vivre avec un seul rein, n'est-ce pas, docteur ?

— Oui, bien sûr. Sa qualité de vie ne sera nullement affectée par cette ablation, je vous rassure. Un rein en moins, ce n'est pas le problème. »

Quelle autre blessure était donc susceptible d'affecter la qualité de vie de Jack ? Elle brûlait d'envie de poser la question, mais elle ne s'en sentit pas le courage.

Les doigts du chirurgien étaient longs et souples, et ses mains, quoique fines, avaient l'air musclées, comme celles d'un pianiste de concert. Heather se dit que les blessures de Jack n'auraient pas pu trouver de mains plus compétentes pour les soigner.

« Deux choses nous préoccupent actuellement, poursuivit Procnow. Un choc important et la perte de beaucoup de sang peuvent parfois donner lieu à... à des séquelles cérébrales. »

Oh non, Seigneur, pas ça.

« Tout dépend d'une éventuelle interruption de l'irrigation sanguine dans le cerveau, et des dommages subis par les tissus. »

Elle ferma les yeux.

« Son électro-encéphalogramme paraît satisfaisant, et si je devais donner un diagnostic, je dirais que le cerveau n'a pas souffert. Nous avons donc toutes les raisons d'être optimistes. Mais nous ne serons sûrs de rien tant qu'il n'aura pas repris connaissance.

— C'est-à-dire?

— Impossible à dire. Il faut attendre. »

Ce qui voulait dire qu'il ne reprendrait peut-être jamais connaissance.

Elle ouvrit les yeux et voulut retenir ses larmes, sans y parvenir tout à fait. Elle tira alors un mouchoir de son sac à main.

Tandis qu'elle s'essuyait les yeux, le chirurgien continua à lui parler. « Encore une chose. Quand vous lui rendrez visite dans l'unité de soins intensifs, vous constaterez qu'il est attaché sur son lit. »

Heather plongea dans les yeux de Procnow un regard perplexe.

« Une balle, ou un éclat de métal, a touché la moelle épinière. Certaines vertèbres souffrent de traumatismes, mais nous n'avons décelé aucune fracture.

— Des traumatismes... C'est grave?

— Ça dépend de l'état de la moelle épinière.

— Il risque d'être paralysé?

— Jusqu'à ce qu'il reprenne conscience et que nous puissions lui faire passer une série d'examens, nous ne pouvons rien affirmer. S'il présente des symptômes de paralysie, nous vérifierons qu'il n'y a pas de vertèbres fracturées. Le plus important, c'est que la moelle épinière n'ait pas été sectionnée. En cas de paralysie et de fracture, tout son corps sera plâtré, et ses jambes seront placées sous traction, afin de libérer le sacrum de toute pression. Vous savez, madame McGarvey, nous savons très bien soigner les fractures de la colonne vertébrale, elles ne sont pas aussi catastrophiques qu'elles en ont l'air. Nous avons toutes les chances de remettre votre mari sur pied.

— Mais aucune garantie », lâcha-t-elle dans un souffle.

Il hésita. « Il n'y en a jamais, madame McGarvey », dit-il enfin.

CHAPITRE SIX

Tout comme les autres compartiments réservés aux malades, celui de Jack était pourvu de larges ouvertures, qui donnaient sur le coin réservé au personnel de l'unité de soins intensifs. Les rideaux étaient tirés, ce qui permettait aux infirmières de garder en permanence un œil sur le patient en réanimation, même lorsqu'elles se trouvaient au centre de la grande pièce, en forme de roue. Jack était relié à un écran de surveillance cardiaque, qui transmettait les nouvelles données au terminal installé dans l'infirmerie générale, et une perfusion l'alimentait en glucose et en antibiotiques. Un tube à oxygène avait été fixé à sa cloison nasale.

Heather s'était préparée à recevoir un choc, mais Jack était dans un état bien pire que tout ce qu'elle avait imaginé. Il était toujours inconscient et son visage était totalement inexpressif, mais ce n'était pas l'immobilité de ses traits qui le rendait effrayant à regarder. Il avait le teint cireux et de gros cernes violets autour des yeux. Ses lèvres étaient couleur de cendres, et quelques mots de la Bible revinrent à la mémoire de Heather, éveillant un étrange écho dans son esprit : « Car poussière tu es, et à la poussière tu retourneras ». Il avait dû perdre plus de cinq kilos depuis qu'il avait quitté la maison ce matin-là, comme si la lutte pour survivre durait depuis des jours, et non pas depuis quelques heures seulement.

La gorge serrée, elle s'approcha du lit, incapable de prononcer un mot. Bien que Jack soit inconscient, elle ne voulait pas lui parler avant d'être certaine de contrôler sa voix. Elle avait lu quelque part que les malades plongés dans le coma étaient susceptibles d'entendre ce qui se passait autour d'eux, de comprendre ce qu'on leur disait, et même de percevoir les encouragements qu'on leur prodiguait. Elle ne voulait surtout pas que Jack puisse déceler dans sa voix la moindre trace de peur ou de doute, ou quoi que ce soit susceptible d'aggraver son état.

Le compartiment était étrangement calme. Sur l'écran du moniteur, le tracé du rythme cardiaque de Jack défilait inlassablement, et un mélange d'air et d'oxygène s'échappait des embouts nasaux en sifflant si faiblement qu'elle l'entendait à peine ; même la respiration régulière de Jack était plus silencieuse que celle d'un bébé. Dehors, la pluie, qui tombait dru, tambourinait sur la vitre de l'unique fenêtre, sans pour autant troubler le silence pesant.

Ce qu'elle voulait par-dessus tout, c'était prendre les mains de Jack dans les siennes, mais elles étaient prisonnières des manches de la camisole qui le retenait sur le lit. Hésitante, elle toucha sa joue. Il avait l'air glacé, mais elle le sentit fiévreux.

« Je suis à côté de toi, mon bébé. »

Pas le moindre signe indiquant qu'il l'avait entendue. Ses paupières ne cillèrent pas, et ses lèvres exsangues restèrent légèrement entrouvertes.

« Le Dr Procnow dit que tout va bien, lui dit-elle. Tu seras vite sorti d'affaire, tu verras. Ensemble, on peut lutter, pas de problème. Dis, tu te souviens de la fois où mes parents sont venus passer une semaine à la maison, il y a deux ans ? Ça, c'était ce que j'appelle une catastrophe, un véritable calvaire, avec, d'un côté, ma mère qui radotait et, de l'autre, mon père, qui soignait ses états d'âme à grand renfort de whisky... Ce qui t'arrive aujourd'hui, en comparaison, c'est une piqûre d'insecte, tu ne trouves pas ? »

Pas de réponse.

« Je suis là, poursuivit-elle, de la même voix douce, et j'ai l'intention de rester à côté de toi. Je ne bougerai pas d'un poil. Cette affaire nous concerne tous les deux, d'accord ? Tu ne te débarrasseras pas de moi aussi facilement. »

Sur l'écran du moniteur de contrôle, une ligne verte luminescente traçait la matérialisation de l'activité cardiaque de Jack, faible mais régulière. S'il avait entendu ce qu'elle venait de lui dire, son cœur n'en laissait rien paraître.

Elle aperçut une chaise, qu'elle installa près du lit, et s'assit, le regard rivé sur le visage de Jack.

Dans l'unité de soins intensifs, les visites étaient limitées à dix minutes toutes les deux heures, afin de ne pas fatiguer les malades, et de ne pas gêner le travail des infirmières.

Mais la chef du service, une infirmière du nom de Maria Alicante, se trouvait elle-même être la fille d'un policier, et elle accorda spontanément à Heather une dérogation. « Vous pouvez rester avec votre mari aussi longtemps que vous le désirez, lui dit Maria. Dieu merci, il n'est jamais rien arrivé à mon père. Nous nous attendions constamment au pire, mais il a eu de la chance. Il a pris sa retraite il y a déjà quelques années, juste au moment où les choses commençaient sérieusement à se gâter. »

Toutes les heures, Heather quittait le chevet de Jack pour aller passer quelques minutes en compagnie des membres du comité de soutien, qui occupaient toujours la salle d'attente. Hommes ou femmes, en uniforme ou en civil, les têtes changeaient, mais ils n'étaient jamais moins de trois, et il y eut un moment jusqu'à sept personnes.

Même les femmes de flics qu'elle ne connaissait pas s'arrêtaient pour lui témoigner leur sympathie. Toutes la prirent dans leurs bras, au bord des larmes. Leur compassion n'était pas feinte, et Heather sentait qu'elles étaient sincères. Mais elle savait aussi autre chose : chacune d'entre elles se réjouissait secrètement que leur mari n'ait pas été à la place de Jack.

Heather ne leur en voulait pas pour autant. Elle aurait vendu son âme pour qu'un autre que lui se soit rendu à la station-service ce matin-là, et elle serait alors venue rendre visite à la victime avec autant de sincérité que les autres épouses.

La police formait une communauté très liée, surtout en ces temps de désagrégation sociale. Cette communauté était constituée de groupes plus petits, en l'occurrence les familles des policiers, qui partageaient un mode de vie similaire et des valeurs semblables, et dont les besoins et les espérances étaient quasiment les mêmes. Indépendamment des relations étroites entretenues au sein du groupe, chaque famille protégeait et chérissait d'abord les siens. Sans l'amour intense et exclusif que se vouaient entre eux maris et femmes, parents et enfants, aucune sorte de compassion n'aurait pu exister au sein de la communauté qui englobait tous ces foyers unis.

Assise à côté du lit de Jack, dans le compartiment de l'unité de soins intensifs qu'on lui avait affecté, elle repassa mentalement les divers épisodes importants de sa vie avec Jack, de leur premier rendez-vous à la naissance de Toby, en passant par le dernier petit déjeuner qu'ils avaient pris ensemble. Douze ans de vie commune, qui lui paraissaient soudain si courts. Posant sa tête au bord du lit, elle se mit à lui parler à voix basse, tendrement, évoquant les souvenirs qui l'avait particulièrement marquée, leurs éclats de rire, tous les bons moments, et le bonheur qu'ils éprouvaient à être ensemble.

Peu avant cinq heures, elle fut tirée de ses évocations nostalgiques par une sensation brutale : quelque chose avait changé.

Inquiète, elle se leva et se pencha au-dessus de Jack pour s'assurer qu'il respirait toujours. Le moniteur de contrôle ne montrant aucun signe de défaillance cardiaque, elle se rendit rapidement à l'évidence : tout était normal.

Ce qui avait changé, c'était l'ambiance sonore. On n'entendait plus la pluie, et pour cause : la tempête était enfin terminée.

Elle jeta un coup d'œil sur le verre dépoli de la fenêtre. Après un tel déluge, la ville qui s'étendait à ses pieds, et qu'elle ne voyait pas, devait à présent scintiller. Le spectacle de Los Angeles après la pluie l'avait toujours enchantée, avec les gouttes étincelantes qui brillaient sur les palmes vertes comme autant de perles fines, les rues décrassées, et l'air si pur qu'on distinguait même les montagnes au loin, enfin débarrassées du smog qui les dérobait habituellement à la vue des citadins. Un Los Angeles rafraîchi par la pluie.

En imaginant que la fenêtre lui ait permis de contempler la ville, elle se demanda si, cette fois, la vision enchanteresse aurait produit sur elle le même effet, et elle se dit que non. Cette ville n'aurait plus jamais le même éclat, même s'il pleuvait pendant quarante jours et quarante nuits.

A cet instant précis, elle sut que leur avenir, celui de Jack, celui de Toby et le sien, résidait ailleurs, loin de Los Angeles. Cette ville n'était plus la leur. Quand Jack serait rétabli, ils vendraient la maison et ils partiraient... Ils partiraient quelque part, n'importe où, et repartiraient de zéro. Une telle décision n'était pas exempte de tristesse, elle le pressentait, mais c'était pourtant leur seul espoir.

Elle détourna son regard de la fenêtre et s'aperçut alors que Jack avait ouvert les yeux.

Le cœur de Heather s'emballa.

Elle se souvenait des termes sans équivoque qu'avait employés Procnow. *Perte de sang importante, traumatisme sévère, séquelles cérébrales, cerveau endommagé...*

Elle hésita à parler, craignant d'obtenir de la part de Jack une réponse à peine balbutiée et incompréhensible.

Il passa la langue sur ses lèvres desséchées.

Sa respiration était étrangement sifflante.

Se penchant au-dessus de lui, elle rassembla tout son courage. « Chéri ? »

Tandis qu'il tournait lentement la tête à gauche, puis à droite, parcourant des yeux le lieu inconnu où il se trouvait, elle lut sur son visage peur et confusion.

« Jack ? Tu m'entends, mon bébé ? »

Il fixait le moniteur de contrôle, visiblement hypnotisé par le tracé vert qui s'inscrivait fébrilement en dents de scie sur l'écran, sous le coup d'une agitation nouvelle.

Le cœur de Heather battait la chamade. Le fait qu'il ne réponde pas à ses questions la terrifiait littéralement.

« Jack, ça va ? Tu m'entends ? »

Très lentement, sa tête pivota vers elle. Grimaçant, il passa à nouveau la langue sur ses lèvres. « Je suis désolé », dit-il, d'une voix faible et éraillée.

Etonnée, elle répéta : « Désolé ? »

— Je t'avais avertie, le soir où je t'ai demandé ta main... Tu sais, j'ai toujours été un peu... minable. »

Le rire qui s'échappa alors de la gorge de Heather ressemblait étrangement à un sanglot. Penchée sur lui, en dépit du bord du lit qui lui rentrait douloureusement dans les côtes, elle déposa un baiser sur la joue pâle et fiévreuse de Jack, et un autre à la commissure de ses lèvres décolorées. « Mon minable à moi, reprit-elle en souriant.

— Soif..., lâcha-t-il.

— Je vais d'abord me renseigner auprès d'une infirmière. »

A cet instant précis, Maria Alicante fit irruption à la porte du compartiment, alertée par les nouvelles données transmises à l'ordinateur central.

« Il a repris connaissance, et il dit qu'il a soif », s'écria Heather, savourant la bonne nouvelle jusqu'au dernier mot.

« Un homme a bien le droit d'avoir le gosier sec, après une rude journée comme celle-ci », dit Maria en contournant le lit de Jack jusqu'à la table de chevet, sur laquelle était posée une carafe d'eau.

« Une bière », dit Jack.

Tapotant du doigt la poche de la perfusion, Maria s'esclaffa. « Mais que croyez-vous donc qu'il y ait là-dedans ?

— Pas de la Heineken, en tout cas.

— Vous aimez la Heineken, pas vrai ? Eh bien, vous savez que nous sommes obligés de réduire les frais d'hospitalisation, et il n'est pas question d'utiliser ce breuvage d'importation. » Elle versa à Jack un troisième verre d'eau. « Chez nous, on prend la Heineken en intraveineuse, c'est ça ou rien.

— Je préférerais ça. »

Ouvrant le tiroir de la table de chevet, Maria en tira une paille en plastique flexible. « Le Dr Procnow se trouve actuellement dans l'hôpital, dit-elle en s'adressant à Heather. Il est en train de passer dans les chambres des patients, et le Dr Delaney vient d'arriver. Dès que j'ai vu que l'électro-encéphalogramme de Jack avait changé, je les ai avertis. »

Walter Delaney était leur médecin de famille. Bien que Procnow soit un homme charmant, et un chirurgien sans doute très compétent, Heather se sentit soulagée à l'idée que l'équipe médicale s'occupant du cas de Jack compterait au moins un visage familier.

« Jack, dit Maria, je ne peux pas redresser votre lit, pour la simple raison qu'il faut absolument que vous restiez allongé sur le dos. Et je ne veux pas non plus que vous redressiez la tête, vous m'entendez ? Laissez-moi vous soulever. »

Maria plaça une main derrière la nuque de Jack et souleva sa tête de quelques centimètres. Elle tenait le verre de l'autre main, et Heather n'eut plus qu'à tendre le bras pour placer la paille entre les lèvres de Jack.

« Buvez à petites gorgées, dit Maria. Ce n'est pas le moment de vous étouffer. »

Au bout de six ou sept gorgées, entre lesquelles il avait pris le temps de respirer, il déclara forfait.

La modeste victoire que venait de remporter son mari l'emplit littéralement de joie. Sa capacité à avaler quelques centimètres cubes de liquide sans s'étrangler prouvait certainement que les muscles de son cou n'étaient pas paralysés.

Elle comprit alors à quel point leur vie s'était transformée, puisqu'un acte aussi simple que celui de boire un peu d'eau devenait soudain un triomphe, mais cette constatation ne réussit pas à entacher son bonheur.

Tant que Jack était vivant, il leur était encore possible de retrouver la vie qu'ils avaient connue. La route serait longue, certes. Un pas à la fois. De tout petits pas. Mais la route existait bel et bien et, pour l'instant, rien d'autre ne comptait.

Pendant qu'Emil Procnow et Walter Delaney examinaient Jack, Heather se rendit dans le bureau des infirmières pour téléphoner à la maison. Elle parla quelques instants avec Mae Hong, puis avec Toby, et leur annonça à tous deux que Jack était en forme. Elle savait qu'elle enjolivait un peu la réalité, mais tout le monde avait besoin d'un peu de pensée positive.

« Je peux le voir ? demanda Toby.

— Dans quelques jours, chéri.

— Mais je vais mieux, maman. Je ne suis plus malade du tout.

— On verra ça quand je rentrerai à la maison. Et, de toute façon, ton père a besoin de récupérer.

— Je lui apporterai de la glace au beurre de cacahuète et au chocolat, c'est ce qu'il préfère. Ils n'ont pas de glace comme ça, à l'hôpital, hein ?

— Non, je ne crois pas.

— Dis à papa que je lui en apporterai.

— D'accord, dit-elle.

— Je l'achèterai avec mon argent. Avec mon argent de poche.

— C'est très gentil, Toby. Tu es vraiment un garçon très gentil, tu sais... »

La voix du petit garçon se fit plus douce. « Tu reviens quand ? demanda-t-il, timidement.

— Je n'en sais rien, mon chéri. Bientôt. Mais tu seras sûrement déjà au lit.

— Tu me rapporteras quelque chose de la chambre de papa ?

— Qu'est-ce que tu veux dire ?

— Quelque chose qu'il a dans sa chambre à l'hôpital. N'importe quoi. Quelque chose qui vienne de sa chambre, et que je puisse mettre dans la mienne, comme ça je saurais qu'il est bien là-bas. »

La peur et l'insécurité que révélait la requête du petit garçon faillirent faire perdre à Heather le contrôle émotionnel qu'elle exerçait sur elle-même de toute sa volonté. Son cœur se serra, et elle se força à déglutir avant de répondre. « Bien sûr, chéri. Je te rapporterai quelque chose.

— Si je dors, réveille-moi.

— D'accord.

— Juré ?

— Je te le jure, bout de chou. Bon, il faut que je te laisse. Sois gentil avec Mae.

— On est en train de jouer au ramy.

— Vous ne pariez pas d'argent, au moins ?

— Non. Seulement des olives.

— J'aime mieux ça. Je ne voudrais pas que tu mettes ma copine Mae sur la paille », dit Heather, et l'éclat de rire de Toby sonna joyeusement à ses oreilles.

Comme elle ne voulait surtout pas déranger les infirmières, Heather s'installa contre le mur, à côté de la sortie. De là, elle pouvait apercevoir le compartiment de Jack. La porte était fermée, et un rideau en aveuglait à présent la baie vitrée.

Il régnait dans l'unité de soins intensifs un mélange particulier d'odeurs diverses. Elle aurait dû commencer à être habituée aux senteurs métalliques des produits désinfectants, mais elles lui semblaient au contraire de plus en plus prégnantes, et même sa bouche avait un goût amer.

Quand les deux médecins sortirent enfin du compartiment de Jack et s'approchèrent d'elle, ils souriaient, mais elle eut pourtant l'inquiétant pressentiment que les nouvelles étaient mauvaises. Leurs sourires n'allaient pas plus loin que les coins de leurs lèvres, et il y avait dans leurs yeux quelque chose de pire que de la sollicitude — de la pitié, peut-être.

Le Dr Walter Delaney avait la cinquantaine et il aurait été l'acteur idéal pour incarner le père de famille plein de bon sens d'un sitcom du début des années soixante. Tempes grisonnantes, visage séduisant, quoiqu'un peu mou, d'où émanait une sorte d'autorité paisible.

« Ça va, Heather ? » demanda Delaney.

Elle hocha la tête. « Je tiens le choc.

— Comment va Toby ?

— Les gosses ne se rendent pas vraiment compte, vous savez. Tout va bien, tant qu'il sait qu'il pourra voir son père dans deux ou trois jours. »

Avec un profond soupir, Delaney se passa une main sur le visage. « Seigneur, je hais ce monde que nous avons fait. » Heather ne l'avait encore jamais vu aussi en colère. « Quand j'étais enfant, les gens ne se tiraient pas dessus dans la rue tous les jours. Nous avions du respect pour la police, et nous savions qu'elle était là pour nous défendre contre les barbares. Qui pourra me dire pourquoi les choses ont changé ? »

Ni Heather ni Procnow ne connaissaient la réponse.

« C'est comme si, pendant que j'avais le dos tourné, quelqu'un avait transformé cette ville en un égout, doublé d'un asile de fous. Ce monde grouille d'individus qui ne respectent rien ni personne, mais nous sommes censés les respecter, eux, et nous apitoyer sur le sort de ces assassins, sous prétexte que la société ne leur a pas donné leur chance. » Il soupira à nouveau et hocha la tête. « Excusez-moi. C'est mon jour de garde bénévole à l'hôpital pour enfants, et il y a là-bas deux gamins qui ont été blessés au cours de l'affrontement de deux gangs rivaux. L'un d'entre eux a trois ans, l'autre, six. Des bébés, bon sang... Et maintenant, c'est le tour de Jack.

— Au fait, je ne sais pas si vous êtes au courant, lança Emil Procnow, mais le type qui a fait exploser la station-service ce matin avait sur lui de la cocaïne et du PCP. S'il utilisait les deux drogues en même temps, il n'y a rien d'étonnant à ce qu'il ait disjoncté...

— Seigneur... C'est comme s'il avait eu une bombe H implantée dans le cerveau », bougonna Delanay, dégoûté.

71

La colère des deux hommes était sincère, mais Heather avait la désagréable impression qu'ils cherchaient surtout à gagner du temps. S'adressant au chirurgien, elle dit : « Le cerveau n'a subi aucun dommage, on dirait. Vous disiez que c'était le principal problème, n'est-ce pas ?

— Il n'est pas aphasique, confirma Procnow. Il peut parler, lire, épeler un mot, additionner et soustraire des nombres. Apparemment, ses facultés mentales sont intactes.

— Ce qui signifie qu'il ne devrait avoir aucune séquelles physiques, sur le plan psychomoteur, précisa Walter Delaney, mais il est préférable d'attendre encore un ou deux jours avant de se prononcer. »

Emil Procnow passa ses longs doigts de chirurgien dans la masse bouclée de ses cheveux noirs. « Il se tire remarquablement bien d'affaire, madame McGarvey. Vraiment.

— Mais ? »

Les deux médecins échangèrent un regard.

« A l'heure actuelle, dit Delaney, ses deux jambes sont paralysées.

— C'est-à-dire la moitié inférieure de son corps, dit Procnow.

— Et la partie supérieure ? demanda-t-elle.

— Là, tout fonctionne normalement, la rassura Delaney.

— Demain matin, dit Procnow, nous nous livrerons à un examen plus approfondi de la colonne vertébrale. Si nous décelons une fracture, Jack sera placé dans une coque en plâtre, qui l'immobilisera du menton jusque sous les fesses, et ses jambes seront mises sous traction.

— Il pourra recommencer à marcher ?

— Très certainement. »

Les yeux de Heather allaient de Delanay à Procnow. Elle attendait la suite, mais rien ne vint.

« C'est tout ? » fit-elle.

Les médecins se regardèrent à nouveau.

« Heather, dit Delaney, je ne crois pas que vous ayez compris ce qui vous attend, Jack et vous.

— Dites-le-moi, alors.

— Il va rester dans cette coque en plâtre entre trois et quatre mois. Pendant ce temps, les muscles de la partie inférieure de son corps vont s'atrophier considérablement, et il n'aura plus la force physique de marcher. En fait, son organisme aura même oublié comment se servir de ses jambes, et il lui faudra alors passer plusieurs semaines dans une maison de rééducation fonctionnelle. Tout ça va être très pénible.

— C'est tout ? » demanda-t-elle.

Ce fut Procnow qui répondit. « C'est déjà bien plus qu'il n'en faut.

— Mais ça pourrait être tellement pire », lui rappela-t-elle.

Lorsqu'elle fut seule avec Jack, elle s'approcha de lui et, tendrement, passa la main sur son front moite.

« Tu es belle, lui dit-il d'une voix encore faible.

— Menteur.

— Très belle.

— Je ressemble à une vieille baudruche. »

Il sourit. « Juste avant de tomber dans les pommes, je me suis demandé si je te reverrais un jour.

— Tu ne crois quand même pas que je te laisserais me quitter aussi aisément ?

— Ah oui ? Il faudrait que je meure vraiment, c'est ça ?

— Même si tu étais mort, je te retrouverais. Je te retrouverais n'importe où.

— Je t'aime, Heather.

— Et moi, je t'aime plus que tout, plus que la vie elle-même », répondit-elle.

Elle sentit des larmes poindre sous ses paupières, mais elle ne voulait surtout pas pleurer devant lui. Il fallait être positif, et garder le moral.

Il cligna des yeux, puis il soupira. « Je suis épuisé.

— Ça, c'est très étonnant. »

Il eut un nouveau sourire. « Rude journée, aujourd'hui, au boulot.

— Ah bon ? Je croyais que les flics passaient leur temps à manger des hamburgers et à racketter les dealers.

— Pas seulement. Parfois, on passe à tabac d'honnêtes citoyens.

— Je vois... C'est ce qui a dû te fatiguer. »

Jack avait fermé les yeux.

Elle caressait toujours son front. Les mains de Jack étaient dissimulées par les manches de la camisole, et elle aurait désespérément voulu les toucher.

Soudain, il ouvrit les yeux. « Luther est mort ? »

Elle hésita. « Oui.

— C'est ce que je pensais, mais j'espérais que...

— Tu as sauvé la vie de la femme, Mme Arkadian.

— C'est mieux que rien. »

Les paupières de Jack s'étaient closes à nouveau. « Repose-toi, bébé.

— Tu as des nouvelles d'Alma ? »

Alma Bryson, l'épouse de Luther.

« Non, pas encore. Tu sais, il m'était difficile de quitter cette pièce.

— Va la voir, murmura-t-il.

— Entendu.

— Moi, ça va. C'est elle qui... C'est elle qui a besoin de toi, à présent.

— Comme tu voudras.

— Je me sens tellement fatigué... » souffla-t-il, avant de replonger dans un profond sommeil.

Lorsque Heather quitta le chevet de Jack, elle trouva dans la salle d'attente le comité de soutien, qui se réduisait à présent à trois personnes : deux policiers en uniforme dont elle ne connaissait pas les noms, et Gina Tendero, l'épouse d'un des collègues de Jack. Elle leur apprit que Jack était sorti du coma, et tous en furent enchantés. Dès le lendemain, le bouche à oreille allait fonctionner, et tout le service serait bientôt au courant. Contrairement aux médecins, les collègues de Jack comprirent parfaitement qu'elle ait refusé de prendre au tragique la paralysie partielle de Jack et l'hospitalisation qu'elle impliquait.

« Il faut que quelqu'un me ramène chez moi, dit Heather, pour que je récupère ma voiture. Je dois absolument passer chez Alma Bryson.

— Je vais t'y emmener, si tu veux, puis je te raccompagnerai chez toi, dit Gina. Moi aussi, j'ai envie de voir Alma. »

Gina Tendero était la femme de flic la plus exubérante de tout le service, et peut-être même de toute la police de Los Angeles. Elle avait vingt-trois ans, mais elle en paraissait quatorze. Ce soir-là, juchée sur des talons de douze centimètres, elle portait un pantalon et une veste de cuir noir, un pull rouge et un énorme médaillon en argent, orné du portrait en couleurs d'Elvis, ainsi qu'une paire de boucles d'oreilles tout à fait étonnante. On aurait dit deux de ces casse-tête chinois que les hommes d'affaires surmenés s'appliquent à démonter, lorsqu'ils veulent se changer les idées. Ses ongles laqués étaient d'un très beau mauve, assorti à la couleur de son ombre à paupières, quoique moins discret. Quant à la masse de boucles brunes qui retombait en cascade sur ses épaules, elle rappelait étrangement les perruques de Dolly Parton, sauf que c'étaient ses vrais cheveux.

Bien qu'elle n'ait guère mesuré plus d'un mètre soixante, et pesé moins de cinquante kilos, Gina en imposait toujours. Tandis qu'elle longeait les couloirs de l'hôpital en compagnie de Heather, faisant plus de bruit en marchant qu'un homme deux fois plus lourd qu'elle, elle s'attira les regards désapprobateurs des infirmières, que le *tac-tac-tac* de ses talons sur le carrelage avait alertées.

« Ça va, Heather ? », lui demanda Gina, alors qu'elles se dirigeaient vers le parking de l'hôpital, un bâtiment de quatre étages.

« Ouais, ça va.

— Vraiment ?

— Ça va aller, ne t'en fais pas. »

Parvenues au bout d'un couloir, elles poussèrent une porte métallique verte qui donnait sur l'étage où était garée la voiture de Gina. Murs en béton, plafond bas, atmosphère glaciale. Presque la moitié des ampoules étaient cassées, malgré les grilles qui les protégeaient, et les zones d'ombres entre les voitures offraient d'innombrables cachettes.

Gina sortit de son sac un petit aérosol et le tint à la main, l'index sur la détente. « C'est quoi ? dit Heather.

— Ben... Une bombe lacrymogène, pourquoi ? T'en as pas une ?

— Non.

— Tu te crois où, ma fille ? A Disneyland ? »

Elles longeaient l'allée en béton. « Je devrais peut-être m'en acheter une.

— Impossible. Ces salauds de politiciens ont voté une loi qui les rend illégales. C'est qu'il ne faudrait pas qu'un pauvre violeur asthmatique soit allergique au gaz lacrymogène, tu comprends. Demande à Jack, ou à l'un des gars du service, ils pourront t'en procurer un. »

Gina conduisait une Ford, un modèle bas de gamme, mais pourvu d'une alarme, qu'elle débrancha à l'aide de la télécommande. Les phares s'allumèrent, une sonnerie stridente retentit brièvement, et les portières se déverrouillèrent.

Après un dernier coup d'œil autour d'elles, elles s'installèrent à l'avant et refermèrent aussitôt les portes.

Gina fit démarrer la Ford, puis hésita un instant. « Tu sais, Heather, tu peux pleurer sur mon épaule, ma veste est imperméabilisée.

— Je t'assure, ça va.

— Tu n'es pas en train de faire des cachotteries, j'espère ?

— Gina, il est vivant. Le reste n'a aucune importance.

— Jack, pendant quarante ans, dans un fauteuil roulant ?

— Peu importe, tant que je peux lui parler et me serrer contre lui la nuit. »

Quelques secondes durant, Gina la fixa. Puis elle dit : « Tu le penses vraiment, je le sens. Tu sais à quoi t'attendre, mais ça ne change pas ton point de vue. Bien. Je m'étais toujours dit que tu en étais une, mais c'est bon de savoir que je ne m'étais pas trompée.

— Une quoi ? »

Repoussant le frein à main et passant la marche arrière, Gina s'écria gaiement : « Une sacrée gonzesse. »

Heather éclata de rire. « J'imagine que c'est un compliment, venant de ta part.

— Putain, t'as raison, ma fille. Et un super-compliment, tu peux le croire. »

Lorsque Gina eut payé la somme requise à la sortie du parking et qu'elles se retrouvèrent dehors, le soleil couchant était justement en train de nimber les nuages d'or et de feu. Pourtant, tandis qu'elles traversaient la ville et que le crépuscule se teintait peu à peu d'écarlate, le spectacle familier des rues et des immeubles semblait appartenir à une autre planète. Heather McGarvey avait passé toute sa vie adulte à Los Angeles, mais elle s'y sentait comme en terre étrangère, à présent.

La maison des Bryson, une jolie construction de style espagnol, se tenait au numéro 777 d'une rue bordée de sycomores, dans la Valley, à la limite de Burbank. Les branches nues des grands arbres dessinaient d'étranges géométries dans un ciel que les lumières de la ville, la nuit venue, saturaient d'une clarté boueuse. Devant le 777, dans l'allée et sur le trottoir, de nombreuses voitures étaient garées, serrées les unes contre les autres. On comptait plusieurs véhicules de police.

La maison grouillait d'amis et de parents, pour la plupart des flics, en uniforme ou en civil. Noirs, Hispaniques, Blancs et Asiatiques s'étaient rassemblés pour témoigner leur soutien à la famille de Luther Bryson, dans un élan de solidarité qui ne se manifestait que rarement à l'extérieur de leur petite communauté.

Dès qu'elle eut franchi le seuil de la porte, Heather se sentit chez elle, et enfin en sécurité. Tandis qu'elle se frayait un passage à travers le salon et la salle à manger, cherchant des yeux Alma, on lui demanda à plusieurs reprises des nouvelles de Jack. Visiblement, la rumeur avait circulé, et l'amélioration de son état de santé était connue de tous.

Plus clairement que jamais, Heather avait conscience d'appartenir à la grande famille de la police de Los Angeles. Elle était femme de flic, bien plus que simplement californienne, mais les choses n'avaient pas toujours été ainsi. Il était difficile de maintenir une quelconque allégeance spirituelle à une ville noyée sous la défonce et l'industrie porno, une ville en proie aux gangs et à leur violence, drapée dans le cynisme mondain de bon aloi à Hollywood, et contrôlée par des politiciens aussi vénaux et démagogiques qu'incompétents. Les affrontements sociaux et leur pouvoir destructeur séparaient la ville — et le pays tout entier — en clans et en tribus, et même si elle trouvait chez les flics le réconfort dont elle avait besoin, elle n'ignorait pas le danger que représentait la division manichéenne du monde. Nous contre les autres.

Alma se trouvait dans la cuisine en compagnie de sa sœur, Faye, et de deux autres femmes, et toutes étaient affairées à diverses tâches culinaires, épluchant des légumes, pelant des fruits, râpant du fromage. Alma étalait énergiquement de la pâte à tarte sur une plaque de marbre, et les gâteaux, dans le four, embaumaient toute la cuisine.

Heather posa la main sur l'épaule d'Alma, qui leva vers elle des yeux plus vides que ceux d'un mannequin de cire.

Clignant des paupières, Alma essuya aussitôt ses mains blanches de farine sur son tablier. « Heather, tu n'avais pas besoin de venir, il fallait rester auprès de Jack. »

Les deux femmes s'embrassèrent, et Heather dit : « Je voudrais tant pouvoir faire quelque chose, Alma.

— Moi aussi, ma fille. Moi aussi. »

Heather jeta alors un coup d'œil autour d'elle.

« Pourquoi tous ces préparatifs ?

— On enterre Luther demain après-midi. Comme ça, le plus dur sera fait. Après la cérémonie, tout le monde se retrouvera ici, et il faut bien que je nourrisse les gens.

— D'autres que toi pourraient s'occuper de ça.

— Je préfère donner un coup de main, dit Alma. Je n'ai rien à faire, à part rester assise dans un coin. Et je n'ai vraiment pas envie de penser, en ce moment, comme tu peux t'en douter. Si je ne fais rien, si mon esprit n'est pas occupé, je vais devenir folle. Tu comprends ce que je veux dire, n'est-ce pas, Heather ? »

Heather hocha la tête. « Oui, je sais, Alma.

— J'ai entendu dire, poursuivit-elle, que Jack va rester à l'hôpital, puis en maison de rééducation, pendant des mois. Toby et toi, vous allez être seuls à la maison. Tu te sens prête à affronter cette situation ?

— Nous irons le voir tous les jours. On est tous les trois dans la même galère, tu sais.

— Ce n'est pas du tout ce que je voulais dire.

— Bien sûr, ça va être dur, mais...

— Ce n'est pas non plus ce que je pense. Viens, je vais te montrer quelque chose. »

Heather suivit Alma dans sa chambre à coucher, et celle-ci referma soigneusement la porte derrière elles. « Luther s'inquiétait toujours de savoir ce que je deviendrais s'il lui arrivait malheur, et il s'est arrangé pour que j'apprenne à me débrouiller toute seule. »

Assise sur le tabouret de la coiffeuse, Heather, incrédule, vit Alma extirper de leur cachette les armes qui y étaient dissimulées.

Elle retira un pistolet-mitrailleur de dessous le lit. « Ça, c'est la meilleure arme de défense individuelle qu'on puisse trouver. C'est du.12. Assez puissant pour descendre n'importe quel crétin défoncé au PCP en train de se prendre

pour Superman. Pas besoin de savoir viser, il suffit seulement de pointer le canon sur le type et de tirer. » Et elle
reposa le fusil sur le lit.

Alma retira alors une carabine de derrière l'armoire. Une
arme lourde, méchante, avec un canon ventilé, un viseur et
un gros chargeur. « C'est un fusil d'assaut Heckler & Koch
HK91, expliqua Alma. Mais il est devenu difficile de s'en
procurer en Californie. » Elle le déposa sur le lit, à côté du
pistolet-mitrailleur.

Ouvrant ensuite le tiroir de la table de nuit, elle en sortit
un énorme révolver. « Browning 9 mm semi-automatique. Il
y a le même dans l'autre table de nuit.

— Seigneur, Alma, mais c'est un véritable arsenal que tu
as là, s'exclama Heather.

— Seulement des armes différentes, pour des utilisations
différentes. »

Alma Bryson mesurait un mètre soixante-dix, sans pour
autant ressembler à une virile amazone. Jolie, fine, elle avait
des traits délicats, un long cou de cygne, et des poignets
aussi fragiles que ceux d'une enfant de douze ans. Ses
longues mains aux gestes gracieux paraissaient bien incapables de manier les lourdes armes qu'elle possédait, mais
elle savait s'en servir, cela ne faisait aucun doute.

Quittant le tabouret, Heather dit : « Je comprends que tu
tiennes à avoir un révolver pour te défendre, et peut-être
aussi un pistolet-mitrailleur. Mais une arme d'assaut ? »

Les yeux fixés sur le Heckler & Koch, Alma répondit,
d'une voix sourde : « Assez précis pour toucher une cible
située à une centaine de mètres en plein dans le mille. Ça
tire des cartouches NATO capables de transpercer un tronc
d'arbre, un mur en brique, ou même une carrosserie de voiture, et d'avoir quand même le type qui se planque de l'autre
côté. Extrêmement fiable. Tu peux tirer des centaines de
fois, jusqu'à ce que le canon soit brûlant, sans risques qu'il
s'enraye. Je crois que c'est le modèle qu'il te faut, Heather.
Il faut te préparer. »

Telle Alice au pays des merveilles, Heather avait
l'impression de suivre le Lapin blanc le long d'un souterrain
sombre et inquiétant. « Me préparer à quoi ? »

Le visage d'Alma se durcit, et sa voix tremblait de colère.
« Il y a des années que Luther avait prévu ce qui se passe en

ce moment. Il disait toujours que les politiciens étaient en train de démolir mille ans de civilisation, pierre après pierre, sans rien bâtir à la place.

— C'est vrai, mais...

— Il disait que ce serait aux flics à assurer, quand tout se casserait la gueule, mais qu'à ce moment-là, la police serait tellement dévalorisée et dépréciée que personne ne la respecterait plus, et qu'il serait alors impossible pour elle de faire quoi que ce soit. »

La rage était le seul refuge d'Alma Bryson. Son unique moyen de contenir ses larmes, c'était d'avoir la haine.

Heather trouvait que la réaction d'Alma était plutôt malsaine, mais elle n'avait rien à lui proposer à la place. Faire simplement preuve de sympathie était hors de propos. Alma et Luther étaient mariés depuis seize ans et ils s'étaient totalement dévoués l'un à l'autre. N'ayant pas pu avoir d'enfant, ils étaient très proches, et Heather ne pouvait qu'imaginer l'immense douleur d'Alma. Le monde était cruel. L'amour, le vrai, profond et authentique, n'était pas facile à trouver. Et on ne le rencontrait qu'une fois dans sa vie. Alma devait avoir le sentiment que les meilleures années de sa vie étaient maintenant derrière elle, alors qu'elle n'avait que trente-huit ans. Elle n'avait pas seulement besoin d'entendre des paroles gentilles ou de pleurer sur une épaule amie et, comme il fallait qu'elle trouve un exutoire à sa fureur, elle s'en prenait aux politiciens et au système lui-même.

Après tout, elle réagissait peut-être sainement. Si plus de gens avaient cru bon de se mettre en colère, des années auparavant, le pays n'en serait peut-être pas arrivé là.

« Tu as des armes ? lança Alma.

— Une.

— C'est quoi ?

— Un revolver.

— Tu sais t'en servir ?

— Oui.

— Un revolver, ça ne suffit pas.

— Les armes me mettent mal à l'aise, tu le sais, Alma.

— La nouvelle est déjà passée à la télé, et elle sera demain dans tous les journaux. La tragédie de la station-service. Tout le monde va savoir que vous êtes seuls, Toby et toi, y compris tous ceux qui n'aiment pas les flics ni les femmes de flics. L'un de ces idiots de gratte-papier donnera probablement ton adresse, et il faut que tu sois prête à tout. De nos jours, il peut se passer n'importe quoi. »

La paranoïa d'Alma, que Heather n'avait jamais soupçonnée jusqu'à cet instant, ne lui ressemblait pas du tout, et elle frissonna. Mais même si le regard glacial de son amie l'effrayait un peu, elle se demandait si les déclarations péremptoires d'Alma n'étaient pas plus rationnelles qu'elles n'y paraissaient. Néanmoins, qu'elle soit capable de prendre au sérieux un point de vue aussi franchement paranoïaque la fit à nouveau frissonner, plus longuement cette fois.

« Il faut se préparer au pire », dit Alma Bryson en se saisissant du fusil de chasse. « Tu n'as pas que ta peau à défendre. Songe également que tu as un fils, et qu'il faut que tu penses aussi à Toby. »

Alma était là, devant elle, une jolie jeune femme noire au sourire capable d'apprivoiser un lion, au rire angélique, adorant le jazz et l'opéra, fréquentant les musées, cultivée, raffinée, chaleureuse, et elle était en train de tenir une arme ridiculement trop grosse pour des mains aussi délicates. La rage était devenue pour elle la seule alternative possible au désespoir suicidaire. Alma ressemblait aux personnages des posters révolutionnaires qui ne représentaient personne en particulier, mais plutôt un symbole sauvagement romantique. Heather avait le sentiment inquiétant d'assister non seulement à la colère d'une femme livrée au chagrin et au désespoir, mais à une prémonition du sombre avenir de la société tout entière, livrée à une tempête dévastatrice.

« Démoli brique par brique, dit Alma, solennelle. Et rien pour remplacer ce qu'ils ont détruit. »

CHAPITRE SEPT

Pendant vingt-neuf nuits consécutives, rien ne vint troubler la quiétude des montagnes du Montana, à l'exception de blizzards occasionnels, des hululements d'une chouette en chasse, et des hurlements lointains des bandes de loups gris. Peu à peu, Eduardo Fernandez avait retrouvé son assurance habituelle, et il avait cessé de guetter la tombée de la nuit avec une sorte d'inquiétude tranquille.

Il aurait d'ailleurs pu retrouver son équilibre plus rapidement, s'il avait eu plus de travail. Le mauvais temps l'avait empêché d'accomplir dans le ranch les tâches de routine; avec le chauffage électrique et la provision de bûches destinées aux cheminées, il n'avait pas grand-chose à faire durant les mois d'hiver, sinon hiberner en attendant le retour du printemps.

Depuis qu'il en avait la charge, le ranch n'avait jamais été exploité professionnellement. Trente-quatre ans plus tôt, Margarite et lui avaient été embauchés par Stanley Quartermass, un riche producteur de cinéma, qui était tombé amoureux du Montana et voulait y établir sa résidence secondaire. On ne pratiquait dans le ranch ni l'élevage ni la culture, et l'endroit était d'usage strictement privé.

Quatermass aimait les chevaux, et il avait donc construit une confortable écurie chauffée, comptant dix boxes, à une centaine de mètres au sud de l'habitation principale. Il passait environ deux mois par an au ranch, pour des séjours d'une à deux semaines, et il incombait à Eduardo, en l'absence du producteur, de s'assurer que les chevaux recevaient des soins attentifs et profitaient au maximum du grand air des montagnes. S'occuper des animaux et de la propriété constituait l'essentiel de son boulot. Margarite, elle, faisait office de gouvernante.

Eduardo et Margarite habitaient la maison des gardiens, une petite construction basse très confortable, avec deux grandes chambres. Construite en pierre, elle se tenait au milieu des sapins, à moins d'une centaine de mètres à l'ouest de la grande maison, à la lisière de la forêt. Tommy, l'unique enfant du couple, avait grandi ici jusqu'à ce que la vie urbaine exerce sur lui son pouvoir fatal, et qu'il aille vivre en ville à l'âge de dix-huit ans.

Quand Stanley Quartermass avait trouvé la mort dans l'accident de son avion privé, Eduardo et Margarite avaient eu la surprise d'apprendre qu'il leur léguait le ranch, ainsi qu'une somme suffisamment importante pour leur permettre de prendre leur retraite sans plus attendre. Le producteur s'était occupé de son vivant de ses quatre ex-épouses, et il n'avait pas eu d'enfant, de sorte qu'il avait généreusement partagé la plus grande partie de ses biens entre ceux de ses employés qu'il estimait le plus.

Ils avaient donc vendu les chevaux et fermé la petite maison en pierre, pour s'installer dans la grande bâtisse d'allure victorienne, avec des poutres apparentes, des volets extérieurs, des avant-toits sculptés et de larges porches, devant et derrière. Ç'avait été étrange, pour eux, de se retrouver propriétaires, mais le sentiment de sécurité avait été le bienvenu, bien qu'un peu tardif — ou justement parce qu'il l'était.

Eduardo était maintenant un veuf retraité qui nageait dans l'aisance, mais qui n'était pas assez occupé. Et qui avait trop d'idées bizarres grouillant dans la tête. Des sapins lumineux, franchement...

A trois reprises durant le mois de mars, il prit le volant de sa Jeep Cherokee et roula jusqu'à Eagle's Roost, la ville la plus proche. Là, il déjeuna chez Jasper's Diner, parce qu'il adorait leur steak Salisbury, qu'ils servaient avec des frites maison. Il acheta ensuite des magazines et quelques livres de poche au drugstore, et il fit ses courses à l'unique supermarché de la ville. Son ranch se trouvant à une vingtaine de kilomètres de Eagle's Roost, il aurait pu venir en ville tous les jours s'il l'avait désiré, mais trois fois par mois lui suffisaient largement. C'était un petit bourg, de trois ou quatre mille habitants; pourtant, même dans son isolement, il appartenait à un monde trop moderne pour plaire à un homme comme lui, accoutumé à la paix des montagnes.

A chacune de ses visites, il avait envisagé de s'arrêter chez le shérif du comté, afin de signaler le son étrange et les lumières bizarres qu'il avait détectés dans la forêt. Mais il savait à l'avance qu'on le prendrait pour un vieux fou, et qu'on glisserait sa déposition dans le dossier intitulé PLAINTES IRRECEVABLES.

Au cours de la troisième semaine de mars, le printemps débarqua officiellement et, dès le lendemain, une tempête déposa une nouvelle couche de neige, d'une vingtaine de centimètres. Ici, sur le versant est des Rockies, l'hiver était généralement peu disposé à céder la place au redoux.

Ainsi qu'il l'avait fait toute sa vie, il faisait tous les jours une longue promenade, mais il restait dans la longue allée qui menait à la grande maison victorienne, et qu'il dégageait lui-même après chaque chute de neige, ou se promenait à travers champs, tout en se gardant bien d'approcher les terres plus au nord, et la forêt, à l'ouest.

Sa couardise l'irritait au plus haut point, et d'abord parce qu'il ne se l'expliquait pas. Depuis toujours avocat fervent de la rationalité et de la logique, il prétendait que le monde manquait singulièrement et de l'une et de l'autre. Il se méfiait de ceux qui réagissaient émotionnellement plutôt qu'intellectuellement. Mais voilà que sa propre raison lui faisait à présent défaut, et que la logique ne parvenait pas à vaincre cette conscience instinctive du danger qui lui interdisait de s'approcher des sapins et de la nuit permanente régnant sous leurs branches.

Fin mars, il commença à penser que le phénomène n'avait finalement été qu'un incident ponctuel, ne tirant pas à conséquence. Un phénomène rare, mais naturel. Peut-être une perturbation électromagnétique quelconque. Qui ne présentait pour lui pas plus de danger qu'un simple orage d'été.

Le 1er avril, il vida les chargeurs des carabines et des fusils. Après les avoir soigneusement nettoyés, il replaça les armes à leur place dans son bureau.

Toutefois, encore légèrement troublé, il décida de garder le pistolet de tir.22 sur sa table de nuit. Ce dernier n'était pas d'une grande puissance, mais, chargé de balles à pointe creuse, il pouvait faire du dégât.

Le matin du 4 avril, au milieu de la nuit, Eduardo fut réveillé par une sorte de feulement sourd, dont l'intensité variait alternativement. Exactement comme au début du mois de mars, la pulsation sonore s'accompagnait de l'écho, tout à fait surnaturel, d'une oscillation électronique.

Il s'était assis dans son lit, clignant des yeux en direction de la fenêtre. Depuis la mort de Margarite, il ne dormait plus dans la grande chambre, donnant à l'avant de la maison, qu'il avait partagée avec elle. Il passait maintenant ses nuits dans l'une des deux petites pièces, à l'arrière. Par conséquent, la fenêtre était face à l'ouest, à cent quatre-vingt degrés de la forêt qui s'étendait à l'est, où il avait vu l'étrange lumière.

La lampe posée sur la table de nuit ne s'allumait pas à l'aide d'un interrupteur, mais d'une chaînette. Juste avant de tirer sur cette dernière, Eduardo eut le sentiment très net que quelque chose se trouvait dans la petite pièce avec lui, une chose qu'il valait mieux ne pas voir. Les doigts sur les maillons métalliques, il hésita. Il fouilla du regard l'obscurité, le cœur battant, comme s'il venait de se réveiller en plein cauchemar, un monstre à ses côtés. Quand il se décida enfin à tirer sur la chaînette de la lampe, la clarté qui envahit la chambre ne révéla aucune présence.

Prenant la montre posée sur la table de nuit, il regarda quelle heure il était. 1 heure 19.

Il rejeta les couvertures loin de lui et se leva. Il portait un caleçon long, et sa paire de jeans et sa chemise de flanelle étaient à portée de main, pliés sur l'accoudoir du fauteuil, à côté duquel il avait placé ses bottes. Il avait ses chaussettes aux pieds, parce qu'il craignait le froid.

Le son était plus fort que le mois précédent, et la pulsation se répandait dans la maison de façon nettement plus sensible que la dernière fois. En mars, Eduardo avait ressenti une espèce de pression dont l'intensité suivait le rythme des pulsations, et formant, comme le son lui-même, des séries de vagues, qui culminaient l'une après l'autre. A présent, la pression s'était considérablement accrue. Il ne se contentait plus de la ressentir, c'était maintenant physique, sans aucun rapport avec de quelconques conditions atmosphériques, et la sensation lui évoquait plutôt une marée arctique à l'assaut de son corps.

Il s'habilla si vite qu'au moment où il se saisit du pistolet posé sur la table de nuit, la chaînette de la lampe en battait encore follement le pied en cuivre. Les vitres des fenêtres vibraient, et les cadres accrochés aux murs tremblaient sur leur clou.

Il se précipita au rez-de-chaussée, dans le hall d'entrée, où l'on voyait sans avoir besoin d'allumer. Dans la porte, les carreaux biseautés du vitrail ovale étincelaient d'une lumière mystérieuse qui brillait au-dehors. Celle-ci était bien plus puissante que le mois précédent. Le verre coloré décomposait les rayons couleur d'ambre en un arc-en-ciel multicolore, projetant sur le sol et les murs des éclats bleus, verts, jaunes et rouges, et Eduardo eut soudain l'impression de se trouver dans une église.

Sur la gauche, dans le salon obscur où aucune lumière ne perçait les rideaux tirés, une collection de presse-papier en verre et divers bibelots se mirent à trembler, tandis que les figurines en porcelaine disposées dans une vitrine cliquetaient sur leur étagère.

A la droite d'Eduardo, dans le bureau aux murs tapissés de bouquins, les stylos rebondissaient sur le sous-main, un tiroir s'ouvrait et se refermait au ryhtme des vagues de pression, et le grand fauteuil tressautait au point de faire craquer ses roulettes.

Eduardo ouvrit la porte d'entrée, et la plupart des taches de lumière multicolores s'évanouirent, comme absorbées par une autre dimension, celles qui persistaient se réfugiant sur le mur de droite du hall, où elles se mêlèrent en une mosaïque vibrante.

La forêt, quant à elle, s'éclairait précisément à l'endroit où il avait aperçu la lumière pour la première fois. La lueur ambrée émanait du même groupe de sapins et du sol au-dessous, comme si les aiguilles et les pommes de pin, la terre, les cailloux et la neige s'étaient changés en autant d'éléments incandescents, diffusant une puissante clarté sans pour autant se consumer. Cette fois, la lueur était plus intense, à l'instar du grondement,nettement plus perceptible lui aussi, et des vagues de pression atmosphérique, dont l'intensité avait également augmenté.

Il se retrouva en haut des marches sans se souvenir d'être sorti de la maison et d'avoir traversé le porche. Jetant un coup d'œil derrière lui, il s'aperçut qu'il avait refermé la porte.

Les basses fréquences déferlaient dans la nuit au rythme d'une trentaine à la minute, mais le cœur d'Eduardo battait dix fois plus vite. Il avait envie de tourner les talons et de rentrer.

Son regard s'abaissa jusqu'à l'arme qu'il tenait à la main. Il aurait préféré que le fusil soit chargé et prêt à l'emploi.

Il releva la tête et eut un choc en s'apercevant que la lisière de la forêt s'était rapprochée. Les sapins lumineux avaient bougé.

Puis il comprit que c'était lui qui s'était déplacé. Il se retourna et vit que la maison se trouvait à présent à cinq mètres derrière lui. Il avait descendu les marches du porche sans s'en rendre compte. La trace de ses pas maculait la neige.

« Non », fit-il d'une voix tremblante.

Tel un courant marin, le grondement semblait vouloir le retenir, l'éloignant sans relâche du rivage. Le hululement plaintif résonnait dans l'air comme le chant de sirènes électroniques, l'interpellant au plus profond de lui-même, si bien qu'il comprenait le message sans en entendre les mots. C'était comme une musique dans ses veines, qui l'attirait irrésistiblement vers le feu sans flammes qui brûlait dans la forêt.

Ses pensées se faisaient confuses.

Cherchant à reprendre ses esprits, Eduardo leva les yeux vers le ciel étoilé. Une brume légère était accrochée à la voûte céleste, illuminée par les rayons de la lune argentée.

Il ferma les yeux. Et trouva assez de force pour résister à l'attraction que chaque vague sonore exerçait sur lui.

Mais, lorsqu'il ouvrit à nouveau les paupières, il découvrit que toute résistance était vaine. Il s'était encore rapproché des sapins, et se tenait à présent à une dizaine de mètres de l'orée de la forêt, si proche de l'aveuglante clarté irradiant des branches, des troncs et du sol lui-même qu'il en clignait des yeux.

La lueur ambrée était à présent striée de rouge.

Terrorisé, Eduardo avait dépassé le stade de la peur. En

proie à une violente panique, il parvint à maîtriser ses intestins et sa vessie, mais il tremblait si fort qu'il n'aurait pas été étonné d'entendre ses os s'entrechoquer. Pourtant, les battements de son cœur s'étaient calmés. Son rythme cardiaque s'était radicalement ralenti, et ses trente pulsations à la minute étaient calquées sur celles de l'onde sonore, qui semblait émaner de partout à la fois.

Avec un rythme cardiaque aussi bas, il aurait dû être incapable de tenir debout. Le sang ne parvenant plus à son cerveau, il aurait dû perdre conscience, et voir ses perceptions altérées. A moins que le son n'ait accéléré sa fréquence afin de s'accorder sur les palpitations de son cœur.

Curieusement, il ne sentait plus l'air glacé. Pourtant, aucune chaleur n'accompagnait l'énigmatique lueur. Eduardo n'avait ni chaud ni froid.

Il ne sentait pas non plus le sol sous ses pieds. Les notions de gravité, de poids et de fatigue musculaire avaient disparu. Il aurait tout aussi bien pu flotter.

Les odeurs de l'hiver n'étaient plus perceptibles. Evanoui, le parfum d'ozone de la neige. Partie, la fraîche senteur des sapins qui se dressaient devant lui. Envolées, les émanations aigres de la sueur glacée qui couvrait son corps.

Sur sa langue, aucun goût. C'était d'ailleurs la chose la plus bizarre de toutes. Il ne s'était encore jamais rendu compte de l'existence, dans sa bouche, d'une gamme infiniment variée de saveurs, même quand il n'était pas en train de manger. A présent, plus rien. De la fadeur. Ni sucrée ni acide. Ni salée ni amère. C'était plus que de la fadeur, c'était même au-delà. Rien. *Nada.* Il déglutit, saliva de son mieux, mais rien n'y fit.

Toutes ses facultés sensorielles semblaient se focaliser uniquement sur la lueur spectrale qui sourdait des sapins et sur l'implacable marée sonore. Il ne sentait plus les basses fréquences pénétrer son corps, au contraire : c'était maintenant de lui, Eduardo, que le son sortait, affluant hors de lui comme des sapins.

Soudain, il se retrouva à la lisière de la forêt, debout sur un sol plus instable que de la lave en fusion. Au cœur du phénomène. Regardant ses pieds, il s'aperçut qu'il était comme planté sur une plaque de verre, au-dessous de laquelle bouillonnait une mer en flammes, une mer plus profonde que les plus sombres des cieux. La contemplation d'un tel abîme lui arracha un cri de panique, mais pas le moindre souffle ne s'échappa de sa gorge.

Effrayé et intrigué à la fois, Eduardo porta alors le regard sur le reste de son corps, et il constata que la lueur ambrée et ses stries écarlates émanaient également de lui. On aurait dit un extraterrestre débordant d'une énergie inconnue. Ou la réincarnation d'un esprit indien sacré, venu du sommet des montagnes pour rassembler les guerriers des anciennes tribus, les Blackfeet, les Crow, les Sioux, les Assiniboins, les Cheyennes, et tous ces peuples qui dominaient les étendues sauvages du Montana avant l'arrivée des Blancs.

Il leva la main gauche, afin de l'examiner de plus près. La peau en était devenue transparente, la chair, translucide. Il vit tout d'abord les os de ses mains et les phalanges de ses doigts, formes allongées et grisâtres qui se détachaient de la masse d'ambre fondue dont ses membres semblaient faits. Et, tandis qu'il avait le regard fixé sur sa main, les os de celle-ci devinrent transparents à leur tour. Eduardo n'était plus qu'un homme de verre, sans la moindre substance, une fenêtre par laquelle on voyait un brasier infernal, celui-là même qui faisait rougeoyer le sol et les sapins.

Le flot de son et la vibration électronique, de plus en plus puissants, provenaient du magma, et, comme précédemment, il perçut clairement la présence de *quelque chose*. Une chose qui étouffait, et qui luttait pour se dégager de la gangue dont elle était prisonnière.

Quelque chose qui essayait de forcer une porte.

C'était précisément sur le seuil de cette porte que se tenait Eduardo.

Sur le seuil.

Une étrange certitude s'empara alors de lui : si la porte venait à s'ouvrir alors qu'il se trouvait devant elle, il éclaterait en des millions d'atomes, comme s'il n'avait jamais existé. Il deviendrait la porte. Un visiteur inconnu allait surgir du feu et passer au travers de lui. Par lui.

Seigneur, viens-moi en aide, priait-il, bien qu'il ne soit jamais allé à l'église.

Il tenta de bouger.

Impossible.

Dans ses mains levées vers le ciel, dans son corps tout

entier, dans les sapins et les cailloux, dans la terre, la lueur des flammes se fit moins ambrée, et plus rouge, plus brûlante, d'un écarlate effervescent. Puis des veines incandescentes apparurent brusquement, d'une brillance aveuglante. Les pulsations maléfiques enflaient et explosaient sans relâche, tels les pistons colossaux du moteur de l'Univers lui-même, perpétuellement en marche. La pression montait dans son organisme vitrifié, fragile comme du cristal, en proie au feu et au tonnerre...

Noir absolu.

Silence.

Froid.

Il se réveilla à l'orée de la forêt, baigné par le clair de lune. Sentinelles sombres et immobiles, les sapins montaient la garde.

Il avait récupéré l'usage de ses cinq sens. La faible odeur d'ozone qui se dégageait de la couche de neige fraîche, celles de la masse dense des arbres, de sa propre sueur — et de son urine. En revanche, il n'avait pas contrôlé sa vessie. Le goût qu'il avait dans la bouche était désagréable, mais familier : c'était celui du sang. Dans sa panique, ou au cours de sa chute, il s'était probablement mordu la langue.

Apparemment, la porte de la nuit était restée fermée

CHAPITRE HUIT

Cette même nuit, Eduardo alla chercher les armes qu'il avait rangées dans le bureau et les chargea à nouveau. Puis il les dissémina un peu partout dans la maison, de telle façon qu'il puisse toujours en avoir une à portée de main.

Le matin suivant, le 4 avril, il se rendit à Eagle's Roost, mais, cette fois encore, il ne s'arrêta pas chez le shérif, n'ayant toujours pas la moindre preuve susceptible d'étayer son histoire.

Il se rendit immédiatement chez Custer, *Hi-Fi & Vidéo*. La boutique était située dans un bâtiment en briques jaunes qui datait des années vingt, et le matériel technique qu'il exposait dans la vitrine avait l'air tout aussi anachronique qu'une paire de baskets aux pieds de l'homme de Cro-Magnon. Eduardo fit l'acquisition d'un magnétoscope, d'une caméra vidéo et d'une demi-douzaine de cassettes vierges.

Le vendeur, un jeune homme aux longs cheveux, offrait une certaine ressemblance avec Mozart, et portait des bottes et une paire de jeans, ainsi qu'une chemise de cow-boy brodée et un lacet en guise de cravate, retenu par une attache ornée de turquoises. Il débitait un flot de paroles concernant les caractéristiques technologiques des appareils, et il utilisait un tel jargon qu'on aurait pu croire qu'il s'exprimait dans une langue étrangère.

Tout ce qu'Eduardo voulait, c'était enregister des images et se les repasser. Rien de plus. Peu lui importait de pouvoir regarder une émission de télé pendant l'enregistrement d'une autre, et il se moquait parfaitement de savoir si ces foutus gadgets étaient capables ou non de lui préparer son repas, de faire son lit ou de lui poser des ventouses.

Il y avait au ranch un poste de télévision qui recevait une multitude de chaînes, parce que, peu de temps avant sa mort, Stanley Quartermass avait fait installer derrière les écuries une antenne parabolique. Eduardo ne regardait que rarement la télé, mais il savait qu'elle fonctionnait très bien.

Puis il se dirigea vers la bibliothèque. Là, il sélectionna des œuvres de Robert A. Heinlein et d'Arthur C. Clarke, ainsi que des recueils de nouvelles écrites par H. P. Love-craft, Algernon Blackwood et M. R. James.

Il se sentait aussi ridicule que s'il avait choisi des livres consacrés à l'abominable homme des neiges, au monstre du Loch Ness, au continent perdu de l'Atlantide, au triangle des Bermudes, ou encore à la mort fictive d'Elvis Presley et à l'opération qui lui avait permis de changer de sexe. Il s'attendait sincèrement à ce que la bibliothécaire se moque de lui, ou qu'elle lui décoche au moins un sourire apitoyé, mais elle inscrivit le titre des ouvrages sans trouver quoi que ce soit à redire à ses goûts en matière de littérature.

Après un dernier arrêt au supermarché, il rentra au ranch et déballa ses achats.

Il lui fallut deux jours supplémentaires et plusieurs packs de bière pour maîtriser le fonctionnement technique des appareils. La vidéo avait plus de boutons, de curseurs et de voyants lumineux que le tableau de bord d'un Boeing 747, et il avait la très nette impression que les fabricants avaient délibérément rendu très compliquée l'utilisation de leurs produits. Les modes d'emploi semblaient avoir été rédigés par quelqu'un ne parlant pas l'anglais, ce qui était sans doute le cas, puisque le magnétoscope et le caméscope étaient tous deux *made in Japan*.

« Si ce n'est pas moi qui deviens faible d'esprit, s'exclama-t-il au comble de l'exaspération, c'est la planète elle-même qui perd complètement les pédales. »

C'étaient peut-être les deux.

Les beaux jours arrivèrent plus tôt que d'habitude. Sous cette latitude, et à cette altitude, avril était souvent un vrai mois d'hiver, mais, cette année-là, la température dans la journée monta jusqu'à cinq degrés au-dessus de zéro. La neige accumulée pendant de longs mois fondit, et de minuscules ruisseaux se mirent à gargouiller dans la moindre déclivité de terrain.

Les nuits étaient paisibles.

Eduardo lut la quasi-totalité des livres qu'il avait empruntés à la bibliothèque. Blackwood, et surtout James, écrivaient dans un style trop affecté à son goût, privilégiant l'atmosphère au détriment du fond. Ils racontaient des histoires de fantômes, et il avait du mal à faire abstraction de son incrédulité assez longtemps pour se laisser emporter par l'intrigue.

En admettant que l'enfer existe, il supposait que l'entité inconnue qui avait tenté d'ouvrir une porte dans la noirceur de la nuit était soit une âme damnée, soit un démon à la recherche d'une issue hors du royaume des ténèbres. Mais il y avait un hic : il ne croyait pas en l'existence de l'enfer, tel du moins que le décrivaient les films de série B et les romans de gare.

A sa grande surprise, il découvrit que Heinlein et Clarke donnaient à la fois matière à se divertir et à réfléchir. Il préférait le style bourru du premier à l'humanisme parfois naïf du second, mais les deux auteurs avaient une indéniable valeur.

Il n'était pas certain que ce qu'il espérait découvrir dans leurs œuvres l'aiderait à cerner la nature du phénomène auquel il avait assisté dans la forêt. Avait-il secrètement abrité au fond de lui l'idée absurde que l'un de ces auteurs avait pu écrire l'histoire d'un vieil homme vivant loin de tout, et entrant en contact avec une entité extraterrestre ? Si tel était le cas, il lui fallait admettre à présent qu'il s'était fourré le doigt dans l'œil.

Néammoins, il était plus vraisemblable que la présence qu'il avait si fortement ressentie ait été d'origine extraterrestre, plutôt que diabolique. L'Univers comptait une infinité d'étoiles. Une infinité de planètes, en orbite autour de ces étoiles, pouvaient très bien avoir réuni les conditions nécessaires à l'apparition de la vie. Il s'agissait d'une théorie tout à fait scientifique, qui n'avait rien de fantaisiste.

Mais il se pouvait également qu'il ait tout imaginé. Un problème de circulation sanguine, et de cerveau manquant d'oxygène. Une hallucination due à la maladie d'Alzheimer.

Il était tout de même plus facile de croire à ce genre d'explications qu'à l'existence de démons ou de petits hommes verts.

Il s'était procuré la caméra vidéo plus pour en avoir le cœur net que pour rassembler des preuves destinées à convaincre les autorités. S'il réussissait à filmer le phénomène, cela signifierait qu'il n'était pas devenu gâteux, et qu'il était encore capable de se débrouiller tout seul dans son ranch. Jusqu'à ce qu'il soit finalement tué par celui, ou ce, qui avait ouvert le passage.

Le 15 avril, il se rendit à Eagle's Roost pour y faire quelques emplettes, dont un Discman Sony, et une paire d'écouteurs de qualité.

Chez Custer, on vendait aussi des cassettes enregistrées et des disques compacts. Eduardo demanda au clone de Mozart quel était le groupe de rock le plus bruyant du moment, celui que les jeunes écoutaient actuellement.

« C'est pour faire un cadeau à votre petit-fils ? », se renseigna le vendeur.

Il était plus simple de dire oui que de se lancer dans de longues explications. « Vous avez deviné, jeune homme.

— C'est un groupe de heavy-metal. »

Eduardo ne voyait vraiment pas de quoi pouvait bien parler le vendeur.

« Je vais vous faire écouter le dernier album d'un nouveau groupe qui marche très fort, dit le jeune homme en choisissant un CD. Ils s'appellent les Infarctus. »

De retour au ranch, après avoir rangé les provisions dans un placard, Eduardo s'installa à la table de la cuisine et posa les écouteurs du Discman sur ses oreilles. Puis il plaça des piles dans l'appareil, introduisit le CD, et appuya sur la touche *Avance*. Les premières notes faillirent lui crever les deux tympans, et il se hâta de baisser le volume du son.

Il écouta pendant une minute ou deux, convaincu que le CD était défectueux. Mais la qualité du son finit par lui prouver qu'il était bien en train d'écouter ce que les Infarctus avaient voulu enregistrer. Il insista pendant une minute supplémentaire, dans l'espoir que la cacophonie se transforme en musique, mais il dut se rendre à l'évidence : c'était bien de la musique, mais de la musique indubitablement moderne.

Il se sentit vieux.

Il se souvenait de son jeune temps, quand il comptait fleurette à Margarite sur des airs de Benny Goodman, de Frank Sinatra, de Mel Torne et de Tommy Dorsey. Les jeunes d'aujourd'hui contaient-ils encore fleurette ? Savaient-ils seulement ce que signifiait une telle expression ? Flirtaient-ils ? Ou se débarrassaient-ils tout de suite de leurs vêtements, histoire d'en finir au plus vite ?

La musique des Infarctus n'était certainement pas de celles que l'on passe en fond sonore pour faire sa cour à une demoiselle. Pour Eduardo, ce genre d'enregistrement convenait parfaitement aux crimes violents, durant lesquels il faut absolument couvrir les hurlements des victimes.

Il eut l'impression d'être une antiquité ambulante.

En plus d'être incapable d'entendre la moindre musicalité dans leur musique, Eduardo ne comprenait pas pourquoi le groupe avait tenu à s'appeler les Infarctus. Un orchestre digne de ce nom aurait dû s'appeler les Etudiants, les Sœurs Andrews, ou les Frères Mills. Il tolérait même un nom tel que les Quatre Meilleurs, ou encore James Brown et ses Fameuses Flammes. En fait, il adorait James Brown. Mais les Infarctus ? Un tel nom faisait naître dans son esprit des images tout à fait répugnantes.

Bon, c'était entendu, il n'était pas branché et n'essaierait pas de l'être. De toute façon, plus personne n'employait le terme *branché*, il en était certain. Il ne savait même pas ce que ce mot signifiait désormais.

Plus vieux que le désert d'Egypte.

Il écouta pendant quelques minutes encore, puis il éteignit le Discman et ôta les écouteurs.

Le CD des Infarctus était exactement ce dont il avait besoin.

Fin avril, la neige avait fondu partout, sauf dans les zones d'ombres que les rayons du soleil épargnaient. Le sol détrempé n'était plus aussi boueux, et l'herbe, que la couche neigeuse avait tassée de longs mois durant, recouvrait à présent monts et vallées ; dans une semaine, un tapis vert tendre s'étendrait à perte de vue.

La promenade quotidienne d'Eduardo le mena, ce matin-là, vers les prés situés au sud de la propriété. Le temps était radieux, la température en hausse, et seuls quelques petits nuages blancs flottaient paresseusement dans le ciel d'azur. Il portait un treillis militaire et une chemise de flanelle dont il avait retroussé les manches, la marche lui ayant donné chaud. Sur le chemin du retour, il paya une petite visite aux trois tombes qui se trouvaient à l'ouest des écuries.

Jusqu'à une date récente, l'Etat du Montana avait autorisé les cimetières privés. Peu après avoir acheté le ranch, Stanley Quatermass avait décidé qu'il s'y reposerait pour l'éternité, et il avait obtenu une concession pour douze tombes.

Le petit cimetière était situé non loin de la forêt. L'emplacement était délimité par un muret de pierres, et deux colonnes en gardaient l'entrée. Quartermass n'avait pas voulu boucher la vue panoramique sur la vallée et les montagnes, comme s'il avait prévu que son âme reviendrait s'assoir sur sa pierre tombale afin de jouir du paysage.

Seules trois dalles de granit se dressaient dans l'herbe. Quatermass. Tommy. Margarite.

Conformément aux dernières volontés du producteur, on lisait sur sa pierre tombale l'inscription suivante : *Ici repose Stanley Quartermass, que la mort renvoya trop tôt dans les étoiles, après une vie passée à les attendre dans les studios de Hollywood.* Suivaient les dates de sa naissance et de sa mort. Il avait soixante-six ans quand son avion privé s'était écrasé. Aurait-il vécu cinq siècles, il aurait quand même trouvé que la vie était trop courte pour un homme comme lui, passionné et débordant d'énergie.

Il n'y avait sur les tombes de Tommy et de Margarite aucune épitaphe humoristique, mais seulement *A mon fils bien-aimé*, et *A mon épouse bien-aimée*. Tous deux lui manquaient cruellement.

La mort de son fils avait été un grand choc pour Eduardo. Tommy avait été tué un an auparavant, à l'âge de trente-deux ans, alors qu'il était en service. Eduardo et Margarite avaient eu la chance de passer ensemble la majeure partie de leur vie, mais il était terrible, pour un homme, de survivre à son unique enfant.

Il aurait aimé qu'ils soient encore à ses côtés. C'était un souhait qu'il faisait souvent, et la certitude qu'il ne serait jamais exaucé le plongeait dans une mélancolie dont il avait du mal à se défaire. Quand il se languissait de son fils et de sa femme, il cédait à la nostalgie, et revivait alors, en pensée, les meilleurs moments de sa vie.

Cette fois, pourtant, il n'avait pas plus tôt formulé mentalement ce vœu, qu'une soudaine terreur le saisit inexplicablement. Un frisson glissa le long de ses vertèbres.

Il se retourna, s'attendant presque à ce qu'on lui saute dessus. Il était seul.

Le dernier nuage s'étant faufilé derrière l'horizon, le ciel était uniformément bleu, et l'air plus chaud qu'il ne l'avait été depuis l'automne. Pourtant, il frissonnait toujours. Il rabattit les manches de sa chemise et en boutonna les poignets.

Son regard revint sur les pierres tombales, et l'imagination d'Eduardo produisit soudain une foule d'images. Il revoyait Tommy et Margarite, non pas tels qu'ils étaient de leur vivant, mais tels qu'ils reposaient actuellement dans leur cercueil. Un Tommy et une Margarite en pleine décomposition, dévorés par les vers, les orbites vides et les dents noircies. Pris d'incontrôlables tremblements, Eduardo eut la certitude absolue que la terre allait s'ouvrir, et que les mains décharnées des cadavres de Tommy et de Margarite allaient brusquement surgir, repoussant le sol meuble afin de s'extirper hors de leur tombe respective.

Refusant de fuir, il recula de quelques pas. Il était trop vieux pour croire aux morts-vivants et aux fantômes.

L'herbe sèche ne bougeait pas d'un brin et, au bout d'un moment, il cessa de guetter le moindre frémissement.

Une fois qu'il eut retrouvé le contrôle de lui-même, il rebroussa chemin et quitta le cimetière. Pendant tout le trajet jusqu'à la maison, il lutta contre l'envie de se retourner. Et il ne se retourna pas une seule fois.

Il passa par-derrière pour rentrer chez lui, et ferma la porte à clé. Ce qui était tout à fait contraire à ses habitudes.

C'était l'heure de déjeuner, mais il n'avait pas faim, et il ouvrit une bouteille de Corona.

Il ne buvait jamais plus de trois bières par jour. C'était sa limite habituelle, qu'il n'atteignait pas systématiquement. Il lui arrivait de ne pas boire de la journée, mais c'était rare, ces derniers temps. Récemment, malgré la limite qu'il s'était fixée, il avait descendu plus de trois bières par jour. Et certains jours, beaucoup plus.

Plus tard dans l'après-midi, tandis qu'il lisait Thomas Wolfe en buvant sa troisième Corona, confortablement installé dans son fauteuil, il eut soudain l'absolue certitude que l'étrange incident du cimetière n'avait été qu'une prémonition. Un avertissement, en quelque sorte. Mais de quoi ?

Avril passa sans que se renouvelle le phénomène qu'il avait observé, à deux reprises, dans la forêt. Eduardo, lui, était de plus en plus tendu. L'étrange lumière était apparue chaque fois au même moment, quand la lune était au quart pleine. La position de cette dernière paraissait déterminante, et le mois d'avril s'écoula sans aucun incident. Le cycle lunaire n'avait peut-être aucun rapport avec la fréquence des apparitions lumineuses dans la forêt, mais il constituait un calendrier naturel qui permettait à Eduardo d'établir un semblant de prévisions.

Le soir du 1er mai, tandis qu'un croissant de lune se levait dans le ciel, il se mit au lit tout habillé. La carabine était dans son étui, sur la table de nuit. Posés à côté, le Discman contenant le CD des Infarctus, et la paire d'écouteurs. Sous le lit, à portée de main, la Remington attendait, dûment chargée. La caméra vidéo était équipée de piles neuves et d'une cassette vierge. Eduardo était prêt à agir, et à agir vite.

Il dormit par intermittences, mais la nuit se déroula sans incident.

En fait, il ne s'attendait pas à voir ou à entendre quoi que ce soit avant les premières heures du 4 mai.

Bien sûr, l'étrange spectacle pouvait très bien ne pas se renouveler. Eduardo aurait même préféré ne jamais plus en être témoin, mais il savait au fond de son cœur ce que son esprit refusait d'admettre : un processus était enclenché, et il ne pouvait plus éviter d'y jouer un rôle, pas plus qu'un condamné à mort ne peut éviter le gibet ou l'échafaud.

L'attente fut moins longue que ce qu'il avait prévu. Le 2 mai, comme il n'avait pas beaucoup dormi la nuit précédente, il alla se coucher de bonne heure, et fut réveillé, peu après minuit, par le rythme soutenu des pulsations sonores qu'il connaissait déjà.

Elles n'étaient pas plus fortes que la dernière fois, mais la pression qui les accompagnait était bien plus puissante que tout ce qu'il avait déjà ressenti. La maison tremblait sur ses fondations, le rocking-chair se balançait comme si un fantôme particulièrement actif y avait pris place, et l'un des tableaux accrochés au mur se détacha de son clou et s'écrasa par terre.

Le temps d'allumer la lampe et de sortir du lit, et Eduardo se sentit possédé par une sorte de transe identique à celle qui l'avait saisi un mois auparavant. S'il se laissait aller, il risquait de se retrouver dehors sans s'être seulement rendu compte qu'il avait quitté sa chambre.

Il attrapa le Discman, posa les écouteurs sur ses oreilles et enfonça la touche *Lecture*. La musique des Infarctus l'agressa immédiatement.

Les pulsations sonores surnaturelles opéraient sans doute à une fréquence exerçant naturellement un pouvoir hypnotique sur celui qui la percevait. Si tel était vraiment le cas, la transe qu'elle induisait était susceptible d'être contrecarrée, à condition de noyer le son magnétique sous un bruit suffisamment chaotique.

Il monta le volume jusqu'à ce qu'il n'entende plus ni les basses ni l'espèce d'oscillation électronique qui les accompagnait. Ses tympans menaçaient de rompre à tout instant, mais, grâce au groupe de heavy-metal, il parvint à échapper à l'hypnose fatale.

Il sentait toujours la pression autour de lui, et il en constata rapidement les effets sur divers objets de la maison. Mais, ainsi qu'il l'avait prévu, seules les pulsations sonores parvenaient à bloquer sa volonté ; tant qu'il ne les percevait pas, il était sauf.

Après avoir attaché le Discman à sa ceinture, histoire de garder les mains libres, il passa autour de ses hanches le ceinturon auquel était accroché l'étui du .22. Retirant la carabine de dessous le lit, il la mit en bandoulière sur son épaule, puis il saisit la caméra vidéo et se précipita dehors.

La nuit était fraîche.

Tel un cimeterre, un croissant de lune brillait dans le ciel.

La lueur que diffusaient le groupe de sapins et le sol au pied des arbres, à la lisière de la forêt, était déjà écarlate, sans la moindre trace d'ambre.

Se tenant sous le porche, Eduardo filma de loin la luminosité surnaturelle, s'efforçant de cadrer au mieux la perspective.

Puis il se précipita en bas des marches et se hâta de se diriger vers la source lumineuse, craignant que le phénomène ne dure moins longtemps que la fois précédente, puisque la seconde manifestation, nettement plus courte, avait aussi été plus intense que la première.

Il interrompit à deux reprises sa progression, afin de filmer ce qui se passait à des distances différentes. Approchant ensuite à moins de quelques mètres de l'irradiation insolite, il se demanda si l'objectif de la caméra n'allait pas être saturé par trop de lumière.

Le feu brillait intensément, sans produire aucune chaleur, comme s'il brûlait ailleurs, dans un autre temps, ou une autre dimension.

La pression s'en prenait à présent à Eduardo, et elle n'avait plus rien à voir avec ce qu'il connaissait déjà. Cette fois, il lui fallait véritablement se concentrer très fort pour garder l'équilibre.

Quelque chose cherchait à se libérer et à rompre ses attaches, prêt à venir au monde dans un ultime jaillissement.

La musique apocalyptique des Infarctus était l'accompagnement idéal en de telles circonstances, brutal comme une tronçonneuse et pourtant terriblement excitant, atonal mais irrésistible, tel un hymne à la gloire des instincts bestiaux, pulvérisant les frustrations causées par la condition humaine. Une musique libératrice, celle du Jugement dernier.

Les pulsations et la vibration magnétique avaient redoublé d'intensité, et leur puissance égalait à présent celles de la mystérieuse lumière et des vagues toujours plus oppressantes. Il se mit à les percevoir à nouveau, et il sut alors qu'il était en danger.

Il monta le volume à fond.

Les sapins et les mélèzes, jusque-là plus immobiles qu'un décor en carton-pâte, commencèrent alors à bouger, bien qu'il n'y ait pas eu le moindre souffle de vent, et l'air se chargea soudain d'aiguilles de pin tourbillonnantes.

L'augmentation de la pression était telle qu'Eduardo perdit l'équilibre et tomba à la renverse. Cessant de filmer, il posa la caméra sur le sol à côté de lui.

Attaché à sa ceinture, le Discman se mit à vibrer contre sa hanche. Les hurlements des guitares électriques saturées se changèrent irrésistiblement en une sorte de plainte suraigüe, vrillant douloureusement ses tympans, qui couvrit bientôt la musique des Infarctus.

Tout en poussant un hurlement, il arracha les écouteurs. Une épaisse fumée sortait du Discman, toujours accroché à sa ceinture. Il s'en saisit et le jeta loin de lui, non sans s'être brûlé les doigts sur le boîtier métallique.

La pulsation métronomique le submergeait, comme s'il était prisonnier du cœur palpitant d'un monstre.

Résistant au désir de marcher droit sur la lumière pour se fondre en elle, Eduardo parvint à se relever. Il fit glisser le fusil qu'il portait à l'épaule.

La lueur aveuglante le força à cligner des yeux, et une série de vagues lui coupa le souffle. Les sapins agitaient leurs branches, la terre était parcourue par une vibration incessante, l'oscillation électronique continuait à émettre sa plainte, telle une scie de chirurgien, et la nuit tout entière grondait sourdement, le ciel et la terre grognant également, comme si quelque chose poussait sans relâche sur la trame du monde réel...

Whooooosh.

Le son produit ressemblait — bien qu'infiniment plus bruyant — au bruit que font les sachets de cacahuètes sous vide quand l'air s'y engouffre. Tout de suite après cette unique et monstrueuse aspiration, un silence de plomb retomba sur la forêt, et la lueur surnaturelle s'évanouit en un éclair.

Incrédule, Eduardo Fernandez resta un instant immobile sous le croissant de lune, les yeux fixés sur une sphère parfaite d'obscurité absolue suspendue au-dessus de sa tête, telle une boule gargantuesque posée sur un billard cosmique. D'un noir sans faille, elle se détachait nettement dans la nuit. La sphère obscure était énorme. Dix mètres de diamètre. Et elle remplissait tout l'espace qu'avaient précédemment occupé les sapins lumineux.

Un vaisseau spatial.

L'espace d'un instant, il crut qu'il se trouvait face à un vaisseau dont la carapace aveugle était plus lisse qu'une flaque d'huile. Paralysé par la terreur, il attendit qu'un trait de lumière apparaisse, annonçant l'ouverture imminente d'un sas.

Malgré la peur qui lui embrumait l'esprit, Eduardo se rendit très vite compte que ce qu'il regardait n'était pas solide. La lune ne se reflétait nulle part, et ses rayons étaient absorbés par une sorte de puits. Ou un tunnel. Sauf que la chose ne comptait aucune paroi incurvée. Instinctivement, sans même avoir besoin de passer la main sur la surface couleur d'encre, il sut que la sphère n'avait ni poids ni masse ; ses sens ne lui avaient nullement indiqué qu'en surgissant de nulle part, elle pouvait constituer une menace, comme ils l'auraient fait si elle avait été solide.

L'énorme objet n'en était pas un. Il ne s'agissait d'ailleurs pas d'une sphère, mais d'un cercle. Pas tridimensionnel, mais bidimensionnel.

Une porte.

Une porte ouverte.

Un passage.

L'obscurité qui s'étendait au-delà n'était troublée par aucune clarté, même diffuse. Des ténèbres aussi parfaites n'étaient pas naturelles, et elles dépassaient le champ normal de l'expérience humaine ; leur simple contemplation blessait les yeux d'Eduardo, qui s'épuisait à chercher du regard une dimension et des détails inexistants.

Il avait envie de partir en courant.

Mais, plutôt que de s'enfuir, il s'approcha de la porte.

Son cœur pulsait dans sa cage thoracique, et son pouls indiquait probablement l'imminence d'un infarctus. Empli d'une foi pathétique en son efficacité, il agrippa le fusil, tel un guerrier primitif brandissant un talisman gravé de runes magiques et orné des canines de quelque bête féroce, rougi par le sang des sacrifices, et coiffé d'une mèche de cheveux offerte par le guérisseur de la tribu.

Pourtant, la peur que lui inspirait la porte — mais aussi les royaumes inconnus et les entités mystérieuses qui attendaient de l'autre côté — n'était pas aussi débilitante que sa crainte de devenir sénile, et tous les doutes qu'il avait ressentis ces derniers temps. Tant qu'il existait une chance de rapporter une preuve de cette expérience, il avait la ferme intention de continuer son exploration, aussi longtemps que ses nerfs le lui permettraient. Tout ce qu'il espérait, c'était de ne plus jamais se réveiller le matin avec la désagréable impression que son cerveau ne fonctionnait plus correctement, et que ses perceptions n'étaient plus fiables.

Se déplaçant prudemment à travers champs, les pieds enfoncés dans le sol spongieux, il restait vigilant, guettant la moindre modification à l'intérieur de l'exceptionnel cercle de ténèbres. Une altération dans la noirceur, l'ombre d'une ombre se dessinant soudain, une étincelle, l'esquisse d'un mouvement, n'importe quoi susceptible de signaler la venue d'un... voyageur. Il s'arrêta à un mètre de l'énigme sphérique, et se pencha légèrement en avant, émerveillé comme un héros de légende face au miroir magique d'une fée, le plus gros foutu miroir que les frères Grimm aient jamais imaginé, un miroir qui ne reflétait rien, mais qui donnait à Eduardo un inquiétant aperçu de l'éternité.

Tenant le fusil d'une main, il ramassa sur le sol un caillou de la taille d'un beau citron, qu'il lança doucement par l'ouverture béante. Il s'était presque attendu à ce qu'il rebondisse contre les ténèbres, avec un *clonk* métallique, le plus simple étant encore de croire qu'il avait affaire à un objet plutôt qu'à l'infini lui-même. Mais le caillou traversa le plan vertical sans produire un son.

Il se rapprocha encore.

Histoire de voir ce qui se passait, il enfonça alors le canon du fusil dans le noir absolu qui lui faisait face. Les ténèbres ne l'avalèrent pas. Au contraire, l'obscurité totale posséda instantanément l'avant de l'arme, exactement comme si quelqu'un avait découpé le canon à la scie électrique, le tranchant net.

Il fit reculer la Remington, et la partie avant de l'arme réapparut. Elle semblait intacte.

Il posa la main sur l'acier du canon. Tout avait l'air normal.

Incapable de déterminer si son attitude relevait de la bravoure ou d'un subit dérangement mental, Eduardo prit une profonde inspiration et leva une main tremblante, comme pour saluer un voisin. Puis il tendit lentement le bras, cherchant à déceler la transition entre le monde et... ce qui se trouvait au-delà. Un picotement au bout des doigts et au creux de la main. Une fraîcheur. Comme si sa paume reposait à la surface de l'eau, trop légère pour la troubler.

Il hésitait.

« Bon sang, tu as soixante-dix ans, grommela-t-il. Que peux-tu donc avoir à perdre ? »

Il déglutit, puis sa main s'enfonça plus profondément, disparaissant de la même façon que le canon du fusil. Il ne rencontra aucune résistance, et son poignet se changea soudain en un moignon parfaitement sectionné.

« Bon sang de bon sang... », murmura-t-il.

Il ferma le poing, puis l'ouvrit, puis le referma, sans pouvoir déterminer si la main, de l'autre côté, exécutait le geste. Toutes ses sensations s'arrêtaient à la limite que le noir traçait à travers son poignet.

Lorsqu'il retira sa main, elle était apparemment tout aussi intacte que le canon de la Remington. Il serra le poing plusieurs fois de suite. Tout fonctionnait normalement, et il avait recouvré l'usage de toutes ses terminaisons nerveuses.

Eduardo jeta un coup d'œil circulaire. La nuit était profondément paisible, avec les sapins gardant l'impossible cercle noir, et les prairies givrées par la clarté pâle du croissant de lune. La grande maison, plus haut. Certaines fenêtres éclairées, d'autres, non. Et les sommets des montagnes, plus loin vers l'ouest, chapeaux de neige qui luisaient dans la nuit.

La scène était trop précise pour être un rêve, ou même une hallucination due à la démence sénile. Il savait qu'il n'était pas un vieux fou sénile. Vieux, oui. Fou, peut-être. Mais sénile, sûrement pas.

Il reporta son attention sur le cercle noir qui béait tout près de lui, et se demanda soudain à quoi il pouvait bien ressembler, vu de côté. Il imagina aussitôt un long tube d'ébène parfaitement mat, rectiligne, un peu comme un pipe-line s'élançant à travers la toundra de l'Alaska, forant les montagnes et suspendu en l'air lorsque le terrain l'exige, pour décoller enfin de la courbe de la planète ronde. Et filer tout droit, sans ployer, à travers l'espace, tel un tunnel vers les étoiles.

Parvenu à l'autre bout des quinze mètres de diamètre de la sphère, il découvrit alors une chose qui était totalement différente — mais tout aussi étrange — du pipe-line mental qu'il avait dans la tête. De l'autre côté de l'énorme portail circulaire, c'était la forêt qu'il voyait s'étendre devant lui, apparemment inchangée ; la lune brillait, les sapins frémissaient sous les caresses de ses rayons pâles, et une chouette lança son hululement. Quand on le regardait de côté, le passage disparaissait complètement. Sa largeur, s'il en avait une, était celle d'un fil de soie, ou celui d'un rasoir particulièrement bien aiguisé.

Il se dirigea alors vers l'arrière du grand cercle noir.

A cent quatre-vingts degrés de la position initiale du vieil homme, le passage offrait sous cet angle le même aspect que de l'autre côté. Un mystère aveugle de dix mètres de diamètre. A l'envers, il donnait l'impression d'avoir englouti, non plus la forêt, mais les prés et la maison au bout de l'allée. On aurait dit une immense pièce de monnaie, plus fine que du papier, posée sur sa tranche.

Il poursuivit son chemin afin d'examiner la dite tranche. Impossible de déceler le moindre filament d'ombre révélant une présence surnaturelle. D'une main, il tâta l'air, en vain. L'air était vide.

Vu de côté, le passage n'existait pas, tout simplement. Le concept était tout bonnement renversant.

Il resta un instant face à ce diable d'engin, d'une épaisseur invisible, puis se pencha vers la gauche, regardant à présent ce qu'il appelait « l'avant » du passage. Il y enfonça alors profondément la main.

La témérité dont il faisait preuve le surprenait, et il savait aussi qu'il avait conclu trop rapidement que le phénomène était finalement inoffensif. Mais la curiosité, cette fatalité, était trop forte.

Sans retirer sa main gauche, il se pencha alors vers la droite, à « l'arrière » du passage. Ses doigts ne dépassaient pas de la surface noire.

Il enfonça sa main encore plus loin, mais sans résultat. Rien n'apparut à l'arrière. Le passage était plus fin qu'une feuille de papier à cigarettes, mais il venait pourtant d'y fourrer cinquante centimètres de son bras gauche.

Où était donc partie sa main ?

Un frisson le parcourut soudain, et il s'empressa de retirer sa main, s'en retournant vers le pré, face à « l'avant » du passage.

Il se demanda ce qui se passerait s'il franchissait le seuil du passage, complètement, et d'un bon pas, sans éprouver le moindre regret pour le monde qu'il connaissait. Que découvrirait-il au-delà ? Et serait-il capable de rebrousser chemin, si ce qu'il trouvait ne lui plaisait pas ?

Mais la curiosité ne fut pas assez forte pour le décider à accomplir un tel geste. Il était là, au bord, et il cogitait, quand, peu à peu, il sentit qu'il allait se passer quelque chose. Avant qu'il ait eu le temps de réagir, l'essence d'obscurité qui béait devant lui jaillit soudain et l'engloutit, à la façon d'une mer d'encre, sèche et insondable.

Lorsque Eduardo reprit conscience, il était étendu dans l'herbe brûlée par l'hiver, face contre terre, le visage tourné vers la prairie devant la grande maison.

L'aurore était encore loin, mais du temps s'était écoulé. La lune avait disparu de l'horizon, et la nuit morne ne brillait plus de sa clarté d'argent.

D'abord confus, son esprit s'éclaircit progressivement. Il se souvint alors clairement du passage.

Il s'assit péniblement et tourna le regard en direction de la forêt. L'immense confetti noir avait disparu. Immuables, les sapins et les mélèzes trônaient à la même place.

Rampant vers l'endroit où s'était tenu le disque, il se demanda bêtement s'il s'était renversé, et s'il allait le retrouver à plat dans l'herbe, transformé en puits sans fond. Mais le passage n'était plus là.

Tremblant d'épuisement, en proie à une migraine qui lui chauffait à blanc le cerveau, il se releva non sans difficulté, pour se mettre à vaciller avec toute la grâce d'un ivrogne rentrant chez lui après une semaine de bringue forcenée.

Il s'approcha de l'endroit où il avait posé la caméra vidéo. Elle n'était plus là.

Il se mit à la chercher, décrivant des cercles de plus en plus larges, en vain. Impossible de retrouver la caméra.

Le fusil de chasse manquait lui aussi à l'appel. Ainsi que le Discman carbonisé et les écouteurs.

A contrecœur, il rentra chez lui. Là, il se prépara du café très fort, presque aussi amer et noir qu'un *espresso* napolitain. Et il avala deux aspirines avec les premières gorgées.

Il faisait généralement un grand pot de café par semaine, et se limitait à deux ou trois tasses par jour. Trop de caféine peut nuire à la prostate. Mais, ce matin, il se moquait bien de sa prostate. Il avait besoin de café.

Il décrocha l'étui, qui contenait toujours le révolver, et le déposa sur la table de la cuisine. Tirant une chaise, il s'assit, gardant l'arme à portée de main.

Il ne cessait d'examiner sa main gauche, celle qu'il avait enfoncée dans le passage, comme si elle était susceptible de tomber tout à coup en poussière. Pouquoi pas, après tout ? Est-ce que ce serait plus incroyable que tout ce qui venait de se passer ?

Dès que le jour pointa, il reprit son arme et s'en retourna vers le pré qui bordait l'orée de la forêt, où il se livra à des recherches plus minutieuses, dans l'espoir de retrouver la caméra, le fusil et le Discman.

Disparus.

Il pouvait se passer du fusil de chasse. Ce n'était pas son seul moyen de défense, loin de là.

Le Discman avait rempli son usage, et il n'en avait plus besoin. De plus, il se souvenait de la fumée qui s'était échappée des entrailles de l'appareil, et de la brûlure que lui avait infligée le boîtier métallique lorsqu'il l'avait décroché de sa ceinture. Le truc était vraisemblablement foutu.

Mais il fallait absolument qu'il remette la main sur la caméra vidéo, sans laquelle il ne pouvait espérer conserver une preuve de ce qu'il avait vu. C'était d'ailleurs peut-être pour cette raison qu'elle s'était volatilisée.

De retour à l'intérieur de la grande maison victorienne, il refit du café. Bon sang de bon Dieu, à quoi pouvait bien lui servir cette satanée prostate, de toute façon ?

Puis il alla chercher dans son bureau un bloc de papier à lettres normalisé et une paire de stylos à bille.

Attablé dans la cuisine devant le café fumant, il entreprit de couvrir les feuilles blanches de son écriture appliquée. Sur la première, il écrivit :

Je m'appelle Eduardo Fernandez, et j'ai récemment été le témoin d'une série de phénomènes étranges et inquiétants. Je n'ai pas pour habitude de tenir un journal, et si je me suis souvent résolu à en commencer un au début de l'année, je m'en suis toujours désintéressé dès avant la fin janvier. Toutefois, je suis suffisamment troublé pour mettre par écrit tout ce que j'ai vu, et que j'aurai sans doute l'occasion de revoir dans les jours qui viennent, afin de laisser un témoignage, au cas où je viendrais à disparaître.

Il s'efforça de narrer son incroyable histoire en des termes simples, avec le minimum d'adjectifs et sans sensationnalisme. Il évita même de spéculer sur la nature du phénomène

109

qu'il décrivait, ou sur l'origine de la création du passage. En fait, il hésitait à lui donner ce nom, mais il décida finalement de le garder, parce qu'il savait que, au-delà de la logique et du langage, c'était bien d'un passage qu'il s'agissait. S'il mourait — disons plutôt s'il était tué — avant d'avoir pu obtenir une preuve quelconque, il espérait que la personne, quelle qu'elle soit, qui lirait son compte rendu des événements serait favorablement impressionnée par son style détaché et serein, et ne mettrait pas toute l'histoire sur le compte des radotages d'un vieux fou sénile.

La rédaction de son témoignage l'absorba au point qu'il laissa passer l'heure du déjeuner, ne s'interrompant pour manger un morceau que tard dans l'après-midi. Comme il n'avait pas pris de petit déjeuner, son estomac criait famine. Il se découpa un blanc de poulet sur la carcasse qui restait de la veille, et se confectionna deux gros sandwiches, dans lesquels il entassa une tranche de fromage, des rondelles de tomate, quelques feuilles de laitue, et beaucoup de moutarde. Quelques sandwiches et de la bière constituaient le repas idéal, qui lui permettait de s'alimenter tout en continuant à noircir du papier.

Lorsque le soir tomba, Eduardo avait fini son rapport. Celui-ci se terminait par ces mots : *Considérant qu'il a probablement déjà rempli son office, je ne m'attends pas à ce que le phénomène se reproduise. Mais je soupçonne que quelque chose a emprunté ce passage, et j'aimerais savoir quoi. Ou peut-être est-il préférable que je ne le sache pas.*

CHAPITRE NEUF

Heather fut réveillée par un bruit. Un choc léger, suivi d'un grattement très bref, provenant d'une source impossible à identifier. Aussitôt en alerte, elle s'assit dans son lit, l'oreille aux aguets.

La nuit resta silencieuse.

Elle jeta un coup d'œil au réveil. 2 heures 10 du matin.

Quelques mois auparavant, elle aurait attribué sa soudaine angoisse à quelque peur ressentie au cours d'un rêve oublié, puis se serait rendormie. Mais ce n'était plus possible.

Elle s'était endormie sur les couvertures. Comme ça, elle n'avait pas besoin de tout rabattre pour sortir du lit.

Depuis des semaines, elle dormait en tenue de jogging. Oubliés, le T-shirt et la petite culotte qu'elle avait l'habitude de mettre. Même en pyjama, elle se serait sentie trop vulnérable. Le jogging était tout à fait confortable, et elle pouvait ainsi parer à toute éventualité, si jamais il se passait quelque chose pendant la nuit.

Comme à cet instant précis.

Malgré le silence qui durait, elle prit l'arme posée sur la table de chevet. C'était un Korth.38, fabriqué en Allemagne par la Waffenfabrik Korth —, sans doute le meilleur revolver au monde, dont les caractéristiques n'avaient pas leurs pareilles chez les autres fabricants.

Le Korth.38 était l'une des armes qu'elle s'était procurées depuis que Jack était hospitalisé, sur les conseils avisés d'Alma Bryson. Elle avait passé des heures au club de tir de la police, à s'entraîner à son maniement. A présent, quand elle l'avait en main, elle avait la sensation que le revolver était l'extension naturelle de son bras.

Son arsenal personnel comptait plus de pièces que celui d'Alma, et Heather, parfois, s'en étonnait. Mais le plus étonnant, c'était encore qu'elle craignait de ne pas être suffisamment armée pour faire face à tous les dangers.

De nouvelles lois allaient bientôt entrer en vigueur, rendant plus difficile l'achat d'une arme à feu. Il fallait que Heather décide entre deux attitudes : l'une, dictée par la sagesse, consistait à ne plus dépenser son revenu limité dans des armes dont ils n'auraient peut-être jamais besoin ; l'autre, à considérer que même le pire des scénarios catastrophes était encore trop optimiste.

Jadis, elle aurait qualifié ses nouvelles dispositions d'esprit de paranoïa galopante, mais les temps avaient bien changé. La paranoïa d'antan s'était changée en une lucidité des plus réalistes.

Elle n'aimait pas penser à tout ça. C'était trop déprimant.

Un tel calme était suspect. Elle se leva et s'approcha de la porte, qui donnait dans le couloir, sans prendre la peine d'allumer. Au cours de ces derniers mois, elle avait passé toutes ses nuits blanches à arpenter la maison de long en large, si bien qu'elle était à présent capable de se déplacer d'une pièce à l'autre aussi discrètement qu'une chatte.

Installé sur la cloison, juste à côté de la porte de sa chambre, se trouvait le boîtier de commande du système d'alarme qu'elle avait fait installer une semaine après la tragédie de la station-service. Pour l'instant, l'écran digital du moniteur l'informait qu'il n'avait rien à signaler. SÉCURITÉ BRANCHÉE, annonçaient les diodes lumineuses vertes.

C'était un système d'alarme extérieur, qui maintenait un contact magnétique sur chaque porte et chaque fenêtre, et elle pouvait être certaine que le bruit ne provenait pas de la présence d'un intrus à l'intérieur de la maison. Dans un tel cas, une sirène aurait retenti, et une puce électronique aurait déclenché une voix synthétique, empreinte d'une mâle assurance, déclarant : *Vous venez de pénétrer sans autorisation dans une propriété privée. La police en a été avertie. Quittez les lieux immédiatement.*

Pieds nus, elle s'engagea dans le couloir sombre qui traversait le premier étage et se dirigea vers la chambre de

Toby. Tous les soirs, elle s'assurait que les portes de communication restaient ouvertes, afin qu'elle puisse l'entendre s'il venait à crier.

Pendant quelques secondes, elle se tint dans le noir à côté de son fils, qui ronflait paisiblement. Dans la faible lueur venue de la rue filtrant à travers les lattes des persiennes, la forme du corps du garçon était à peine visible sous les couvertures. Pour lui, le monde n'existait plus, et Heather en conclut que Toby n'était pas à l'origine du bruit qui l'avait réveillée.

Elle retourna dans le couloir, puis, à pas de loup, descendit l'escalier qui menait au rez-de-chaussée.

Une fois dans le salon, elle se glissa de fenêtre en fenêtre, guettant discrètement ce qui se passait à l'extérieur. La rue était si tranquille qu'on aurait pu se croire transporté dans une petite ville du Midwest. La pelouse était déserte, et nul ne semblait rôder autour de la maison.

Heather finit par se dire qu'elle avait dû faire un cauchemar.

Elle ne dormait bien que très rarement, mais se souvenait en général de ses rêves. Ceux-ci la ramenaient trop souvent dans la station-service d'Arkadian, bien qu'elle n'y soit allée qu'une seule fois, le lendemain de la tuerie. Depuis, elle rêvait de coups de feu, de flaques de sang et d'incendies, au cours lesquels Jack était souvent brûlé vif, tandis que Toby et elle, impuissants, assistaient au carnage, ou que le petit garçon, mais elle aussi parfois, recevaient une balle en plein cœur, ou agonisaient dans les affres de l'asphyxie. Certaines nuits, le grand blond dans son costume Armani s'agenouillait près d'elle, tandis qu'elle gisait sur le sol, criblée d'impacts, et posait la bouche sur ses blessures pour mieux la vider de son sang. Il arrivait fréquemment que le tueur qui hantait son sommeil soit aveugle, et elle voyait danser au fond de ses orbites un feu diabolique. Lorsqu'il souriait, il montrait des dents plus acérées que les crocs d'une vipère. Une fois, il lui avait même parlé. *Je vais emporter Toby en enfer avec moi, et je lui passerai une laisse autour du cou pour qu'il me serve de guide.*

Considérant que les cauchemars dont elle se souvenait étaient particulièrement horribles, à quoi pouvaient bien ressembler ceux qu'elle occultait ?

Finissant son inspection des fenêtres du salon, elle s'attaqua à celles de la salle à manger, puis décida qu'elle était le jouet de sa propre imagination. Il n'y avait aucun danger immédiat. Elle ne tenait plus aussi fermement le Korth, qui se balançait maintenant au bout de son bras, et son index avait abandonné la détente pour se poser sur le cran de sécurité.

Mais la vue de quelqu'un, dehors, rasant l'une des fenêtres de la salle à manger, la rappela à l'ordre. Les rideaux n'étaient pas tirés, mais les voilages, eux, l'étaient. Les lampadaires de la rue projetaient l'ombre du rôdeur sur les plis de la fine étoffe transparente. C'était l'ombre d'un rapace nocturne, et Heather sut immédiatement qu'elle appartenait à un homme.

Elle se précipita dans la cuisine. Sous ses pieds, le carrelage était désagréablement froid.

Un second boîtier de commande se trouvait sur le mur, à côté de la porte qui donnait sur le garage. Vite, elle désactiva l'alarme.

Avec Jack en convalescence à l'hôpital pendant encore d'innombrables semaines, elle au chômage, et un avenir financiers des plus incertains, elle avait hésité à investir leurs précieuses économies dans une alarme anticambrioleurs. Elle avait estimé que ce genre de gadgets était réservé aux résidences luxueuses de Bel Air et de Beverly Hills, et ne concernait pas les familles comme la sienne. Puis elle apprit par des voisins que six des seize maisons de leur bloc en étaient déjà équipées.

Mais voilà que les lettres lumineuses vertes lui adressaient un nouveau message, nettement moins rassurant, celui-là. PRÊT AU DÉCLENCHEMENT.

Elle aurait pu brancher l'alarme et prévenir la police. Mais alors, le type dehors prendrait ses jambes à son cou, et quand la voiture noire et blanche de la patrouille arriverait, les flics n'auraient plus personne à arrêter. Elle savait à qui elle avait affaire, même si elle n'avait jamais vu le type, et quelles étaient ses intentions. Elle voulait surprendre le rôdeur, en supposant qu'il soit bien seul, et le tenir en joue jusqu'à l'arrivée des secours.

Elle déverrouilla calmement la porte, l'ouvrit — DÉCLENCHEMENT ALARME IMPOSSIBLE —, avertit le système d'alarme et fit un pas dans le garage. Elle se dit alors qu'elle ne se contrôlait plus. La peur aurait dû lui tordre les tripes, et, bien qu'elle fût passablement effrayée, ce n'était pourtant pas ce qui accélérait les battements de son cœur. Son moteur, c'était la colère. Sa condition de victime la rendait furieuse, et elle était résolue à faire payer ses tourmenteurs, quels que soient les risques encourus.

Le sol cimenté du garage était encore plus froid que le carrelage de la cuisine.

Elle fit le tour de l'une des deux voitures garées et, s'immobilisant entre les deux pare-chocs, attendit, aux aguets.

L'unique source de lumière provenait d'une série de petites ouvertures situées au-dessus du large portail, et déversait sur la scène la clarté glauque, comme sale, des lampadaires. Mais la pénombre alentour refusait pourtant de se dissiper.

Là. Un murmure, dehors. Des bruits de pas dans l'allée de service qui longeait la façade sud de la maison. Puis le sifflement éloquent qu'elle attendait.

Les salauds.

Heather se faufila entre les deux voitures et s'approcha d'une petite porte, au fond du garage. Le verrou était l'un de ceux que l'on actionne entre le pouce et l'index. Tournant doucement la molette, elle réussit à faire glisser le pêne hors de la gâche sans le *clik* fatidique qu'elle avait d'abord redouté. Elle saisit la poignée, tira la porte vers elle et se faufila dehors, sur le trottoir à l'arrière de la maison.

La nuit était douce, et le globe de la lune, partiellement caché par les nuages.

Elle était en train de se conduire de façon tout à fait irresponsable. Elle n'assurait pas la protection de Toby, au contraire, elle le mettait en danger. C'était trop. Incontrôlable. Elle en était parfaitement consciente, mais elle ne pouvait pas s'en empêcher. Elle en avait marre, elle n'en pouvait plus.

Sur sa droite, le porche, avec, en face, le patio. Le jardin à l'arrière de la maison était à peine éclairé par la lune, et les grands eucalyptus, les benjaminas, plus petits, et la haie basse baignaient dans une faible clarté argentée.

Elle se trouvait près de la façade ouest de la maison, et longea l'allée en direction du sud.

Arrivée à l'angle, elle s'immobilisa, l'oreille tendue. La nuit n'étant troublée par aucun souffle de vent, le sifflement vicieux s'entendait d'autant mieux, et sa rage s'en trouvait renouvelée.

Des bribes de conversations. Incompréhensibles.

L'écho d'une course, à l'arrière de la maison. Puis un rire étouffé, presque un ricanement. Ils s'amusaient bien, décidément.

Estimant au plus juste à quel instant le type surgirait devant elle, et se fiant au bruit des pas, Heather s'avança, dans l'idée de lui flanquer une bonne trouille. Parfaitement synchrone, elle le rencontra à l'angle du trottoir.

A sa grande surprise, le type était plus grand qu'elle, alors qu'elle s'était attendue à affronter des gamins d'une douzaine d'années, pas davantage.

Le rôdeur poussa un « Ah ! » de frayeur.

Leur faire peur devenait à présent beaucoup plus compliqué. Et il n'était plus question de battre en retraite. S'ils la rattrapaient, c'en était fini...

Continuant à avancer, elle le heurta de plein fouet, et le gars se retrouva plaqué contre le mur de béton couvert de lierre qui marquait la limite sud de leur propriété. Sa main laissa alors échapper une bombe de peinture, qui rebondit bruyamment sur le trottoir.

Le souffle coupé par la surprise, le gars était bouche bée.

Des bruits de pas. C'était le deuxième, qui arrivait en courant.

Pressée contre le jeune type, face à lui, elle distingua son visage dans l'obscurité. Seize ou dix-sept ans, peut-être un peu plus. En tout cas assez vieux pour savoir ce qu'il était en train de faire.

Balançant alors son genou entre les jambes écartées de l'adolescent, elle s'écarta de lui pour le laisser choir dans le massif de fleurs au pied du mur. Ce qu'il fit en gémissant.

Le deuxième accourait vers elle à toute vitesse. Il n'avait visiblement pas repéré le Korth qui luisait dans la main d'Heather, mais elle n'avait plus le temps de le menacer.

Plutôt que de reculer, elle fit un pas en avant, prit appui sur sa jambe gauche et, visant la braguette, elle lui décocha un violent coup de pied. Parce qu'elle s'était avancée vers lui, son pied était parti avec une certaine puissance, et elle l'avait touché, non pas du bout des orteils, mais avec la cheville.

Il s'écroula sur le trottoir, non loin de l'autre, en proie à la même nausée.

Un troisième larron, qui se dirigeait pourtant vers elle, tourna brusquement les talons et fit mine de s'enfuir.

« Ne bouge plus, dit-elle, et je te préviens, j'ai un flingue. » Levant le Korth vers lui, elle s'efforça de parler calmement, et le contrôle tranquille de sa voix rendit l'ordre bien plus menaçant que si elle s'était mise à hurler.

Il s'immobilisa, mais peut-être n'avait-il pas vu qu'elle était effectivement armée. Son attitude et son maintien semblaient indiquer qu'il n'abandonnait pas l'idée de partir en courant.

« Avec l'aide de Dieu, dit-elle sur le ton de la conversation, je t'assure que je te bute. » La haine qui vibrait dans ces mots la surprit. Jamais elle n'aurait tiré sur lui, elle en était certaine. Pourtant, le son de sa propre voix lui faisait peur... Elle s'en étonna.

Les épaules du jeune type s'affaissèrent et il changea instinctivement de posture. La menace avait produit son effet.

Une sombre jubilation s'empara d'elle. Les trois mois, ou presque, de cours de *tae kwon do* et de self-défense, que suivaient gratuitement, trois fois par semaine, les membres des familles de policiers venaient de payer. Elle avait très mal à la cheville droite, probablement autant que le gars qui l'avait reçue entre les jambes. Même si elle ne s'était rien cassé, elle allait certainement passer la semaine à boiter, mais elle était si fière de sa victoire sur les trois vandales qu'elle était prête à souffrir un peu.

« Amène-toi, dit-elle. Viens par ici, viens. »

Le troisième jeune plaça les mains au-dessus de sa tête. Dans chacune d'elles, une bombe de peinture.

« Couche-toi par terre, à côté de tes potes », lança-t-elle d'un ton sans réplique. Il s'exécuta en silence.

La lune surgit alors des nuages, comme si, là-haut, le grand régisseur avait décidé d'augmenter l'intensité des projecteurs, et elle eut la confirmation de ce qu'elle savait déjà. Les trois ados à ses pieds n'avaient pas plus de dix-huit ans.

Ils ne correspondaient d'ailleurs pas du tout au stéréotype du tagger. Ni noirs ni hispaniques, ils étaient blancs. Et ils n'avaient pas non plus l'air pauvres. L'un d'eux portait un blouson de cuir bien coupé, et l'autre, un pull aux magnifiques motifs jacquard.

La tranquillité de la nuit n'était troublée que par les pitoyables hoquets et autres grognements provenant des deux garçons qu'elle avait mis à terre. La confrontation n'avait duré que quelques instants, dans un périmètre limité à deux mètres cinquante, entre la maison et le mur d'enceinte, et dans un silence relatif, si bien que les voisins ne s'étaient même pas réveillés.

Braquant son arme sur eux, Heather leur demanda : « Vous êtes déjà venus dans le coin ? »

Deux des garçons auraient été bien incapables de répondre, même s'ils l'avaient voulu, mais le troisième ne fit pas mine d'ouvrir la bouche.

« Je vous ai demandé si vous étiez déjà venus dans le coin, lâcha-t-elle, coupante.

— Salope », dit alors le troisième.

Elle venait de comprendre qu'il était possible de perdre le contrôle de la situation, même si elle était la seule à brandir une arme, surtout si les deux autres récupéraient plus vite que prévu. Elle eut alors recours à un mensonge susceptible de les convaincre qu'elle n'était pas seulement une femme de flic qui avait suivi des cours de self-défense. « Ecoutez-moi, petits morveux, je peux vous flinguer tous les trois, rentrer chez moi pour y prendre deux ou trois couteaux de cuisine, et vous les fourrer dans les mains avant que les flics aient le temps de se ramener ici. J'irai peut-être au tribunal, mais peut-être pas. Et, de toute façon, quel jury mettrait en prison l'épouse d'un héros de la police et la mère d'un petit garçon de huit ans ?

— Vous ne feriez pas ça », répliqua le troisième, après une imperceptible hésitation, d'une voix qu'un léger doute fit chevroter.

S'étonnant elle-même, elle reprit la parole, avec une intensité et une amertume qu'elle n'avait pas à simuler. « Ah oui, c'est ce que tu crois ? Tu crois vraiment que je ne tirerai pas ? Mon Jack, deux de ses collègues abattus à ses côtés en un an, et lui dans un lit d'hôpital depuis le 1er mars, et qui va y rester pendant des semaines, voire des mois, Dieu seul sait quelles séquelles le feront souffrir pour le restant de ses jours, ou même s'il pourra à nouveau marcher, et moi qui suis au chômage depuis octobre, sans un dollar d'économies, je n'en dors plus depuis des nuits, et en plus je suis harcelée par de la vermine comme vous ! Tu crois vraiment que je n'ai pas envie de faire mal à quelqu'un, moi aussi, histoire de changer un peu, tu crois vraiment que ça ne me plairait pas, de te tuer, de te massacrer ? Tu crois ça ? Alors, tu vas répondre, morveux ? »

Seigneur. Elle tremblait. Elle n'avait jamais eu conscience de cacher tant de noirceur au fond d'elle-même. Sa gorge se serra.

Apparemment, elle avait flanqué une peur bleue aux trois jeunes vandales, qui fixaient sur elle des yeux agrandis par la terreur.

« On... On est déjà venus ici, oui », bredouilla l'adolescent qu'elle avait frappé en premier.

« Combien de fois ?

— Deux fois. »

A deux reprises, leur maison avait été la cible des graffiteurs, une fois en mars, l'autre vers la mi-avril.

Les foudroyant du regard, elle lança : « D'où venez-vous ?

— On habite ici, fit celui qu'elle n'avait pas touché.

— Ça m'étonnerait. Vous n'êtes pas du quartier.

— Los Angeles.

— C'est une grande ville, le pressa-t-elle.

— Les Hills.

— Beverly Hills ?

— Ouais.

— Tous les trois ?

— Ouais.

— Vous vous foutez de moi.

— C'est vrai, c'est de là qu'on vient, pourquoi on vous mentirait ? »

Le troisième jeune, celui qu'elle avait épargné, porta soudain les deux mains à ses tempes, comme si le remords l'étreignait soudain, bien qu'il se soit agi, plus vraisemblablement, d'une migraine subite. Un rayon de lune frappa alors le bracelet métallique de sa montre.

« C'est quoi, ta montre ? lui demanda-t-elle.

— Hein ?

— Quelle marque ?

— Rolex », dit-il.

C'était bien ce qu'elle avait cru voir, mais elle ne put dissimuler son étonnement. « Une Rolex ?

— Je ne mens pas, je l'ai eue pour Noël.

— Seigneur... »

Il l'ôta de son poignet. « Tenez, prenez-la.

— Garde ça, dit-elle, méprisante.

— Non, vraiment.

— Qui te l'a offerte ?

— Mes vieux. Elle est en or. » Il la lui tendit. Il était en train de lui offrir sa Rolex. « Y a pas de diamants, mais le boîtier et le bracelet sont en or.

— Ça vaut quoi, lui demanda-t-elle, incrédule, quinze mille dollars, vingt mille ?

— Quelque chose comme ça, ouais, fit l'un des deux autres. Mais c'est pas le modèle le plus cher.

— Prenez-la », répéta le jeune propriétaire de la montre.
.Heather demanda alors : « Quel âge as-tu ?

— Dix-sept ans.

— Tu vas au lycée ?

— Je suis en dernière année. Tenez, prenez la montre.

— Tu es encore lycéen et tu reçois comme cadeau de Noël une Rolex en or à quinze mille dollars ?

— Prenez-la, elle est à vous. »

S'accroupissant devant le trio apeuré, sans accorder le moindre intérêt à la douleur qui lui vrillait la cheville droite, elle dirigea le canon de son flingue vers le visage de l'adolescent. Terrorisés, lui et ses deux copains reculèrent.

« Je pourrais vous faire sauter le crâne, poursuivit-elle, sales petits pourris, oui, je pourrais le faire, mais ne compte pas sur moi pour voler ta montre, même si elle vaut un million de dollars. Remets-la. »

Tandis qu'il se hâtait nerveusement de replacer la montre à sa poignet, on entendit s'entrechoquer les plaques en or du bracelet.

Elle voulait savoir pourquoi, avec tous les privilèges et les avantages dont disposaient leur familles, ces trois gosses de Beverly Hills rôdaient la nuit autour de la propriété, durement gagnée, d'un pauvre flic qui avait failli mourir alors qu'il essayait de préserver cette même stabilité sociale qui leur permettait de manger à leur faim tous les jours, sans parler des Rolex en or. D'où venaient donc leur mesquinerie, leurs valeurs perverses, leur nihilisme ? Ce n'était pas faute d'avoir eu tout ce qu'ils désiraient. Mais qui, ou quoi, fallait-il donc blâmer ?

« Montrez-moi ce que vous avez dans vos portefeuilles », reprit-elle durement.

Chacun tira le sien de sa poche et le lui tendit. Les trois paires d'yeux ne quittaient pas le Korth. Le canon braqué sur eux devait leur apparaître aussi gros qu'un bazooka.

« Sortez tout l'argent », dit-elle.

Le problème, c'était peut-être qu'ils avaient grandi à une époque où les médias les assaillaient sans cesse de prédictions concernant l'imminence d'un conflit nucléaire généralisé, quand ce n'était pas, depuis la chute de l'Union soviétique, celle d'une catastrophe écologique planétaire. Peut-être que les horreurs impitoyablement rabâchées par les journaux d'informations télévisés, au demeurant fort élégamment mis en scène, et qui leur garantissaient un large taux d'écoute, les avaient convaincus qu'ils n'avaient pas d'avenir. Pas de futur possible. Et c'était encore pire pour les Noirs, à qui l'on répétait qu'ils ne s'en sortiraient pas, parce que le système était contre eux, et que c'était injuste mais qu'il n'y avait rien à faire, et que ce n'était même pas la peine d'essayer.

Peut-être que rien de tout cela n'expliquait le comportement des gosses des riches de Beverly Hills.

Elle ne savait plus. Elle n'arrivait d'ailleurs même plus à s'intéresser à la question. Ni ses mots ni ses gestes ne les feraient changer.

Ils tenaient tous les trois leur portefeuille dans une main, les billets dans l'autre, et ils attendaient.

Elle faillit ne pas poser la question suivante, puis elle se ravisa. « Pas de cartes de crédit ? »

Incroyable. Deux des trois gamins en avaient une. Des lycéens, titulaires d'une carte de crédit... Le premier avait l'American Express et la Visa, et le second, celui à la Rolex, une MasterCard.

Tout en les fixant, et en plongeant son regard dans chacune des trois paires d'yeux inquiets qui lui faisaient face, elle trouva un peu de réconfort dans le fait que la plupart des adolescents ne ressemblaient pas à ceux-là. Les autres, tous les jeunes qui se débattaient dans un monde totalement immoral afin d'y vivre selon leurs propres valeurs, avaient toutes les chances de bien finir. Sans doute ces trois-là s'en sortiraient-ils aussi, et ils deviendraient un jour des adultes responsables. Mais combien avaient déjà perdu tout sens moral, toute éthique, pas seulement parmi les adolescents, mais dans la population tout entière ? Dix pour cent ? Certainement beaucoup plus. Le crime était partout, dans les rues comme à la Bourse, et c'était le règne du mensonge et de l'escroquerie, de la cupidité et de l'envie. Vingt pour cent ? Et quel était le pourcentage de citoyens perdus qu'une démocratie pouvait tolérer avant de voler en éclats ?

« Jetez vos portefeuilles sur le trottoir », dit-elle.

Les adolescents obéirent.

« Remettez l'argent et les cartes de crédit dans vos poches. »

Perplexes, ils s'exécutèrent.

« Je ne veux pas de votre argent. Je ne fais pas dans la petite délinquance, moi. »

Tenant son arme d'une main, elle rassembla les portefeuilles de l'autre, puis elle se redressa et se dirigea, lentement et à reculons, vers le mur du garage, qu'elle rencontra bientôt.

Elle ne leur avait posé aucune des questions qui tournoyaient dans son esprit. Leurs réponses, en supposant qu'ils aient des réponses à lui fournir, seraient nulles et vides de sens. Or elle en avait marre, de cette nullité ambiante. Le monde moderne, pour fonctionner, avait besoin du lubrifiant que constituaient les mensonges faciles, les digressions vaseuses et les autojustifications mesquines.

« Tout ce que je veux, ce sont vos papiers, dit Heather en brandissant le poing dans lequel elle serrait les portefeuilles. Comme ça, je saurai qui vous êtes, et où vous trouver en cas de besoin. Venez encore une fois rôder par ici, ne serait-ce que pour cracher sur la pelouse, et je vous coincerai. J'y mettrai le temps, mais je vous aurai. » Elle fit cliqueter la détente du Korth, et les trois paires d'yeux s'abaissèrent sur l'arme, comme par magie. « Et j'attendrai le bon moment, avec un flingue encore plus impressionnant que ça, et des balles de plus gros calibre, ces trucs à pointe creuse, vous connaissez ? Celles qui vous font exploser un tibia en mille petits morceaux et qui garantissent l'amputation. Je vous tirerai dans les deux jambes, et vous passerez le reste de votre existence dans un fauteuil roulant. Et j'essaierai même de vous choper en plein dans les couilles, histoire d'être certaine que vous n'aurez jamais de descendance. »

A cet instant, la lune se retira judicieusement derrière un nuage.

La nuit se fit plus sombre.

Dans le jardin derrière la maison, les crapauds coassaient, lugubres.

Les trois ados la regardaient, hésitant à comprendre. Ils s'étaient plutôt attendus à ce qu'elle les livre aux flics.

Ce qui était, bien sûr, totalement hors de question. Elle en avait agressé deux. La main de l'un d'eux était toujours cramponnée à sa braguette, et la douleur se lisait sur les deux visages. En outre, elle les avait menacés de son arme alors qu'elle se trouvait hors de chez elle. On retiendrait contre elle qu'ils ne représentaient pas un réel danger, dans la mesure où ils n'avaient pas physiquement franchi le seuil de sa maison. Bien qu'ils aient, à trois reprises, défiguré les murs avec leurs graffitis obscènes et haineux, et qu'ils aient causé à son fils et à elle des dommages financiers et émotionnels, le fait qu'elle soit la femme d'un héros ne la mettait pas à l'abri de plaintes diverses, et elle se retrouverait immanquablement en prison, à la place des trois petits minables.

« Tirez-vous », lâcha-t-elle.

Ils se relevèrent, visiblement inquiets à l'idée qu'elle allait leur tirer dans le dos.

« Allez, barrez-vous, insista-t-elle, et tout de suite. »

Ils se décidèrent enfin à bouger, et elle les suivit de loin, afin de s'assurer qu'ils étaient vraiment partis. Les trois gosses de riches ne cessaient de regarder par-dessus leurs épaules.

Arrivée devant la maison, les pieds dans l'herbe humide, elle lut ce qu'ils avaient inscrit sur deux murs au moins, sinon trois. A la lueur des lampadaires, les inscriptions à la peinture, rouges, jaunes et vert pomme, semblaient luire d'un éclat phosphorescent. Leurs tags personnels s'étalaient partout, et ils avaient nettement favorisés les termes obscènes, en trois, cinq et six lettres. Mais le message principal était le même que les deux fois précédentes : FLIC = ASSASSIN.

Le trio, dont deux des membres boitaient lamentablement, avait rejoint la voiture qu'ils avaient garée plus haut. Une Infiniti noire. Et ils démarrèrent dans un crissement de pneus, laissant penaudement derrière eux un nuage de fumée bleue.

ASSASSIN.

TUEUR DE MARI.

TUEUR DE PÈRE.

Heather était plus profondément perturbée par la mauvaise foi et l'irrationalité des inscriptions que par la confrontation avec les trois graffiteurs. Personne ne pouvait blâmer Jack pour ce qui était arrivé. Il n'avait fait que son devoir. Comment aurait-il pu affronter un dangereux maniaque armé d'une mitrailleuse sans avoir recours à la violence ? Elle fut terrassée par le sentiment fulgurant que la civilisation était décidément en train de sombrer au fond d'un océan de haine.

ANSON OLIVER N'EST PAS MORT.

Anson Oliver, c'était le maniaque au Uzi, qui était en fait un réalisateur de cinéma très prometteur, comptant quatre films à son actif. Ses films, pleins de colère, mettaient justement en scène des gens en colère. Depuis la tuerie, Heather avait eu le temps d'aller voir les trois longs métrages d'Oliver. Son utilisation de la caméra était excellente, son style narratif, puissant. Certaines scènes étaient même époustouflantes. Sa carrière aurait pu l'emmener très loin, et même lui valoir un Oscar, mais il y avait dans ses films une arrogance morale très déplaisante, beaucoup d'autosatisfaction et une fâcheuse tendance à jouer les provocateurs. Ce qui semblait être à présent les symptômes d'un mal plus profond, encore exacerbé par la consommation abusive de drogues diverses à laquelle se livrait Anson Oliver.

ASSASSIN.

Elle aurait préféré que Toby ne voie jamais son père traité de meurtrier. Mais, hélas, ce n'était pas la première fois. A deux reprises, il avait lu le qualificatif peint à la bombe sur les murs de sa propre maison, et, l'ayant également entendu à l'école, il s'était même battu avec trois de ses camarades. Il n'était pas très grand pour son âge, mais il avait du cran.

Et, bien qu'il ne soit jamais sorti vainqueur des bagarres dans la cour de récréation, nul doute qu'il se garderait bien de tendre l'autre joue comme le lui conseillait sa mère, et que d'autres coups de poing seraient échangés.

Demain matin, après l'avoir conduit en classe, Heather ferait disparaître les graffitis. Ainsi qu'ils l'avaient déjà fait, ses voisins lui donneraient probablement un coup de main. De nombreuses couches de peinture étaient nécessaires pour dissimuler parfaitement les inscriptions qui couvraient les murs beige clair.

Mais, il ne pouvait s'agir que d'un camouflage temporaire, parce qu'il y avait dans les aérosols un composant chimique qui s'attaquait à la peinture des façades. Il suffisait de quelques semaines pour que les graffitis réapparaissent comme par magie, tels des messages revenant de l'au-delà.

Malgré les horreurs inscrites sur les murs de sa maison, Heather sentit que sa colère tombait, faute d'énergie. Les derniers mois l'avaient littéralement épuisée.

Boitant et peinant, elle rentra chez elle en passant par le garage et ferma le verrou à double tour. De retour dans la cuisine, elle rebrancha l'alarme.

SÉCURITÉ OPÉRATIONNELLE.

Pas vraiment. En tout cas, pas toujours.

Elle fila ensuite dans la chambre de Toby. Il dormait profondément.

Se tenant dans l'encadrement de la porte, elle écouta, attendrie, les ronflements discrets de l'enfant. Elle comprenait pourquoi les parents d'Anson Oliver étaient incapables d'accepter le fait que leur fils était un meurtrier coupable de plusieurs homicides, tous volontaires. C'était leur bébé, leur petit garçon, le jeune homme qui avait fait leur fierté, l'incarnation de ce qu'ils avaient de meilleur, la chair de leur chair, le cœur de leur cœur. Se sentant soudain très proche d'eux, elle pria pour ne jamais connaître la douleur qui était à présent la leur, puis elle s'empressa de les chasser de son esprit.

Les Oliver avaient mené auprès des médias une campagne visant à donner de leur fils l'image d'un homme gentil et talentueux, parfaitement incapable d'avoir accompli le forfait dont on l'accusait. Ils prétendaient que l'Uzi retrouvé à la station-service ne lui avait jamais appartenu, et qu'il n'existait aucun document prouvant que l'arme était à lui. Mais, la vente des Micro Uzi automatiques étant interdite, Anson Oliver se l'était sans doute procuré au marché noir et l'avait vraisemblablement payé en liquide. L'absence d'un quelconque ticket de caisse n'était donc pas franchement surprenante.

Heather retourna dans sa chambre et s'assit au bord du lit, puis elle alluma la lumière.

Déposant l'arme sur le lit, elle vérifia d'abord le contenu des trois portefeuilles. Les permis de conduire lui apprirent alors que l'un des garçons n'avait que seize ans, et les deux autres, dix-sept. Et ils habitaient bien à Beverly Hills.

Dans l'un des portefeuilles, parmi les photos d'une jolie lycéenne et d'un setter irlandais, Heather découvrit un auto-collant rond, de deux centimètres de diamètre, qu'elle retourna entre ses doigts, incrédule. C'était le genre de trucs qu'on trouvait habituellement dans les papeteries, les drug-stores, les magasins de disques et les librairies ; les gamins en décoraient leurs cahiers, entre autres choses. Il suffisait de retirer le papier qui en protégeait le côté adhésif. L'auto-collant qu'elle avait entre les doigts était d'un noir brillant, et l'inscription en lettres argentées et en relief proclamait : ANSON OLIVER N'EST PAS MORT.

Quelqu'un était déjà en train de mettre sa disparition tragique sur le marché, et d'en tirer du profit. Dégueulasse. Dégueulasse et étrange. Mais, ce qui énervait le plus Heather, c'était précisément qu'il puisse y avoir des acheteurs, prêts à faire d'Anson Oliver une légende, voire même un martyr.

Elle aurait dû s'y attendre. Les Oliver n'étaient pas les seuls à redorer assidûment le blason de leur fils.

La fiancée du cinéaste, actrice et enceinte de quelques mois, clamait partout qu'il ne se droguait plus depuis long-temps. A deux reprises, il avait pourtant été arrêté et condamné pour avoir conduit sous l'emprise de narcotiques, mais ces égarements appartenaient à un passé révolu, affirmait la jeune femme. La beauté et la fragilité de cette dernière, ainsi qu'une sorte d'aura tragique, lui garantissaient de nombreux passages dans les journaux télévisés, où ses grands yeux semblaient toujours sur le point de s'emplir de larmes.

Les associés d'Oliver avaient acheté des pages entières dans *The Hollywood Reporter* et *Daily Variety*, déplorant la perte d'un cinéaste bourré de talent, et laissant entendre que ses films, très controversés, avaient fortement déplu à beaucoup de gens, surtout parmi les hommes politiques. Ils concluaient en suggérant qu'en fait, Anson Oliver était mort pour défendre son art.

Ce qui impliquait que l'Uzi, le PCP et la cocaïne avaient été placés sur les lieux de la tuerie, délibérément. Tous ceux qui s'étaient trouvés à proximité de la station-service s'étaient jetés à terre dès les premiers coups de feu, et personne n'avait vu Anson Oliver avec l'arme entre les mains, excepté ceux qu'il avait descendus. Et Jack.

Mme Arkadian, cachée dans le bureau, n'avait pas vu le tireur ; quand elle s'était retrouvée dehors, la fumée et les larmes avaient brouillé ses lentilles de contact, et elle était virtuellement aveugle.

Deux jours après la tragédie, Heather avait été contrainte d'échanger leur ancien numéro de téléphone contre un nouveau, en liste rouge, parce que les fans d'Anson Oliver ne cessaient d'appeler à toute heure du jour et de la nuit, accusant Jack de faire partie d'un complot visant à éliminer le cinéaste.

Dingue.

Bon Dieu, mais le type n'était qu'un réalisateur de films, pas le président des Etats-Unis. Les hommes politiques, les barons de l'industrie, les chefs militaires et les responsables de police ne tremblaient pas de terreur à l'énoncé du nom d'Anson Oliver, et il était très peu probable qu'ils aient pris la peine d'organiser un complot visant à éliminer un réalisateur de Hollywood, sous prétexte que ses films ne les épargnaient pas. S'ils avaient vraiment été aussi susceptibles, le pays n'aurait guère compté de réalisateurs de cinéma vivants.

Ces gens croyaient-ils vraiment que Jack avait abattu son propre coéquipier et trois autres hommes avant de se tirer dessus à trois reprises, tout ça en plein jour, devant d'éventuels témoins, en courant le risque d'être tué lui aussi, prêt à endurer d'atroces souffrances, des mois d'hôpital et une éprouvante réhabilitation, dans le seul but de rendre la mort d'Anson Oliver plus crédible ?

La réponse, bien sûr, était affirmative. Ces gens y croyaient dur comme fer.

Le même portefeuille devait lui fournir une preuve supplémentaire. Un second autocollant, de la même taille. Fond noir, lettres rouges, et trois noms : OSWALD, CHAPMAN, McGARVEY ?

C'était répugnant. Comparer un ex-toxicomane, auteur de trois films largement surestimés par la critique, avec John Kennedy, tué par Oswald, ou même avec John Lennon, victime de Mark David Chapman, était tout simplement dégueulasse. Mais assimiler Jack à deux infâmes assassins était une abomination.

OSWALD, CHAPMAN, McGARVEY ?

Elle songea d'abord à appeler un avocat dès le lendemain matin, afin de découvrir qui éditait de telles horreurs et de lui réclamer des millions de dollars de dommages et intérêts. Pourtant, tandis qu'elle observait l'infâme autocollant, elle fut forcée d'admettre que celui qui en avait eu l'idée avait pris soin de se protéger, grâce à l'utilisation d'un point d'interrogation.

OSWALD, CHAPMAN, McGARVEY ?

Ce n'était pas une accusation. Le point d'interrogation indiquait qu'il s'agissait d'une simple hypothèse, et rendait caduque toute plainte déposée pour diffamation ou calomnie.

Soudain, Heather retrouva en elle suffisamment d'énergie pour nourrir sa colère. Rassemblant les portefeuilles, elle les jeta au fond du tiroir de la table de chevet, et les autocollants suivirent le même chemin. Elle repoussa le tiroir d'un geste sec.

L'époque actuelle regorgeait de gens qui préféraient la théorie du complot, tout absurde fût-elle, aux faits réels et à la simple vérité. Ils mélangeaient réalité et fiction, tant était grand leur appétit pour les manipulations machiavéliques et les cabales clandestines, qui n'avaient pourtant jamais existé ailleurs que dans les romans de Ludlum. Mais la réalité était presque toujours beaucoup moins dramatique, et infiniment moins flamboyante. Cette confusion entre les genres constituait sans doute un mécanisme de défense, un moyen de mettre un peu d'ordre, et de sens, dans un monde technologique changeant si vite que les simples citoyens ne reconnaissaient plus rien.

Quoi qu'il en soit, c'était dégueulasse.

D'ailleurs, Heather elle-même avait frappé deux des trois jeunes rôdeurs. Peu importait qu'ils l'aient bien mérité. C'était la première fois qu'elle faisait une chose pareille. Mais, le feu de l'action s'étant éteint, elle en conservait dans la bouche un goût de cendres. Elle n'éprouvait pas de remords, parce qu'ils avaient cherché et mérité ce qu'elle leur avait fait, mais plutôt de la tristesse. C'était triste d'en arriver là, et elle se sentait souillée. Sa jubilation était retombée en même temps que son taux d'adrénaline.

Elle examina sa cheville droite. Celle-ci commençait à enfler, mais la douleur était supportable.

« Heather, s'admonesta-t-elle, qui crois-tu donc être ? Une tortue Ninja ? »

Elle prit deux somnifères dans l'armoire à pharmacie de la salle de bains, et les avala à l'aide d'un grand verre d'eau.

De retour dans sa chambre, elle éteignit la lumière.

Ce n'était pas de l'obscurité qu'elle avait peur.

Ce qu'elle craignait par-dessus tout, c'était le mal que les gens étaient capables de se faire à la faveur de la nuit

CHAPITRE DIX

Le 10 juin n'était pas un jour à rester enfermé. Le ciel était bleu de Delft, la température avoisinait les vingt-six degrés, et le vert rutilant des prés indiquait que les grosses chaleurs de l'été restaient encore à venir.

Eduardo passa la plus grande partie de l'après-midi à se prélasser dans son rocking-chair, sous le porche à l'avant de la grande maison victorienne. Une nouvelle caméra vidéo, avec des piles neuves et une cassette vierge, était posée à côté de lui. A portée de main, son fusil de chasse. Il se leva à deux reprises pour aller prendre une bière, et s'accorda une promenade d'une demi-heure dans les prés autour du ranch, la caméra à la main. Mais le plus clair de son après-midi se déroula dans le fauteuil : il attendait.

C'était revenu.

Au fond de lui, Eduardo savait que quelque chose était passé par le grand rond noir, dans les premières heures du 3 mai, plus de cinq semaines auparavant. Il le savait, il le sentait. Il n'avait pas la moindre idée quant à la nature ou à l'origine de la chose en question, mais il avait la conviction qu'elle provenait d'un univers différent.

Elle s'était sans doute trouvé un endroit où se cacher. C'était la seule déduction possible. Elle se cachait. Si la chose avait voulu signaler sa présence, elle l'aurait fait la nuit même de son arrivée, ou plus tard. La forêt, vaste et dense, offrait une infinité de possibilités à qui cherchait une planque sûre.

Les impressionnantes dimensions du passage circulaire ne signifiaient pas pour autant que celles du voyageur, ou du vaisseau spatial le transportant, l'étaient aussi. Une fois, Eduardo était allé à New York City et il avait emprunté le Holland Tunnel, un souterrain routier bien plus grand que son véhicule. Ce qui était sorti de l'absolue noirceur pouvait très bien avoir la taille d'un homme, ou être plus petit encore, et parfaitement capable de se dissimuler n'importe où.

En fait, le passage ne donnait aucune information sur le voyageur, à part une indéniable intelligence, mais sa simple existence prouvait l'incroyable sophistication de la technologie et de la science qui étaient à son origine.

Après avoir lu l'œuvre de Heinlein et de Clarke, et d'autres livres dans la même veine, il disposait à présent d'un capital d'imagination lui permettant d'attribuer à l'intrus toutes sortes d'origines. Extraterrestre, très probablement. Toutefois, il n'était pas exclu qu'il débarque d'une autre dimension, ou encore d'un univers parallèle. Peut-être s'agissait-il même d'un humain, en provenance d'un très lointain futur.

Le nombre de possibilités existantes était étourdissant, et les spéculations auxquelles il se livrait n'avaient rien de sénile. Il n'éprouvait plus aucune gêne à se rendre à la bibliothèque pour y emprunter des romans de littérature fantastique — en dépit des jaquettes, souvent bien dessinées, mais toujours un peu vulgaires — qu'il dévorait voracement.

En fait, il n'avait plus la patience de parcourir les auteurs qu'il avait passé sa vie à lire. Le réalisme qu'il y avait trouvé n'était plus le même. Il les considérait à présent comme étant totalement irréalistes. Après quelques pages seulement, Eduardo avait la très nette impression que leur point de vue était basé sur une tranche de réalité extrêmement mince, comme s'ils décrivaient le monde vu par un observateur coiffé d'un casque de soudeur à l'arc. Ils écrivaient bien, certes, mais le champ de leur expérience était trop limité, comparé à l'univers infini.

Il préférait maintenant les auteurs capables de dépasser l'horizon humain, ceux qui savaient que l'humanité, un jour, sortirait de l'enfance, qui croyaient au triomphe de l'intelligence et à la défaite de l'ignorance et de la superstition, et qui osaient rêver.

Peut-être même allait-il s'acheter un autre Discman, histoire d'accorder un seconde chance aux Infarctus.

Il finit sa bière et posa la bouteille à côté du rocking-chair. Il aurait bien aimé croire que la chose n'était qu'un voyageur débarquant du futur, incident somme toute très bénin. Mais ça se cachait depuis plus de cinq semaines, et cette clandestinité n'augurait rien de bon. Il ne cherchait pas à faire preuve de xénophobie, mais son instinct lui disait qu'il s'était frotté à une chose non seulement différente, mais intrinsèquement hostile.

Bien que son attention ait souvent été dirigée vers la partie est de la forêt, là où s'était ouvert le passage, Eduardo n'avait pas non plus envie de s'aventurer au nord, ni à l'ouest, les sapins, dans ces trois directions, formant autour du ranch une masse compacte, que seuls venaient rompre les prés s'étendant au sud. Quiconque s'introduisait dans les bois pouvait facilement rejoindre, sous le couvert des arbres, n'importe quelle partie de la forêt.

Bien sûr, le voyageur pouvait aussi avoir choisi de ne pas se cacher dans le coin, et avoir fait le tour jusqu'aux premiers sapins, à l'ouest, pour gagner ensuite les montagnes. Il s'était peut-être déjà retiré dans quelque cavité naturelle en altitude, ou au fond d'un ravin isolé, ou dans une grotte au sommet des Rocheuses, à des kilomètres du ranch Quartermass.

Mais Eduardo n'avait pas l'impression que ce soit le cas.

Parfois, tandis qu'il se promenait en bordure de la forêt, étudiant les ombres sous les arbres, à l'affût du moindre détail sortant de l'ordinaire, il avait conscience d'une présence. C'était aussi simple et aussi inexplicable que ça. Une présence. Chaque fois, bien qu'il n'ait jamais rien vu ou entendu, il avait eu l'impression qu'il n'était plus seul.

Donc, il attendait.

Tôt ou tard, il finirait bien par se passer quelque chose de nouveau.

Quand il lui arrivait de trouver le temps long, il se rappelait deux choses. La première, c'était qu'il avait l'habitude d'attendre ; depuis la mort de Margarite, trois ans auparavant, il ne faisait qu'attendre l'heure de la rejoindre. Deuxièmement, lorsqu'il y aurait enfin de l'action et que le voyageur se déciderait à se montrer, Eduardo pressentait qu'il regretterait alors d'avoir souhaité sa venue.

Il ramassa la bouteille vide, puis se leva, dans l'intention d'aller chercher une autre bière. Ce fut alors qu'il aperçut le raton laveur. Un raton laveur qui, à trois mètres du porche, le regardait fixement. Trop absorbé par l'observation des sapins — ceux-là même qu'il avait vus luire dans la nuit —, il ne l'avait pas remarqué jusque-là.

Les bois et les champs grouillaient d'animaux sauvages. Les fréquentes apparitions des écureuils, des lapins, des renards, des opossums, des chevreuils, des mouflons, et d'autres encore, étaient l'un des plaisirs de l'existence profondément rustique qu'il menait ici, en pleine nature.

Les ratons laveurs, sans doute les créatures les plus audacieuses et les plus intéressantes de tout le voisinage, étaient extrêmement intelligents, et très mignons à regarder. Pourtant, leur intelligence et leur agressivité vorace en faisaient de vraies nuisances, et la dextérité de leurs pattes, quasi humaine, facilitait leur chapardage incessant et malicieux. A l'époque où les écuries étaient pleines de chevaux, avant la disparition de Quartermass, les ratons laveurs, bien que carnivores avant tout, avaient fait preuve, au cours des raids qu'ils lançaient sur les tas de pommes réservés aux chevaux, d'une créativité toujours renouvelée. Maintenant, comme à l'époque, il avait fallu poser, sur les poubelles, des couvercles à l'épreuve des ratons laveurs, ce qui ne les empêchait nullement d'attaquer à l'occasion les containers, comme pour essayer une nouvelle technique qu'ils avaient passé des semaines à mettre au point à l'abri de leurs terriers.

Le spécimen qui se tenait devant le porche était un raton laveur adulte, gros et gras, dont le pelage luisant était plus fin que la fourrure de l'hiver. Assis sur ses pattes arrière, les pattes avant plaquées contre sa poitrine, la tête haute, il surveillait Eduardo. Malgré le grégarisme caractérisant ces petits animaux, qui se déplaçaient en général par deux ou en groupes, aucun autre n'était en vue.

Aussi, les ratons laveurs vivaient la nuit. On les voyait rarement en plein jour.

Avec les écuries vides et les poubelles solidement munies de leur couvercle, Eduardo ne chassait plus les ratons laveurs depuis longtemps, sauf s'il en trouvait sur le toit. Il leur arrivait en effet de disputer là-haut d'intenses parties de chasse à la souris, ce qui réduisait à néant toute tentative de sommeil.

Il avança jusqu'aux premières marches, saisissant cette rare occasion d'observer un spécimen en plein jour, et aussi près de lui.

Pivotant la tête, le raton laveur le suivit du regard.

La nature avait malencontreusement doté les coquins d'une fourrure exceptionnellement belle, les rendant ainsi tragiquement précieux pour l'espèce humaine, narcissiquement en quête, depuis toujours, d'ornements rares et de belles matières. Celui-là disposait d'une queue particulièrement fournie, baguée de noir, dont le poil lustré brillait au soleil.

« Qu'est-ce que tu fabriques ici, en plein soleil ? » lança Eduardo.

Les yeux de charbon de l'animal le regardaient avec une curiosité presque palpable.

« Tu as une crise d'identité, et tu te prends pour un écureuil, c'est ça ? »

Frénétiquement, le raton laveur se passa et se repassa les pattes sur le museau, pendant une bonne demi-minute, puis il se figea à nouveau et plongea son regard dans celui d'Eduardo.

Les animaux sauvages — même les espèces aussi agressives que les ratons laveurs — n'ont que de très rares contacts visuels avec les humains. A l'inverse de ce spécimen, ils se contentaient de coups d'œil furtifs, usant de leur vision périphérique. Certains prétendaient que cette répugnance à croiser un regard pendant plus de quelques secondes constituait une preuve de la supériorité humaine, l'animal baissant les yeux à la façon d'un serf devant son suzerain. D'autres y voyaient au contraire le signe que les animaux, innocentes créatures de Dieu, lisant dans les yeux des hommes leurs péchés, préféraient détourner le regard. Eduardo avait à ce sujet une théorie personnelle : tenant les humains pour de méchantes bêtes, violentes et imprévisibles, les animaux optaient pour la prudence et se gardaient bien de regarder les gens en face.

Sauf ce raton laveur-là. Il n'avait apparemment pas peur, et il manquait singulièrement d'humilité.

« Dis tout de suite qu'un pauvre vieux bonhomme comme moi ne t'impressionne pas ! »

Le raton laveur le regardait.

La soif eut finalement raison de la curiosité d'Eduardo, et il se décida à aller chercher sa bière. Dans un grincement de gonds, il ouvrit la contre-porte, qu'il avait installée en prévision de l'été deux semaines plus tôt, puis il la referma. Les gonds grincèrent derechef.

L'étrange grincement aurait dû surprendre le raton laveur et le faire détaler, mais, lorsqu'il jeta un coup d'œil à travers la moustiquaire, il constata que l'animal s'était encore rapproché des marches, et qu'il était toujours son point de mire.

« Drôle de petite bestiole », s'exclama-t-il.

Il alla droit à la cuisine, au bout du couloir, jetant en entrant un coup d'œil à la pendule au-dessus du four. 3 heures 20.

La bière produisant l'euphorie voulue, il se sentait d'humeur à prolonger cette dernière jusqu'à ce qu'il aille se coucher. Mais il n'avait pas non plus l'intention de s'endormir, et il décida de dîner une heure plus tôt, à six heures au lieu de sept, histoire de se remplir l'estomac. A moins qu'il ne se mette au lit de bonne heure, avec un livre.

Il commençait à en avoir marre. Toujours attendre qu'il se passe quelque chose...

Il prit une autre Corona dans le réfrigérateur. La capsule se dévissait, mais il souffrait d'un léger rhumatisme dans les articulations des mains. L'ouvre-bouteilles se trouvait sur l'égouttoir de l'évier.

La capsule sauta avec un petit *plop!* et, au même instant, Eduardo regarda par la fenêtre. Le raton laveur. Là, dans le jardin à l'arrière de la maison. A cinquante centimètres des marches du porche. Pattes avant sur la poitrine et tête haute. Le jardin remontant en pente douce vers le nord, il avait une vue plongeante sur la fenêtre de la cuisine, pile entre deux barreaux de la rampe.

Et il avait les yeux fixés sur Eduardo.

Ce dernier s'approcha de la porte donnant à l'extérieur, la déverrouilla et l'ouvrit.

Et le raton laveur de se déplacer et de continuer à l'étudier.

Il ouvrit la contre-porte, dont les gonds se mirent à grincer, eux aussi, comme à l'avant de la maison. Il fit quelques pas sous le porche, marqua un temps d'arrêt, puis se décida à descendre les quelques marches qui le séparaient du jardin.

Les yeux sombres de l'animal étincelaient.

Eduardo fit quelques pas, et le raton laveur retomba aussitôt à quatre pattes, fit volte-face et détala un peu plus loin.

Pour Eduardo, il ne faisait aucun doute que le raton laveur qu'il avait en face de lui était celui qu'il avait déjà vu devant la maison. Mais il se demanda brusquement si, en fait, il ne s'agissait pas d'un second animal.

Il se hâta de faire le tour de la maison, décrivant un arc de cercle suffisamment grand pour avoir toujours l'œil sur l'animal. Parvenu à une certaine distance au nord de la maison, il distingua à la fois l'avant et l'arrière de la maison. Et deux petites sentinelles à queue rayée.

Qui le regardaient fixement.

Il fit quelques pas en direction du raton laveur posté devant la maison. Mais, dès qu'il s'approcha de l'animal, ce dernier fila à travers la pelouse, pour s'immobiliser à ce qui semblait être la distance de rigueur, et il recommença à le fixer, assis sur ses pattes arrière dans l'herbe haute du pré.

« Je veux bien être pendu, sacré bon Dieu », s'exclama Eduardo.

Il rejoignit l'avant de la maison et s'installa sous le porche, dans le rocking-chair.

Fini d'attendre. Après plus de cinq semaines, les choses commençaient à bouger.

Il finit par se souvenir qu'il avait laissé une Corona décapsulée sur l'évier, et il retourna dans la cuisine. Plus que jamais, il avait besoin d'une bonne bière bien fraîche.

Il avait laissé la porte à l'arrière de la maison grande ouverte, mais le battant équipé de la moustiquaire s'était refermé derrière lui. Après avoir fermé à double tour, il s'installa à la fenêtre, sa Corona à la main, et observa un moment le raton laveur, puis il retourna sous le porche à l'avant de la maison.

Le premier raton laveur était subrepticement revenu, et il se tenait à nouveau devant le porche, à trois mètres des marches.

Eduardo saisit la caméra vidéo et filma l'animal pendant deux ou trois minutes. Il n'y avait pas là matière à convaincre les sceptiques qu'une porte ronde et toute noire, sans masse et sans poids, était apparue dans la forêt au cours de la nuit du 3 mai ; pourtant, les animaux nocturnes ne restaient jamais aussi longtemps en plein soleil, à prendre la pose devant une caméra, établissant manifestement un contact visuel direct avec l'utilisateur de la caméra, et les quelques minutes qu'il tenait là constituaient peut-être les premiers fragments d'une mosaïque de preuves.

Il reposa la caméra et reprit sa place dans le rocking-chair, buvant sa Corona à petites gorgées tout en rivant son regard sur celui du raton laveur. Il ne restait plus qu'à attendre la suite des événements. De temps en temps, la petite sentinelle se lissait les moustaches ou se grattait derrière l'oreille. A part ça, rien.

A cinq heures et demie, emportant la bouteille vide, la caméra et le fusil, il retourna dans la cuisine pour préparer son repas du soir, non sans avoir fermé la porte d'entrée à double tour.

A travers le verre coloré du vitrail central, Eduardo vit alors que le raton laveur n'avait pas cessé la garde.

Assis à la table de la cuisine, Eduardo se régalait de rigatoni et de saucisses, qu'il accompagnait de larges tranches de pain italien généreusement beurrées. Le bloc-notes posé à côté de son assiette, il écrivait tout en mangeant ses pâtes. L'après-midi avait été riche en bizarreries.

Il avait presque fini son compte rendu, quand un cliquetis singulier attira soudain son attention. Il jeta un coup d'œil vers le four électrique, puis à chacune des deux fenêtres, mais ne vit rien d'anormal.

Se retournant, il s'aperçut alors qu'un raton laveur était entré dans la cuisine. Assis sur ses pattes arrière, l'animal avait les yeux fixés sur Eduardo.

Repoussant vivement sa chaise, il se leva d'un bond.

De toute évidence, l'animal était arrivé par le couloir. Restait à découvrir comment il était rentré dans la maison.

Le cliquetis de tout à l'heure, c'était le bruit de ses griffes sur le parquet. Mais le son grenu se reproduisit, sans que le raton laveur fasse un mouvement.

Le petit animal tremblait de tous ses membres, terrorisé à l'idée d'être piégé dans une cuisine inconnue. Du moins Edouardo le crut-il tout d'abord.

Il recula de quelques pas, histoire de lui laisser de l'espace.

Le raton laveur émit alors une sorte de miaulement piteux, n'exprimant ni agressivité ni peur, mais une indéniable détresse. La bestiole souffrait de quelque chose.

La première réaction d'Eduardo fut : *la rage.*

Le.22 était posé sur la table, à portée de main, là où il avait pris l'habitude de le laisser ces derniers mois. Il s'en saisit, bien qu'il n'ait pas été dans ses intentions de tuer le raton-laveur dans la cuisine.

L'examinant plus attentivement, il constata que les yeux de la petite créature étaient particulièrement protubérants, et que le pelage au-dessous paraissait humide, comme mouillé de larmes. Les petites pattes griffèrent l'air devant elles, et la grosse queue touffue se mit à remuer furieusement d'un côté à l'autre. L'animal manquait d'air. Retombant à quatre pattes, il s'effondra sur le flanc, pris de convulsions, en haletant pour retrouver un peu de souffle. Soudain, un flot de sang jaillit de ses oreilles et de son museau, suivi d'un ultime spasme. Les griffes raclèrent une dernière fois le parquet, puis le raton laveur se raidit et ne bougea plus.

Il était mort.

« Doux Jésus ! », s'exclama Eduardo en se passant une main tremblante sur le front, qu'une sueur soudaine avait glacé.

La dépouille qui gisait sur le sol lui paraissait moins grande que les deux sentinelles qu'il avait vues dehors, et son décès subit n'expliquait pas un tel rétrécissement. Eduardo en déduisit qu'il s'agissait d'un troisième animal, plus jeune que les autres, ou peut-être était-ce une femelle.

Il se souvenait d'avoir laissé la porte de la cuisine ouverte pendant qu'il faisait le tour de la maison. La contre-porte, elle, était close. Mais les baguettes en sapin qui en formaient le cadre, sur lequel la moustiquaire était tendue, n'offraient pas une grande résistance, et il était possible que la petite bête ait réussi à se faufiler.

Mais où s'était-elle donc planquée pendant toute la fin de l'après-midi, qu'il avait passée dans son rocking-chair sous le porche ? Et pendant qu'il se préparait à manger ?

Il s'approcha de la fenêtre au-dessus de l'évier. Il avait dîné de bonne heure, et la nuit tombait tard en cette saison, lui permettant ainsi de distinguer clairement la petite silhouette. Assise sur ses pattes arrière, elle surveillait consciencieusement la maison.

Evitant avec soin le petit cadavre, Eduardo se dirigea alors vers la porte d'entrée, qu'il déverrouilla pour faire quelques pas sous le porche. La sentinelle à fourrure n'était plus dans le jardin, où il l'avait laissée, mais elle gisait à présent à côté du rocking-chair. Couchée sur le flanc, et le fixant d'un regard à présent vitreux, elle portait des traces de sang à l'oreille et sur le museau.

Eduardo porta alors le regard en direction de la forêt qui s'étendait au-delà du pré, devant la maison. Le soleil couchant, en équilibre au sommet des montagnes, dardait sur les sapins ses derniers éclats, sans parvenir à dissiper les ombres qui s'obstinaient sous les arbres.

De retour dans la cuisine, il jeta un coup d'œil par la fenêtre. Le petit soldat qui avait monté la garde à l'arrière de la maison était en train de courir en rond frénétiquement. Eduardo l'entendit couiner de douleur et, très vite, il s'écroula. Sa cage thoracique se souleva pendant quelques secondes, puis plus rien.

Le regard d'Eduardo quitta alors le raton laveur, pour se porter sur la forêt qui flanquait la maison en pierre qu'il occupait du temps où il était simple gardien. La masse des sapins était déjà plus sombre qu'ailleurs, les dernières lueurs du soleil, prêtes à sombrer derrière les Rocheuses, n'en éclairant plus que les cimes.

Quelque chose se cachait là-bas.

La rage, ou toute autre maladie, n'expliquaient pas l'étrange comportement des ratons laveurs. Quelque chose les contrôlait. Et l'effet physique sur les petits animaux était tel qu'ils en étaient morts, dans d'atroces convulsions.

A moins qu'ils n'aient servi qu'à une démonstration de force destinée à impressionner Eduardo, afin de lui suggérer qu'il n'était pas à l'abri, lui non plus, de ce funeste sort.

On l'observait. Et pas seulement par les yeux des ratons laveurs.

Les pics les plus hauts dominaient la vallée, tel un raz de marée minéral. Lentement, l'orange du soleil s'immergea dans cette mer de granit.

Sous les sapins, il faisait de plus en plus noir, mais le coin de nature le plus sombre du monde n'aurait pas pu rivaliser avec la noirceur du cœur de celui qui se cachait dans les bois. En supposant qu'il ait un cœur, évidemment.

Tout en étant convaincu que le comportement et la mort des ratons laveurs n'étaient pas dus à une quelconque maladie, Eduardo ne pouvait s'en tenir qu'à son seul diagnostic. Il prit donc quelques précautions élémentaires en manipulant les petits cadavres. Après s'être noué un foulard sur la bouche et le nez, il enfila une paire de gants en caoutchouc. Se gardant bien de toucher les dépouilles inertes, il les souleva l'une après l'autre à l'aide d'une pelle à manche court, les fourrant au fond d'un grand sac-poubelle, qu'il déposa ensuite dans le coffre de la Cherokee. Puis il s'occupa de faire disparaître les quelques taches de sang par terre, sous le porche, avant de désinfecter le parquet de la cuisine à l'aide d'un litre de Javel et d'une demi-douzaine de chiffons, qu'il jeta ensuite directement à la poubelle. Il ôta ses gants, qui suivirent le même chemin, puis il alla déposer le tout sous le porche situé à l'arrière de la maison. Il s'en débarrasserait plus tard.

Il ajouta dans le coffre de la Cherokee le fusil de chasse et le.22. Il emportait également la caméra vidéo, au cas où il en aurait besoin. La cassette qu'elle contenait était celle avec laquelle il avait filmé les ratons laveurs, et il n'avait pas l'intention de la voir disparaître comme celle sur laquelle étaient enregistrées les images des sapins lumineux et du trou noir. Pour la même raison, il se saisit du bloc-notes où était rédigé son compte rendu des événements.

Quand il fut enfin prêt à partir pour Eagle's Roost, le crépuscule avait cédé sa place à la nuit. L'idée de trouver à son retour le ranch obscur ne lui plaisait pas du tout, bien qu'il n'ait jusqu'à ce jour jamais été peureux. Il alluma d'abord la lumière dans la cuisine et le hall d'entrée du rez-de-chaussée, puis il se ravisa et fit de même dans le salon et le bureau.

Il ferma la porte à clé, s'installa dans la Cherokee et fit marche arrière pour sortir du garage — et décida brusquement que la grande maison victorienne était encore trop peu éclairée. Retournant à l'intérieur, il repassa donc dans les autres pièces du premier étage. Lorsqu'il prit enfin la route, les fenêtres du rez-de-chaussée et du premier étage brillaient dans la nuit.

L'immensité du Montana lui parut plus déserte que jamais. Passant des montagnes obscures aux vastes plaines, il lui arrivait de repérer, de temps en temps, de lointaines lumières. Comme perdues en haute mer, elles étincelaient, tels les feux des navires que le large attire inexorablement.

Bien que la lune soit encore invisible, il était évident que sa clarté ne changerait rien à une nuit aussi dense, et surtout aussi peu accueillante. Le sentiment d'isolement qu'il éprouvait était en rapport avec son propre paysage intérieur.

Veuf et sans enfant, attaquant vraisemblablement la dernière décade de sa vie, il était coupé de ses semblables par son âge, son destin et ses penchants personnels. A part Margarite et Tommy, il n'avait jamais eu besoin de personne. Après les avoir perdus tous les deux, il s'était résigné à finir ses jours de façon presque monacale, certain de ne jamais céder au désespoir, ou à l'ennui. Jusqu'à récemment, il y était assez bien parvenu. Mais voilà qu'il se prenait à regretter de ne pas avoir un seul ami, et de s'être laissé aller aux inclinations égoïstes de son cœur d'ermite.

Pendant des kilomètres, roulant sans croiser aucun autre véhicule, il attendit qu'un bruit caractéristique de plastique lui parvienne du coffre, situé derrière la banquette arrière.

Pourtant, il savait que les ratons laveurs étaient morts. Il ne comprenait absolument pas pourquoi il s'attendait à ce qu'ils déchirent le sac-poubelle dans lequel ils étaient enfermés, mais il s'y attendait quand même.

Pis, il savait déjà que, s'il entendait des griffes acérées déchirer le plastique, ce ne seraient plus vraiment celles des ratons laveurs qu'il avait jetés au fond du sac. Ces trois-là n'étaient plus. Et, pour se manifester de la sorte, il faudrait qu'ils aient, disons... changé.

« Espèce de vieux radoteur », se dit-il, espérant ainsi mettre un terme à ses réflexions morbides.

Au bout d'une dizaine de kilomètres, il croisa tout de même une voiture. Plus il approchait d'Eagle's Roost, plus le trafic était dense, bien que nul n'eût jamais confondu les deux voies goudronnées avec la bretelle d'accès pour New York City — ou même Missoula.

Il fallait qu'il se rende de l'autre côté de la petite ville, où le Dr Lester Yeats avait son cabinet professionnel et sa résidence privée, sur plusieurs hectares s'étendant à la limite de Eagles's Roost et de la campagne environnante. Yeats était le vétérinaire qui, pendant des années, s'était occupé des chevaux de Stanley Quatermass. Avec sa barbe et ses cheveux blancs, et sa perpétuelle bonne humeur, il aurait fait un père Noël parfait, s'il n'avait pas été d'une maigreur aussi squelettique.

La maison du vétérinaire, pleine de coins et de recoins, consistait en une longue structure en bois, peinte en gris clair, agrémentée d'un toit en ardoises et de charmants volets bleus. Apercevant de la lumière dans les bureaux de Yeats et dans les écuries attenantes, où étaient soignés les quadrupèdes malades, il roula quelques centaines de mètres plus loin, dépassant la maison, jusqu'au bout de l'allée gravillonnée.

Comme Eduardo sortait de la Cherokee, la porte de la grange aménagée, où Yeats avait installé ses bureaux, s'ouvrit soudain, livrant le passage à un homme qui s'avança vers lui. D'une trentaine d'années, grand, rustique, il était doté d'une épaisse chevelure brune et d'un large sourire. « Salut. Je peux faire quelque chose pour vous ?

— Je suis venu voir Lester Yeats, répondit Eduardo.

— Le Dr Yeats ? » Le sourire s'évanouit. « Vous êtes l'un de ses amis, un parent peut-être ?

— Un client, dit Eduardo. J'ai trois bestioles dans le coffre que j'aimerais lui montrer. »

Intrigué, l'inconnu dit : « Ecoutez, monsieur, j'ai peur que Lester Yeats ne soit plus vétérinaire.

— Ah bon ? Il a pris sa retraite ?

— Il est mort, dit le jeune type.

— Yeats, mort ?

— Il y a plus de six ans. »

Eduardo s'en étonna. « Je n'étais pas au courant, désolé. » Il ne s'était pas rendu compte que tant de temps s'était écoulé depuis sa dernière rencontre avec Yeats.

Une brise chaude déclencha soudain les trilles d'un rossignol.

L'inconnu se présenta. « Travis Potter. J'ai racheté la maison et la clientèle à Mme Yeats. Elle vit en ville, à présent. »

Les deux hommes échangèrent une poignée de main et Eduardo, sans décliner son identité, enchaîna : « Le Dr Yeats s'occupait des chevaux du ranch.

— Quel ranch, exactement ?

— Le ranch Quartermass.

— Ah, fit Travis Potter, vous devez donc être le...
M. Fernandez, c'est ça ?

— Oh, excusez-moi... Oui, je suis Ed Fernandez »,
répondit Eduardo, avec l'impression désagréable que le
vétérinaire avait failli dire « le vieux fou qui habite là-haut
tout seul », comme s'il était l'excentrique local.

Puis l'idée le traversa soudain que c'était peut-être le cas,
après tout. Tenant son bien de son riche employeur, veuf,
vivant reclus et n'adressant la parole à personne, ou presque,
lors de ses rares virées en ville, il était devenu pour les gens
une sorte d'énigme, mineure, certes, mais qui excitait leur
curiosité, et cette idée lui déplut instantanément.

« Il n'y a plus de chevaux dans les écuries depuis
combien de temps, monsieur Fernandez ? lui demanda Potter.

— Huit ans. Depuis la disparition de M. Quartermass. »

Comme c'était étrange... Huit ans s'étaient écoulés depuis
le jour de sa dernière rencontre avec Yeats, et il se pointait
aujourd'hui chez lui, une demi-douzaine d'années après sa
mort, avec l'impression de l'avoir vu la semaine précédente.

Ils gardèrent le silence pendant quelques instants. Dans la
nuit chaude de juin, les criquets redoublaient d'ardeur.

« Eh bien, fit Potter, où sont ces bestioles ?

— Quelles bestioles ?

— Celles que vous vouliez montrer au Dr Yeats.

— Oh... Oui.

— C'était un excellent vétérinaire, mais je peux vous
assurer que je le vaux.

— J'en suis certain, docteur Potter, mais ces bestioles-là
sont mortes.

— Mortes ?

— Des ratons laveurs.

— Des ratons laveurs morts ?

— Tous les trois.

— Trois ratons laveurs morts ? »

S'il avait déjà une réputation d'original, il ne faisait que
l'aggraver. Mais, comme il avait perdu l'habitude de parler
aux gens, il avait du mal à se faire comprendre.

Prenant au préalable une profonde inspiration, il essaya
d'expliquer ce qui s'était passé au jeune vétérinaire, sans

mentionner le trou noir et le reste. « Ils étaient bizarres, dehors en plein jour, à tourner en rond. Et puis ils sont tombés, comme ça, l'un après l'autre. » Il décrivit succinctement leurs sursauts d'agonie, et les traces de sang dans leurs oreilles. « Alors, je me suis demandé s'ils n'avaient pas la rage, qu'en pensez-vous ?

— Vous vivez au pied des montagnes, dit Potter, et la rage fait partie des risques que présente la faune sauvage. C'est tout à fait naturel, mais je n'ai vu aucun cas depuis longtemps. Du sang dans les oreilles, vous dites ? Non, ce n'est pas un symptôme rabique. Bavaient-ils en abondance ?

— Pas à ma connaissance.

— Fonçaient-ils droit devant eux ?

— Non, ils tournaient en rond. »

Sur la route, plus loin, un poids lourd passa, la radio à fond, et un vieux standard de *country music* retentit jusque dans la cour où se tenaient les deux hommes. C'était une chanson triste.

« Où sont-ils ? demanda Potter.

— Je les ai mis dans un sac-poubelle, là, dans le coffre.

— Vous avez été mordu ?

— Non, fit Eduardo.

— Griffé ?

— Non plus.

— Pas de contacts directs ? »

Eduardo lui détailla les précautions qu'il avait prises : la pelle, le foulard, et les gants en caoutchouc.

Visiblement, Travis Potter était intrigué. « Monsieur Fernandez, vous me dites vraiment tout ce que vous savez ?

— Ma foi, je crois, oui, mentit-il. Enfin, ils se conduisaient de façon plutôt étrange, mais je vous ai donné tous les détails que j'ai remarqués. »

Le regard de Travis Potter était direct et pénétrant, et Eduardo eut soudain envie de lui confier toute l'histoire.

Et puis non. « Si ce n'est pas la rage... La peste, peut-être ? »

Potter fronça les sourcils. « Ça m'étonnerait. Du sang dans les oreilles ? C'est un symptôme peu courant. Vous n'avez pas été piqué par des puces ?

— Aucune démangeaison. »

La brise gonfla soudain et une bourrasque d'air chaud

agita les branches des arbres. Un oiseau de nuit leur passa alors au-dessus de la tête en piaillant, surprenant les deux hommes.

« Bon, dit Potter, pourquoi ne laissez-vous pas ces ratons laveurs chez moi ? Je les examinerai de plus près. »

Ils transportèrent le sac-poubelle à l'intérieur. La salle d'attente était déserte. Empruntant un petit couloir, ils arrivèrent dans une salle d'opération carrelée, et Eduardo déposa le sac sur le sol, à côté d'une table métallique.

La pièce blanche était fraîche, et l'ambiance, froide. Dans la lumière crue, l'émail, l'acier et le verre, qui constituaient l'essentiel du mobilier, étincelaient comme de la glace.

« Qu'allez-vous en faire ? fit Eduardo.

— Je ne dispose pas de l'équipement nécessaire pour savoir s'il s'agit de la rage ou pas. Je vais donc faire des prélèvements sanguins, et j'enverrai tout ça au labo, demain matin. Nous aurons les résultats d'ici quelques jours.

— Et c'est tout ?

— Que voulez-vous dire ?

— Vous n'allez pas en disséquer un des trois ? » lança Eduardo, en poussant le sac-poubelle du bout de sa botte.

« Je vais garder les trois ratons laveurs dans la chambre froide, en attendant les résultats du labo. S'il n'y a pas trace de rage dans les analyses, alors, oui, j'en autopsierai un.

— Vous me tiendrez au courant ? »

Potter lui décocha un autre de ses regards pénétrants. « Etes-vous certain que vous n'avez pas été mordu, ou même griffé, par l'un de ces animaux ? Parce que si c'est le cas, et si vous pensez qu'ils avaient la rage, il faut que vous vous rendiez immédiatement chez un médecin, qui vous administrera tout de suite un vaccin, dès cette nuit, et...

— Je ne suis pas complètement sénile, le coupa Eduardo. Si j'avais le moindre doute, je vous le dirais. »

Le regard de Potter se fit insistant.

Jetant un coup d'œil à l'attirail chirurgical de la salle d'opération, Eduardo reprit la parole. « Vous avez fait un gros effort de modernisation, je vois.

— Venez, rétorqua le vétérinaire en se dirigeant vers la porte, je voudrais vous donner quelque chose. »

Eduardo le suivit jusqu'à son bureau personnel. Là, le vétérinaire fouilla le contenu d'un tiroir, et lui tendit deux imprimés, concernant respectivement la rage et la peste bubonique.

« Lisez quels sont les symptômes de chacune des maladies, dit Potter. Si vous présentez l'un d'entre eux, ou si vous avez seulement l'ombre d'un doute, courez chez votre médecin.

— C'est que je n'aime pas trop les médecins.

— Peu importe. Vous êtes suivi par un médecin ?

— Pas besoin de médecin.

— Dans ces conditions, téléphonez-moi, et je me débrouillerai pour vous envoyer quelqu'un, d'une façon ou d'une autre. Vous êtes d'accord ?

— Ça me va.

— Vous me téléphonerez ?

— Comptez sur moi. »

Potter hésita. « Vous avez le téléphone, là-haut ?

— Bien sûr. Qui ne l'a pas, de nos jours ? »

La question du vétérinaire semblait confirmer que la réputation d'Eduardo était bien celle d'un original, reclus dans son ranch, qui s'éclairait à la bougie et tirait l'eau au puits. Une mauvaise réputation qu'il avait peut-être bien méritée. Maintenant qu'il y réfléchissait, il constata que, durant ces six derniers mois, il n'avait pas donné, ou reçu, le moindre coup de téléphone. Et il doutait fort que la sonnerie ait retenti guère plus de trois fois au cours de l'année précédente. Et l'un des appels résultait d'un faux numéro.

Potter s'approcha de son bureau, prit un stylo et un bloc-notes et inscrivit sur la première feuille les chiffres que lui indiquait Eduardo. Puis il lui tendit sa carte, sur laquelle étaient imprimés son adresse et ses numéros de téléphone, professionnel et privé.

Eduardo plia la feuille en quatre et la plaça dans son portefeuille. « Combien je vous dois, pour la consultation ?

— Rien, répliqua Potter. Ces ratons laveurs n'étaient pas à vous, pourquoi devriez-vous me payer ? La rage est un problème qui concerne la collectivité, vous savez. »

Sur ces bonnes paroles, Potter l'escorta jusqu'à la Cherokee.

Les mélèzes bruissaient sous les caresses chaudes de la brise estivale, les criquets stridulaient allégrement, et un crapaud vocalisait sans vergogne à l'abri d'une haie.

Alors qu'il ouvrait la portière de la Cherokee, Eduardo posa une dernière question. « Quand vous pratiquerez cette autopsie...

— Oui ?

— Vous ne vous intéressez qu'aux maladies connues ?

— Et aussi aux pathologies courantes, ainsi qu'aux éventuels traumatismes.

— C'est tout ?

— Que pourrais-je chercher d'autre ? »

Eduardo hésita, puis il haussa les épaules. « Je ne sais pas... Quelque chose de... bizarre. »

Nouveau regard de Potter. « Croyez bien que je serai extrêmement vigilant, Monsieur Fernandez. »

Tandis qu'il accomplissait le trajet du retour au volant de la Cherokee, Eduardo se demanda s'il avait eu raison d'agir comme il l'avait fait. Pour autant qu'il puisse en juger, il aurait pu adopter deux autres plans d'action, mais chacun des deux posait problème.

Il aurait pu laisser les ratons laveurs là où il les avait trouvés, et voir ce qui se passait ensuite. Mais, dans ce cas, il risquait de détruire les seules preuves qu'il avait d'une présence extraterrestre dans les forêts du Montana.

Il aurait aussi pu raconter à Travis Potter les sapins luminescents, les sons, la pression, sans oublier le passage à travers le trou noir. Il aurait pu lui décrire la façon dont les ratons laveurs le gardaient sous étroite surveillance — et l'impression qu'il avait eue alors, à savoir que les yeux des trois sentinelles étaient une extension de l'inconnu caché dans la forêt. Mais, s'il était réellement considéré comme le vieil ermite un peu gâteux du ranch Quartermass, personne ne le prendrait au sérieux.

Pis encore : dès que le vétérinaire aurait répandu l'histoire autour de lui, un responsable officiel quelconque risquait fort d'en conclure que ce pauvre vieux Fernandez était sénile, ou même carrément dangereux, pour lui et pour les autres. Avec toute la compassion du monde affichée dans les yeux, et du velours dans la voix, des experts lui annonceraient alors, en hochant gravement la tête, que c'était pour son bien qu'ils avaient décidé de l'interner contre sa volonté, afin de lui faire subir toute une série d'examens, aussi longs et désagréables qu'inutiles.

Il aurait détesté se retrouver mis au rebut dans un hospice, ou un asile d'aliénés, et être traité comme s'il était retombé en enfance. Il réagirait très mal, il se connaissait. Il refuserait de répondre aux questions des experts, sans rien leur cacher du mépris qu'ils lui inspiraient, et son attitude lui vaudrait immanquablement la colère des responsables officiels, qui le feraient alors placer sous tutelle, l'expédiant, toujours pour son bien, dans une maison de retraite pour vieux fous séniles.

Il avait vécu assez longtemps pour avoir vu de nombreuses vies gâchées par des gens convaincus du bien-fondé de leurs intentions, sûrs d'eux-mêmes et de la sagesse de leurs décisions. Personne ne remarquerait la disparition d'un vieil homme, et il n'avait plus ni femme ni enfant, ni parent ni ami, capables de le tirer des griffes des services sociaux.

Confier les trois ratons laveurs morts à Potter afin qu'il les examine et qu'il les autopsie, c'était tout ce qu'Eduardo avait osé faire. Considérant la force inconnue qui avait pris le contrôle des trois animaux, il craignait toutefois d'exposer Travis à toutes sortes de risques imprévisibles.

Eduardo avait tout de même fait état d'une chose étrange, et Potter semblait doté d'un solide bon sens. Le vétérinaire connaissait les dangers qu'il courait en pratiquant une autopsie, et il prendrait toutes les précautions nécessaires pour éviter une éventuelle contamination. Ce qui, par la même occasion, constituerait probablement une protection supplémentaire, à la fois contre le mal qui rongeait peut-être encore les dépouilles, et contre les infections toujours possibles.

Par-delà le pare-brise de la Cherokee, on voyait briller au loin les lumières des maisons disséminées dans la campagne alentour. Il n'en connaîtrait jamais les occupants, mais, pour la première fois de sa vie, Eduardo éprouva l'envie de les rencontrer, et de tout savoir de leur vie et de leurs espoirs.

A cet instant même, un enfant était peut-être assis à une fenêtre, ou sous un porche, et il regardait luire au loin les phares du 4 X 4, qui fonçait vers l'ouest à travers la nuit chaude de juin. Un petit garçon, ou une petite fille, débordants de rêves et de projets, se demandaient peut-être à quoi ressemblait le conducteur du véhicule dont les phares perçaient les ténèbres, quelle était la destination de son voyage, et comment il vivait.

L'évocation d'un tel enfant, quelque part dans la nuit, donna à Eduardo le sentiment étrange de faire partie d'une communauté, l'impression complètement inattendue d'appartenir à une famille, qu'il le veuille ou non. La grande famille des humains, une tribu querelleuse et pénible à supporter, connaissant le doute et la confusion, mais qui savait aussi se montrer généreuse et noble, voire admirable. Une famille dont tous les membres partageaient un même destin.

De la part d'Eduardo, cette vision de l'humanité, à la fois philosophiquement généreuse et étonnamment optimiste, frôlait presque le sentimentalisme larmoyant. Mais il s'en trouva réconforté, quoique surpris.

Quelle que soit sa nature, le visiteur sorti du trou noir n'était pas animé d'intentions amicales, et le bref contact qu'ils avaient eu lui avait rappelé que la nature tout entière était hostile à l'humanité. L'Univers était impitoyable, soit parce que Dieu l'avait ainsi créé, afin de départager les bonnes âmes des mauvaises, soit parce que c'était comme ça, tout simplement. Personne n'aurait pu espérer survivre sans l'incessant combat mené par les générations précédentes et celles qui partageaient la planète. Si un démon venu d'ailleurs s'en prenait au monde, une créature véritablement malfaisante, capable de ridiculiser les plus diaboliques des humains, la race, plus que jamais, aurait désespérément besoin de faire preuve de solidarité, afin d'assurer la survie collective de l'espèce humaine.

Il avait parcouru un tiers de l'allée quand la grande maison victorienne apparut dans les phares de la Cherokee, et il continua à rouler pendant quelques centaines de mètres, avant de se rendre compte que quelque chose n'allait pas. Il pila.

Avant de partir pour Eagle's Roost, il se souvenait d'avoir allumé la lumière dans toutes les pièces. Il se rappelait clairement que les fenêtres de la maison, toutes éclairées, s'étaient reflétées dans le rétroviseur, alors qu'il s'éloignait au volant de la Cherokee. Il s'était même senti un peu gêné à l'idée d'avoir peur de rentrer dans une maison obscure.

Eh bien, voilà qu'elle était maintenant plus obscure que les entrailles du diable.

Avant de se rendre compte de ce qu'il faisait, Eduardo

appuya sur la commande de fermeture automatique des portières, qui se verrouillèrent instantanément.

Abîmé dans l'observation de la maison, il resta assis un long moment derrière le volant. La porte d'entrée était fermée, et toutes les fenêtres en vue semblaient intactes. Tout avait l'air en ordre.

Sauf que toutes les pièces avaient été éteintes. Par qui ? Et pourquoi ?

Il envisagea une coupure d'électricité, plausible, mais à laquelle il ne croyait pas. Dans le Montana, les orages pouvaient provoquer beaucoup de dégâts ; en hiver, il n'était pas rare que le blizzard et les congères viennent à bout du réseau électrique plusieurs jours durant. Mais la nuit et la brise avaient été très douces, et il ne souvenait pas d'avoir repéré, sur la route, le moindre pylône électrique tombé à terre.

La maison avait l'air de l'attendre.

Il ne pouvait quand même pas rester dans la voiture toute la nuit. Bon Dieu, il n'allait certainement pas coucher dans la Cherokee.

Lentement, il remonta l'allée et immobilisa la voiture devant le portail du garage. Saisissant la télécommande, il pressa le bouton qui en régissait l'ouverture.

Le portail commença automatiquement à s'enrouler sur lui-même. A l'intérieur du garage, prévu pour trois véhicules, la veilleuse fixée au plafond, qu'une minuterie éteignait au bout de trois minutes, dispensait une lueur suffisante pour permettre à Eduardo de constater qu'à première vue, il ne manquait rien.

Autant pour l'hypothèse de la coupure de courant.

Au lieu d'avancer dans le garage, Eduardo resta à l'endroit où il se trouvait. Il mit le moteur de la Cherokee au point mort, en se gardant bien de le couper. Il laissa aussi les phares allumés.

Il saisit le fusil de chasse qu'il avait posé, le canon dirigé vers le sol, en travers du siège du passager, puis il sortit de la voiture.

Portière ouverte, pleins phares, moteur en marche.

Il n'aimait pas s'avouer qu'à la première alerte, il allait prendre ses jambes à son cou. Mais s'il lui fallait courir pour sauver sa vieille peau, il était prêt à piquer un sprint.

Il ne restait plus que cinq cartouches dans le fusil : l'une étant déjà engagée dans la culasse, et les quatre autres dans le chargeur. Il n'avait pas pris de munitions supplémentaires, mais cela ne l'inquiétait pas. S'il jouait de malchance, et tombait sur un adversaire que cinq cartouches, tirées à bout portant, n'arrêtaient pas, il ne vivrait pas assez longtemps, de toute façon, pour recharger son arme.

Il se rendit à l'avant de la maison, gravit les marches du porche, et poussa de la main le battant de la porte d'entrée. Fermé.

La clé était dans sa poche. Il l'en tira et ouvrit.

Le fusil dans la main droite, il passa le bras gauche par l'entrebâillement, et chercha l'interrupteur à tâtons, s'attendant à voir *quelque chose* débouler droit sur lui, ou à sentir *quelque chose* se poser sur sa main gauche.

Il trouva enfin ce qu'il voulait, et la lumière inonda l'entrée, débordant même sous le porche. Il franchit le seuil et fit quelques pas à l'intérieur, laissant la porte ouverte derrière lui.

Dans la maison, tout était calme.

De chaque côté du couloir, aucune lumière, dans aucune des pièces. Ni dans le bureau, à droite, ni dans le salon, à gauche.

Il n'avait pas envie de tourner le dos à l'une ou l'autre des deux portes, mais il se décida à prendre à droite, le fusil à la main. Lorsque la pièce s'éclaira, elle était vide, à l'exception du mobilier habituel, du meilleur goût. Pas le moindre intrus. Rien qui sorte de l'ordinaire.

Il remarqua alors une sorte de petit tas, de couleur sombre, posé sur les franges blanches du grand tapis chinois. Il crut d'abord qu'un animal s'était introduit dans la maison pour y faire ses besoins, mais, après l'avoir examiné, il s'aperçut qu'il s'agissait d'une petite motte de terre, encore humide, d'où dépassaient deux brins d'herbe verte.

De retour dans le couloir, son regard se posa, pour la première fois, sur une latte du parquet ciré, qu'un peu de boue salissait.

Prudemment, il pénétra dans le bureau, dont le plafond était dépourvu d'éclairage. Toutefois, le flot de lumière provenant du couloir éclairait suffisamment pour lui permettre de se rendre tout droit vers la lampe posée sur sa table de travail.

Sur le sous-main, à côté du pied de la lampe, une pincée de terre finissait de se dessécher. Idem sur le cuir rouge du fauteuil.

« Bon sang de bon sang... », s'étonna-t-il à mi-voix.

Avec un peu d'inquiétude, il ouvrit les deux battants de l'armoire. Elle était vide.

La porte d'entrée était toujours ouverte, et Eduardo ne savait que faire. En la laissant ainsi, il gardait une issue rapide en cas de fuite ; mais, s'il fouillait la maison de fond en comble sans découvrir personne, il lui faudrait venir fermer la porte à clé, et recommencer ses recherches, quelqu'un ayant très facilement pu s'introduire à l'intérieur pendant qu'il avait le dos tourné. A contrecœur, il ferma la porte d'entrée à double tour.

La moquette beige du premier étage s'étendait jusqu'en bas du grand escalier menant au hall d'entrée. Sur certaines marches, discrètement disséminée entre les brins de laine, un peu de saleté attira son attention.

Il jeta un coup d'œil en direction du premier étage.

Non. Le rez-de-chaussée d'abord.

Rien dans le cellier, rien dans le petit placard sous l'escalier, rien dans la grande salle à manger, ni dans la lingerie, ni dans la salle de bains. Il trouva, en revanche, de la terre sur le parquet de la cuisine, là plus qu'ailleurs.

Son assiette de rigatoni et de saucisses l'attendait tranquillement sur la table, à côté du pain qu'il avait beurré, l'intrusion — et l'agonie spasmodique — du raton laveur ayant interrompu son dîner à mi-parcours. Des traînées de boue séchée maculaient la porcelaine blanche, et la table était littéralement jonchée de débris terreux, de la taille d'un pois, auxquels s'ajoutaient un brin d'herbe sèche, enroulé sur lui-même, et un scarabée, mort, de la taille d'une pièce de monnaie.

Ce dernier avait basculé sur le dos, les six pattes en l'air. Eduardo le retourna du bout du doigt, et la carapace de l'insecte apparut, d'un bleu-vert iridescent.

Telles de minuscules crêpes, deux mottes de terre étaient aplaties sur la chaise. Autour de celle-ci, le parquet ciré était sali.

Au pied du réfrigérateur, nouvelle concentration de matière brune. La quantité globale n'aurait pas excédé la valeur de deux cuillères à soupe, mais, là aussi, on distinguait quelques brins d'herbe, une seconde feuille morte et un ver de terre. Il vivait encore, mais il était recroquevillé sur lui-même, à cause du manque d'humidité.

Une étrange sensation balaya les cervicales d'Eduardo. La certitude qu'à cet instant même, on l'observait, lui fit agripper à deux mains le fusil de chasse, et il se retourna vers l'une, puis l'autre, des deux fenêtres. Pas le moindre visage blême plaqué contre le carreau, comme il l'avait redouté.

Seulement la nuit.

La poignée chromée du réfrigérateur était souillée, elle aussi, et il préféra ne pas y toucher. Glissant les doigts sous le joint en plastique, il parvint à ouvrir la porte. La nourriture et les boissons, apparemment intactes, se trouvaient dans l'état où il les avait laissées.

Le four était béant, et il s'apprêta à le fermer sans toucher à la poignée, gainée par endroits de l'espèce de bouse noire qui séchait un peu partout dans la cuisine.

Et là, coincé dans un interstice, il aperçut un petit bout de tissu, d'un centimètre sur deux, d'un bleu très pâle, où se devinait un motif plus foncé.

Eduardo fixait obstinément le lambeau d'étoffe. Le temps s'arrêta soudain, et l'univers, comme suspendu, se tint immobile, tel le balancier d'une horloge cassée — jusqu'à ce qu'une marée glacée de terreur se rue à l'assaut de ses veines, déclenchant une série de tremblements si violents qu'il se mit à claquer des dents. Le cimetière... Faisant volteface, il s'assura que personne n'était derrière les vitres de la cuisine. Rien.

Rien que la nuit. La nuit aveugle et indifférente.

Il passa le premier étage en revue. Dans la plupart des pièces, il trouva de la terre. En petits bouts, en miettes, en plaques, parfois sèche et parfois humide. Une autre feuille morte. Deux scarabées morts, plus secs qu'un papyrus antique. Un gravier de la taille d'un noyau de cerise, lisse et gris.

Certains interrupteurs portaient eux aussi des traces suspectes, ce qui l'obligea à se servir du canon du fusil pour allumer et éteindre.

Après avoir examiné toutes les pièces, vérifié l'intérieur de chaque placard, regardé sous — et derrière — tous les meubles susceptibles d'offrir une cachette, et une fois qu'il fut absolument certain que rien ne se cachait là-haut, il retourna sur le palier du premier étage et tira sur la corde qui permettait d'ouvrir la trappe menant au grenier, puis il fit descendre vers lui une échelle escamotable, qu'il déplia promptement.

Il était possible d'éclairer le grenier à partir d'un interrupteur dans l'entrée, et il s'évita ainsi de monter en haut de l'échelle dans le noir. Dans les profondeurs poussiéreuses du grenier, il fouilla chaque coin d'ombre, chaque solive, chaque poutre. Hormis d'énormes phalènes prises au piège de la dentelle des toiles d'araignées, il ne remarqua rien de particulier.

Redescendu dans la cuisine, il fit glisser le loquet de cuivre qui bloquait la porte de la cave. C'était l'unique accès existant, et personne n'aurait pu à la fois descendre et refermer la porte de l'extérieur.

D'un autre côté, les portes à l'avant et à l'arrière de la maison étaient fermées à double tour quand il était parti pour Eagle's Roost. Impossible, donc, d'entrer ou de refermer derrière soi en partant, puisque c'était lui qui détenait les deux exemplaires uniques de la clé. Pourtant, à son retour, les foutus verrous étaient tels qu'il les avait laissés, et ses recherches n'avaient abouti à aucune fenêtre fracturée, ou simplement ouverte. Pourtant, on était rentré chez lui, et on en était reparti, sans qu'Eduardo puisse comprendre comment.

Il se rendit dans la cave et fouilla les deux grandes pièces aux parois sans fenêtres. L'air y était frais et sentait légèrement le moisi, mais elles étaient vides de tout occupant.

Pour l'instant, tout allait bien.

Il était l'unique habitant de sa propre demeure.

Il sortit et ferma la porte d'entrée à double tour, puis fit entrer la Cherokee dans le garage. Avant de sortir du véhicule, il fit redescendre le portail, le doigt sur la télécommande.

Il consacra les heures qui suivirent à nettoyer la saleté, avec un sentiment d'urgence et une énergie sans faille qui frôlaient l'hystérie. Il passa ainsi le rez-de-chaussée et le premier étage au savon liquide, puis à l'ammoniaque, avant de vaporiser de l'insecticide partout, résolu à frotter et à laver tous les endroits que la terre avait souillés, mais aussi à les désinfecter, voire à les stériliser. La sueur trempait sa chemise, et ses cheveux lui collaient au crâne. Les muscles de son cou, de ses épaules et de ses bras commençaient à se ressentir des efforts répétés qu'il avait fournis en frottant de toutes ses forces. Les rhumatismes de ses mains s'étaient réveillés ; à force d'agripper brosses et balais avec la férocité d'un maniaque, les articulations de ses doigts rougis avaient enflé. Mais l'unique parade d'Eduardo consista à se cramponner encore plus ardemment à sa serpillière, quitte à en ravaler des larmes de douleur.

Il s'activait de la sorte pour restaurer l'ordre habituel de la maison, mais aussi et surtout parce qu'il voulait ainsi se débarrasser de certaines idées, qu'il jugeait intolérables, et qu'il refusait catégoriquement d'approfondir. Véritable machine de ménage, le robot qu'il était devenu concentrait intensément son énergie sur les basses besognes domestiques, ce qui le purgeait en même temps de toutes pensées parasites. Il respirait les vapeurs d'ammoniaque comme pour se désinfecter l'esprit, cherchant à épuiser son corps de façon à pouvoir enfin aller dormir, et peut-être même oublier.

S'activant de plus belle, il jeta toutes les serviettes en papier, tous les chiffons, toutes les brosses et toutes les éponges dont il s'était servi dans un grand sac-poubelle, qu'il déposa dehors, dans la benne à ordures. En temps ordinaire, il se serait contenté de rincer les éponges et les brosses et de les ranger quelque part, en attendant de s'en resservir, mais pas cette fois.

Au lieu de retirer le sac jetable de l'aspirateur, il déposa carrément tout l'appareil dans la benne. Il n'avait vraiment pas envie de se poser des questions sur l'origine des particules microscopiques collées sur le balai et à l'intérieur du tube flexible, pour la plupart si minuscules qu'il était impossible de les faire toutes disparaître, à moins de démonter intégralement l'aspirateur pour en désinfecter toutes les pièces à l'eau de Javel, et encore.

Il retira du frigo tout ce qui aurait pu être en contact avec... l'intrus. Tout aliment enveloppé dans une feuille d'aluminium ou de plastique alimentaire fut impitoyablement banni. Exit le gruyère, le gros morceau de cheddar, ce qui restait d'un talon de jambon, et la moitié d'un oignon. Les emballages qui n'étaient pas dûment scellés partirent eux aussi à la poubelle, sans autre forme de procès; disparurent ainsi un pot de beurre d'une livre (entamé), tous les bocaux (olives, pickles, cerises au marasquin, mayonnaise et moutarde). Ce fut ensuite au tour des bouteilles dont le bouchon se vissait, et donc se dévissait, de vider les lieux. Après la vinaigrette, la sauce soja et le ketchup, un sac en papier contenant du raisin et une brique de lait demi-écrémé furent, eux aussi, engloutis par la poubelle. A l'idée de poser ses lèvres sur ce que l'intrus avait peut-être touché, Eduardo était pris d'une violente envie de vomir. Lorsqu'il eut fini de vider le réfrigérateur de tout ce qui présentait un risque potentiel, seules les bouteilles de Corona et quelques boîtes de soda avaient survécu à la rafle.

Mais, après tout, c'était de contamination microbienne, voire bactérienne, qu'il s'agissait. Et on n'était jamais trop prudent avec ça. Aucune précaution n'était superflue.

D'ailleurs, le terme *bactérien* ne correspondait pas à la réalité. Seigneur, s'il s'était seulement agi de bactéries... Non, hélas, la contamination en question était d'ordre spirituel, et elle engendrait dans le cœur des hommes une noirceur qui se propageait, d'une façon foudroyante, jusqu'au fond de leur âme.

Ne pas penser à ça. Ne pas penser. *Ne pense pas.*

Trop fatigué pour penser. Trop vieux. Trop peur.

Il alla chercher dans le garage une glacière en polystyrène bleu, dans laquelle il vida entièrement le bac à glaçons du congélateur. Puis il planta dans la glace huit bouteilles de Corona, et il fourra un décapsuleur dans sa poche arrière.

Laissant tout allumé derrière lui, il transporta sa glacière et son fusil dans la chambre du fond, au premier étage, où il dormait depuis les trois dernières années. Il posa le tout à côté du lit.

La poignée de la porte était équipée d'un cran de sécurité qu'il enclencha aussitôt. Considérant qu'un bon coup de pied dans le battant suffisait à l'ouvrir, Eduardo coinça le dossier d'une chaise sous la poignée.

Surtout, ne pas penser à ce qui pourrait rentrer dans la chambre.

Se fermer l'esprit. Concentrer sa pensée sur les rhumatismes, ou les muscles douloureux, et ne penser à rien d'autre. Ne plus penser du tout.

Il prit une douche, récurant énergiquement son corps comme il avait astiqué le parquet de la cuisine, restant sous le jet jusqu'à épuisement de l'eau chaude.

Il s'habilla, mais pas pour se mettre au lit. Chaussettes, caleçon long, T-shirt. Il plaça ses bottes au pied du lit, à côté de son fusil de chasse.

Bien que le réveil sur la table de nuit et sa montre aient indiqué tous deux 2 heures 50 du matin, Eduardo n'avait pas sommeil. Il s'assit sur le lit, adossé aux oreillers.

A l'aide de la télécommande, il se décida alors à allumer la télé, et zappa à travers un déploiement de chaînes innombrables, retransmises par l'antenne parabolique installée derrière l'écurie. Il finit par tomber sur un film d'action, avec des flics et des trafiquants de drogue, qui couraient et sautaient dans tous les sens, au milieu des coups de feu et des coups de poing, des bagarres et des poursuites de voitures, sans oublier les explosions en tout genre. Il avait baissé le volume à fond, afin de pouvoir entendre le moindre bruit suspect.

Il avala d'un trait la première bière, le regard fixé sur l'écran. Sans suivre l'intrigue du film, il se contenta de se laisser absorber par la dynamique abstraite des images, et le flamboiement des couleurs sur l'écran, qui effaçaient les taches souillant son esprit. Ces horribles pensées, et leurs traces indélébiles.

On toqua à la fenêtre qui s'ouvrait à l'ouest.

Il tourna les yeux vers les rideaux, qu'il avait soigneusement tirés.

Nouveau *toc-toc*. Comme si l'on venait de jeter un caillou sur le carreau.

Son cœur se mit à battre plus vite.

Il se força à regarder la télé. Mouvement. Couleurs. Il finit la bière. En ouvrit une autre.

Toc. Et encore *toc*, presque tout de suite après.

C'était peut-être un papillon de nuit ou un scarabée qui essayaient d'atteindre la lumière de la chambre, que les rideaux ne dissimulaient pas complètement.

Il pouvait se lever et s'approcher de la fenêtre, et constater qu'il s'agissait bien d'un scarabée, ce qui aurait soulagé son esprit.

Ne plus penser à tout ça.

Il but une très longue gorgée de bière.

Toc.

Quelque chose se trouvait en ce moment même sur la pelouse, et regardait la fenêtre de la chambre. Une chose qui savait exactement où il était, et qui voulait entrer en contact avec lui.

Mais ce n'était pas un raton laveur, cette fois.

Ne pas penser, ne pas penser, ne pas penser.

Cette fois, il n'était plus question de beaux petits animaux à queue rayée. Ni de leur fourrure luisante ni de leur museau masqué de noir.

Mouvement, couleur, bière. Nettoyer ses pensées malades, se purger de toute contamination.

Toc.

Parce qu'il n'était pas parvenu à se débarrasser du monstre qui infectait son esprit, tôt ou tard, il savait qu'il allait lâcher prise, et que sa santé mentale n'y résisterait pas. Tôt ou tard. Bientôt.

Toc.

S'il ouvrait les rideaux et apercevait alors la chose sur la pelouse, la folie ne serait même plus un refuge pour lui. Une fois qu'il aurait vu, une fois qu'il *saurait*, il ne lui resterait plus qu'une seule et unique issue. Le canon du fusil dans la bouche, et l'index sur la détente.

Toc.

Il augmenta le volume de la télé. Fort. Plus fort. Il finit sa deuxième bière. Monta encore le son, jusqu'à ce que les accents rauques de la musique soutenant l'action du film finissent par emplir toute la chambre, faisant presque vibrer les carreaux de la fenêtre. Eduardo fit sauter la capsule de sa troisième bière. Il fallait qu'il se vidange l'esprit. Quand le jour reviendrait, il aurait peut-être oublié ses démences nocturnes, et les considérations délirantes qui le tourmentaient depuis la veille. Oublier toutes les pensées malsaines, ou les noyer dans l'alcool. A moins qu'il ne meure pendant son sommeil. Ça lui était presque égal. Et, pour oublier, il attaqua la Corona.

CHAPITRE ONZE

Pendant les mois de mars, d'avril et de mai, qu'il passa dans une coquille de plâtre, les deux jambes sous traction, Jack endura des douleurs et des crampes incessantes, des tremblements musculaires et des tics nerveux incontrôlables, sans compter l'extrême sensibilité de son épiderme, qui le démangeait furieusement, surtout là où le plâtre l'empêchait de se gratter. Supportant ces désagréments, et bien d'autres, sans trop se plaindre, il remerciait Dieu de lui avoir laissé la vie sauve, afin qu'il puisse bientôt prendre sa femme dans ses bras et continuer à voir grandir son fils.

Ses problèmes de santé étaient encore plus nombreux que les désagréments qu'il subissait à cause de sa paralysie partielle. Le risque d'escarres était constamment présent, bien que la coquille en plâtre ait été moulée avec le plus grand soin, et que la plupart des infirmières ait fait preuve d'une grande conscience professionnelle et de beaucoup de sollicitude. Il suffisait qu'une escarre passe inaperçue et s'ulcère, pour que le risque de gangrène soit multiplié. Parce qu'il subissait régulièrement le cathéter, ses chances de contracter une infection de l'urètre augmentaient considérablement, ce qui pouvait conduire à de graves complications, comme une cystite sévère. Tout patient immobilisé pendant une longue période savait que des caillots de sang éventuels pouvaient soudain affluer vers le cœur ou le cerveau, provoquant, au pis, une mort certaine et, au mieux, de graves séquelles cérébrales ; Jack suivait un traitement anticoagulant qui réduisait les probabilités d'une phlébite ou d'une embolie cérébrale, et cette dernière complication était celle qu'il redoutait le plus.

Il se faisait aussi pas mal de soucis pour Heather et Toby. Ils étaient seuls à la maison, ce qui l'inquiétait, en dépit du fait que Heather, sous l'aile protectrice d'Alma Bryson, semblait prête à affronter n'importe quoi, du cambrioleur solitaire au débarquement d'une armée étrangère. En fait, la présence de toutes ces armes chez eux, qui en disait long sur l'état d'esprit actuel de Heather, le perturbait presque autant que la menace d'un éventuel cambriolage.

L'argent, ou plutôt le manque d'argent, lui causait plus d'inquiétudes que la perspective d'une artère bouchée. Actuellement en congé de maladie, il ne savait pas à quelle date il serait capable de reprendre à plein temps son activité de policier. Heather était toujours au chômage, et la récession frappait durement l'économie de la Californie; quant à l'état de leurs économies, il était tout simplement catastrophique. Ses collègues et amis du département de police de Los Angeles avaient ouvert un compte, au nom de McGarvey, dans une succursale de la Wells Fargo Bank. Les dons des policiers, auxquels s'ajoutaient les chèques de particuliers compatissants, totalisaient à présent plus de vingt-cinq mille dollars. Mais les frais d'hôpitalisation n'étaient jamais remboursés intégralement par les assurances, et il craignait que les fonds rassemblés ne suffisent pas à leur garantir la relative sécurité financière dont ils jouissaient avant le drame de la station-service. En septembre, au plus tard en octobre, ils n'auraient plus les moyens d'honorer les échéances de l'emprunt qu'ils avaient souscrit à la banque pour payer leur maison.

Pourtant, il réussissait à garder pour lui les soucis qui l'accablaient, en partie parce que les autres, eux aussi, avaient des problèmes, parfois plus graves que les siens, mais aussi parce que, naturellement optimiste, il croyait aux pouvoirs thérapeutiques de la bonne humeur et de la pensée positive. Certains de ses amis le soupçonnaient même d'en faire un peu trop, mais il ne connaissait qu'une seule façon de faire face à l'adversité, et il ne pouvait pas s'empêcher de voir en priorité le bon côté des choses. Pour autant qu'il s'en souvienne, il était né comme ça. Là où un pessimiste voyait un verre de vin à moitié vide, Jack ne se contentait pas d'affirmer que le verre était à moitié plein, il en concluait immédiatement que le meilleur de la bouteille restait encore à boire. Coincé au fond d'une coquille de plâtre, il était temporairement privé de l'usage de ses jambes, mais il sentait qu'une protection divine lui avait épargné la paraplégie et la mort. Bien sûr, il souffrait, mais il y avait des gens dans ce même hôpital dont le calvaire était bien pire. Tant que le verre, et la bouteille, ne seraient pas complètement vides, il se féliciterait de chaque gorgée bue, sans jamais songer déplorer qu'elle contribue, comme les précédentes, à faire baisser le niveau du vin.

Lors de sa première visite à l'hôpital, qui remontait au mois de mars, Toby avait eu peur en voyant son père immobilisé de la sorte, et les yeux du petit garçon s'étaient remplis de larmes, tandis qu'il se mordait la lèvre et redressait le menton, afin de montrer à son père combien il était courageux. Jack, insistant sur le fait qu'il était moins malade qu'il n'en avait l'air, avait fait de son mieux pour minimiser la gravité de son état, et s'était désespérément entêté à remonter le moral de son fils. Il avait fini par faire rire Toby en proclamant très sérieusement qu'il n'était pas du tout blessé, et qu'il se trouvait dans ce lit d'hôpital en raison de sa participation confidentielle à un projet ultrasecret, devant faire de lui, en quelques mois, une tortue Ninja.

« C'est vrai, dit-il, tu peux me croire. Regarde bien : en fait, cette coquille en plâtre, c'est la carapace de tortue qu'on est en train de me greffer dans le dos. Lorsqu'elle sera parfaitement sèche, on la blindera, et les balles se contenteront de rebondir dessus.

Souriant malgré lui, tout en s'essuyant les yeux, Toby dit : « Ne rigole pas, papa.

— Je suis très sérieux, au contraire.

— Tu ne connais rien au *tae kwon do*.

— Dès que la carapace sera sèche, je commencerai à prendre des cours particuliers.

— Un guerrier Ninja se bat aussi avec des sabres, et plein d'autres trucs !

— J'apprendrai, c'est tout.

— Il y a quand même un gros problème.

— Et c'est quoi ?

— Tu n'es pas une *vraie* tortue.

— Evidemment que je ne suis pas une *vraie* tortue. Ne sois pas bête, tu veux ? La police de Los Angeles n'a pas le droit d'embaucher autre chose que des êtres humains. Les gens n'apprécieraient pas vraiment que la gent animale leur dresse des contraventions. Et il nous faut donc nous contenter d'imiter les tortues Ninja. Et alors ? Spiderman, l'homme-araignée, n'est pas réellement une araignée, que je sache. Et Batman, tu ne vas quand même pas prétendre qu'il s'agit vraiment d'une chauve-souris ?

— Faut avouer que tu as raison, sur ce coup-là.

— Et comment, fiston !

— Ouais, mais...

— Mais quoi ? »

Le visage de Toby s'éclaira d'un large sourire. « Tu n'es pas un adolescent, toi.

— Je peux faire semblant.

— Sûrement pas. Tu es trop vieux.

— Tu trouves ?

— Tu es un vieux bonhomme.

— Toi, tu vas avoir des ennuis... Attends un peu que je sorte de ce lit.

— Oh... Tu sais, d'ici que ta carapace soit sèche, j'ai le temps. »

Pour la seconde visite de Toby — Heather venait tous les jours, mais Toby n'avait le droit de voir son père que deux fois par semaine au maximum —, Jack portait un bandeau des plus colorés. Heather lui ayant apporté une écharpe rouge et jaune, il se l'était nouée autour de la tête.

« Le reste de l'uniforme est encore à l'étude chez un grand couturier », annonça-t-il nonchalamment à Toby.

Quelques semaines plus tard, un jour du mois d'avril, Heather avait tiré les rideaux qui maintenaient autour du lit de Jack une certaine intimité, et elle entreprit de lui donner un bain (à l'éponge humide), puis un shampooing (à l'éponge mouillée), afin d'épargner un peu de travail aux infirmières.

« Je n'aime pas beaucoup que d'autres femmes fassent ta toilette, tu sais ? dit Heather. Je crois que je suis en train de devenir plus jalouse qu'une tigresse.

— Je jure que j'ai un alibi en béton, pour la nuit dernière, dit-il.

— Ah oui ? Je te signale quand même que toutes les infirmières de l'hôpital sont venues me confier que tu étais leur malade préféré.

— Tu sais, chérie, ça ne veut rien dire. Elles préfèrent *n'importe qui*, c'est très facile. Pour être le chouchou des infirmières, il suffit d'éviter de leur gerber dessus et de se moquer de leur petite coiffe blanche.

— C'est tout ? dit-elle en frottant tendrement l'éponge sur le bras de son mari.

— Eh bien, il faut également finir son assiette à chaque repas, ne jamais leur demander une petite injection d'héroïne si on n'a pas d'ordonnance, et ne jamais, mais alors jamais, feindre un arrêt cardiaque dans le seul but de se faire remarquer.

— Elles disent toutes que tu es gentil, courageux, et aussi que tu es très drôle.

— Tais-toi, flatteuse », dit-il en faisant mine de rougir, mais Heather savait que sa gêne était sincère.

« Et deux au moins m'ont dit que j'avais beaucoup de chance d'être ta femme.

— Tu leur as mis ton poing dans la figure, j'espère ?

— J'ai réussi à me maîtriser.

— Bien. Sinon, elles se seraient vengées sur moi.

— J'ai *vraiment* de la chance, dit-elle.

— Et certaines de ces infirmières sont rudement musclées. Elles tapent dur, j'en suis sûr.

— Je t'aime, Jack », souffla-t-elle en plaquant ses lèvres sur les siennes.

Le baiser de Heather était si fougueux qu'il en eut le souffle coupé. Les cheveux de la jeune femme lui caressaient le visage, exhalant une douce odeur de camomille, dont il s'emplit profondément les narines.

« Heather », murmura-t-il en frôlant sa joue du bout des doigts. « Heather, Heather... » Il répétait son prénom comme s'il était sacré, psalmodiant, à la façon d'une douce prière, les deux syllabes qui éclairaient ses jours et ses nuits.

« J'ai tellement de chance... redit Heather.

— Moi aussi. La chance inestimable de t'avoir rencontrée.

— Tu seras bientôt à la maison avec moi.

— Très bientôt », renchérit-il, tout en sachant qu'il lui

restait de longues semaines à passer sur ce lit, et encore quelques mois en rééducation.

« Et alors, plus de nuits solitaires, dit-elle.

— Plus jamais.

— Nous serons ensemble pour toujours.

— Toujours. »

Sa gorge se serrait, et il crut qu'il allait fondre en larmes. Il n'avait pas honte de pleurer, mais il estimait que ni l'un ni l'autre ne devait se laisser aller pour l'instant. Ils avaient besoin de toutes leurs forces pour affronter les dures épreuves qui les attendaient dans les mois à venir. Il déglutit, puis lança : « Quand je reviendrai à la maison...

— Oui ?

— Nous dormirons ensemble ? »

Rapprochant son visage du sien, elle dit : « Oui ?

— Dis-moi que tu me feras un truc spécial.

— Bien sûr, idiot.

— Tu t'habilleras en infirmière ? Je suis sûr que tu me ferais beaucoup d'effet, nue sous ta blouse blanche. »

La surprise fit battre les longs cils de Heather. Puis elle éclata de rire et lui balança l'éponge sur la tête.

« Pervers.

— Ou en nonne, si tu préfères.

— Obsédé.

— En girl-scout, alors ?

— Tu es un obsédé doublé d'un pervers, mais tu es quand même gentil, courageux et *très* drôle. »

S'il n'avait pas possédé un solide sens de l'humour, il n'aurait pas été capable d'être flic. Le rire constituait le bouclier qui lui permettait d'affronter, sans trop de dégâts, la folie et la fange dans lesquelles étaient contraints d'opérer la plupart des policiers.

L'humour lui était également d'un grand secours dans sa lutte contre la souffrance physique et la dépression nerveuse. Le seul truc qui ne le faisait pas rigoler, c'était sa condition d'assisté. Le fait d'avoir besoin des infirmières pour satisfaire ses besoins naturels, et lui administrer régulièrement des lavements, le gênait beaucoup. Semaine après semaine, le manque d'intimité en la matière devenait de plus en plus humiliant.

C'était encore pire que d'être alité et prisonnier de sa

coquille, sans pouvoir courir, ou marcher, ou même ramper, au cas où un incendie viendrait à se déclarer dans le service. De temps à autre, il se persuadait que l'hôpital allait être ravagé par les flammes, ou détruit dans un tremblement de terre. Tout le personnel était familiarisé avec les procédures d'urgence, et il ne courait pas le risque d'être abandonné aux flammes ou écrasé par un bloc de béton, mais il était parfois saisi, au milieu de la nuit, d'une panique aveugle qui ne le lâchait qu'après des heures d'angoisse.

Depuis son hospitalisation, il éprouvait une immense admiration et une profonde estime pour les hémiplégiques qui refusaient de se laisser abattre. Lui, au moins, ayant toujours l'usage de ses bras et de ses mains, il pouvait faire de l'exercice, comme serrer une balle en caoutchouc, ou soulever de petits haltères. Si son nez le démangeait, il pouvait le gratter, et il était capable de s'alimenter et de se moucher tout seul. Il était fasciné par la personnalité de ceux qui, souffrant d'une paralysie totale, ne perdaient rien de leur joie de vivre et qui envisageaient l'avenir avec espoir, parce qu'il savait qu'il ne possédait ni leur courage ni leur force de caractère, malgré le titre honorifique de *Patient de la semaine* que lui avaient décerné les infirmières.

S'il avait été privé de ses jambes *et* de ses mains, ne serait-ce que pour trois mois, il se serait effondré. Et s'il n'avait pas su qu'il serait sur pied au début de l'été, la perspective d'un tel handicap aurait eu raison de sa santé mentale.

De la fenêtre de sa chambre au second étage, il apercevait à peine quelques palmes vertes. Depuis son arrivée ici, il avait déjà passé d'innombrables heures à les contempler. D'un vert glorieux quand il faisait beau, plus sombres les jours d'orage, elles ondulaient sous les caresses d'une brise légère, et s'agitaient violemment quand soufflait la tempête. Parfois, un oiseau traversait son champ de vision, encadré par la fenêtre, et restait en vue quelques secondes, trop courtes, mais chaque battement d'ailes réchauffait le cœur de Jack.

Lorsqu'il serait sur pied, il ferait le vœu de ne plus jamais se retrouver dans un lit d'hôpital. Qu'il soit exaucé dépendait des caprices du destin, et Jack avait conscience de son extrême arrogance. L'homme propose, et Dieu dispose.

Mais, pour une fois, il n'avait pas envie de rire. Il ne serait plus jamais un légume vivant. Jamais. C'était un défi à la volonté divine : Seigneur, tue-moi, ou oublie-moi, mais ne m'impose plus une telle épreuve, bon Dieu.

On était le 3 juin et c'était la troisième fois que le capitaine de brigade de Jack, Lyle Crawford, lui rendait visite.

Crawford était un homme qui n'avait rien de remarquable : taille et poids moyens, cheveux bruns et courts, yeux marron, et peau mate. Il portait des Hush Puppies beige foncé, un pantalon et une veste chocolat, et une chemise plus claire d'un ton, comme si son plus cher désir était d'être le plus neutre possible, afin de se fondre dans la masse, quitte à devenir invisible. Il portait une casquette tête-de-nègre, qu'il ôta et garda à la main, tout en conversant avec Jack, debout à côté de son lit. Parlant doucement, il souriait beaucoup, mais il avait reçu plus de citations pour bravoure que n'importe qui dans les forces de police de Los Angeles, et c'était le meilleur meneur d'hommes que Jack ait jamais rencontré.

« Comment ça va ? demanda Crawford.

— J'ai amélioré mon service, mais j'ai du mal avec le revers, lança Jack.

— Change de raquette.

— Tu crois que c'est ça, mon problème ?

— Ça, et ton mauvais jeu de jambes. »

Jack éclata de rire. « Comment ça se passe, chez nous ?

— On s'amuse bien. Ce matin, juste après l'ouverture, deux mecs sont rentrés dans une bijouterie sur Westwood Boulevard et ont descendu le patron et deux employés, avant que quiconque ait eu le temps de déclencher l'alarme. Audehors, personne n'a rien entendu, bien sûr. Des présentoirs pleins de bijoux, le coffre ouvert dans le bureau, avec dedans des millions de dollars de pièces rares. A partir de là, les mecs se disent que ça va être du gâteau. Et voilà que les deux nazes se prennent la tête sur ce qu'ils doivent emporter, et s'ils ont le temps ou pas de tout rafler. L'un des deux fait un commentaire désobligeant à propos de la bonne femme de l'autre, et tu sais quoi ? Ils se tirent dessus.

— Seigneur...

— Un peu après ça, un client débarque. Quatre macchabées plus un mec à moitié mort par terre, trop grièvement blessé pour ramper et se tirer. A la vue du sang, et il y en avait partout dans la boutique, le client a un choc. Tout ce bordel le traumatise et il ne sait pas quoi faire. Paralysé, quoi. Le braqueur blessé attend de voir ce qui se passe, et comme le client reste là, bouche bée, sans rien faire, le type lui fait : *Pour l'amour du ciel, monsieur, appelez une ambulance !*

— *Pour l'amour du ciel ?* répéta Jack.

— Et quand l'ambulance est arrivée, la première chose que le mec a demandée, c'était la Bible. »

Incrédule, Jack secoua la tête.

« Ça fait du bien de penser que la racaille a de la religion, pas vrai ?

— J'en ai le cœur tout réchauffé », renchérit Crawford.

Jack était le seul malade dans le service. Son dernier voisin de chambre, un agent immobilier d'une cinquantaine d'années, entré à l'hôpital pour trois jours, était mort la veille, victime de complications à la suite d'une banale opération de la vésicule biliaire.

Crawford s'assit au bord du lit vacant.

« J'ai de bonnes nouvelles pour toi.

— Ça tombe très bien.

— Le bureau des Affaires internes a rendu son rapport sur la fusillade, et tu es hors de cause. Et, encore mieux, le chef et la commission ont tous les deux accepté les conclusions de la commission, et de manière définitive.

— Je me demande vraiment pourquoi je ne saute pas de joie.

— On savait tous que cette histoire d'enquête spéciale ne tenait pas debout. Mais on sait aussi que... on sait qu'une fois la machine lancée, elle ne s'arrête pas toujours sans écraser un pauvre mec innocent. Réjouissons-nous donc.

— Ils ont innocenté Luther, aussi ?

— Oui, bien sûr.

— Très bien. »

Crawford reprit la parole. « Ton nom est sur la liste des prochaines citations pour conduite exceptionnelle. Celui de Luther aussi, à titre posthume.

— Merci, capitaine.

— C'est bien mérité.

— Je me fous complètement des têtes de nœuds qui siègent à la commission, et le chef peut aller se faire voir, lui aussi. Mais ça me touche, que tu aies donné nos noms. »

Baissant le regard vers la casquette marron qu'il tournait dans ses mains, Crawford dit : « J'apprécie. »

Les deux hommes restèrent silencieux.

Jack pensait à Luther. Crawford aussi, sans aucun doute.

Crawford releva enfin la tête. « Maintenant, passons aux mauvaises nouvelles.

— Faut bien qu'il y en ait.

— Pas franchement mauvaises, seulement très énervantes. Tu as entendu parler du film d'Anson Oliver ?

— Lequel ? Il en a fait trois.

— Bon, je vois que tu ne sais rien. Ses parents et sa fiancée ont passé un contrat avec la Warner.

— Un contrat ?

— Ils ont vendu les droits de l'histoire de la vie d'Anson Oliver. Pour un million de dollars. »

Jack resta sans voix.

« D'après ce qu'ils racontent, poursuivit Crawford, ils ont signé pour deux raisons. D'abord, pour le fils d'Oliver, qui naîtra bientôt, et dont ils veulent assurer l'avenir...

— Et l'avenir de *mon* fils, ils y ont pensé ? » coupa Jack, en colère.

— Ça te fout vraiment les boules ?

— Oui !

— Bon sang, Jack, depuis quand ces gens-là se font-ils du souci pour nos gosses ?

— Depuis jamais.

— Exactement. Toi, moi, nos gosses, nous sommes là pour applaudir quand ils font un truc bien, et pour nettoyer le bordel quand ils en foutent.

— C'est pas juste », lâcha Jack. Ses derniers mots le firent rire. Un flic avec un peu de métier ne s'attendait plus vraiment à ce que la vie soit juste, la vertu, récompensée, et les méchants, punis.

« Et merde.

— On ne peut même pas leur en vouloir. Ils sont nés comme ça, ils pensent comme ça, et ils ne changeront jamais. Autant dire qu'on déteste le tonnerre, ou reprocher à la glace d'être froide, et au feu, de brûler. »

Jack soupira. Sa colère était tombée, mais il fulminait quand même. « Tu disais qu'ils ont signé ce contrat pour deux raisons. La deuxième, c'est quoi ?

— C'est qu'ils ont l'intention de faire, je cite, *un monument à la gloire du génie de Anson Oliver*, répondit Crawford. Voilà ce qu'a déclaré le père. *Un monument à la gloire d'Anson Oliver.*

— Je n'y crois pas. »

Crawford eut un petit rire. « Comme tu dis. Quant à la fiancée, la mère du futur héritier, elle affirme que ce film va placer la carrière controversée d'Anson Oliver, et sa mort tragique, dans une perspective historique.

— Quelle perspective historique ? C'était un réalisateur de films, pas le sauveur de l'Occident. Rien que des putains de films de merde. »

Crawford haussa les épaules. « Attends que le film soit fini, et tu verras qu'ils en auront fait un militant antidrogue et un défenseur infatigable des sans-abri...

— Et un fervent dévot, qui avait même pensé à consacrer son existence à évangéliser le tiers monde... enchaîna Jack.

— ... jusqu'à ce que mère Teresa lui conseille de faire des films, plutôt...

— ... et c'est à cause de son action en faveur de la justice et de l'égalité, qu'il a été l'objet d'un complot fomenté par la CIA, à laquelle s'est joint le FBI...

— ... la famille royale d'Angleterre, la Fraternité internationale des réparateurs de chaudières...

— ... et feu Joseph Staline...

— ... sans oublier Kermit la grenouille...

— ... et une association de rabbins new-yorkais bouffeurs de LSD », finit Jack.

Ils éclatèrent de rire en même temps, la situation étant trop ridicule pour qu'ils réagissent autrement — et parce qu'en ne riant pas, ils auraient accordé à ces gens-là beaucoup trop de pouvoir.

« Il vaudrait mieux que je n'apparaisse pas dans leur putain de film, dit Jack, après qu'une violente quinte de toux eut mis fin à son hilarité. Sinon, je demande des dommages et intérêts.

— Ils échangeront ton nom contre un nom asiatique, genre Wong, le type aura dix ans de plus que toi et vingt centimètres de moins, il sera marié à une pétasse, et tu ne pourras même pas les poursuivre en justice.

— Mais les gens sauront quand même qu'il s'agit de moi, dans la réalité.

— La réalité ? C'est quoi, ça ? Ici, on est chez les barjos.

— Seigneur, comment peuvent-ils faire de ce mec un *héros* ?

— Comme ils ont fait avec Bonnie et Clyde, dit Crawford.

— Eux, c'étaient des antihéros.

— D'accord. Alors, Butch Cassidy et le Sundance Kid.

— Tu vas quand même pas les comparer à ce minable ?

— Jimmy Hoffa et Bugsy Siegel. Anson Oliver, à côté, c'est un petit branleur. »

Cette nuit-là, longtemps après que Lyle Crawford fut parti, alors que Jack tentait d'oublier l'inconfort de sa situation, ses pensées ne cessèrent de revenir au film, au million de dollars, au harcèlement dont Toby était victime à l'école, aux graffitis immondes qui couvraient les murs de sa maison, à l'inexistence de leurs économies, à sa pension d'invalidité, à Luther au fond de sa tombe, à Alma toute seule au milieu de son arsenal, et à Anson Oliver, incarné à l'écran par quelque jeune premier, aux traits fins et aux yeux mélancoliques, de qui émanerait une aura de sainte compassion témoignant de sa grandeur d'âme, à laquelle s'ajouterait un magnétisme sexuel proprement foudroyant.

Plus que jamais, Jack fut possédé par un terrible sentiment d'impuissance, dû à une certaine claustrophobie, causée par la coquille de plâtre et le lit dont il était le prisonnier. Mais son angoisse provenait aussi du fait qu'il était coincé à Los Angeles par une maison dévaluée, qu'il était très difficile de vendre sur un marché actuellement en pleine récession. Dans un monde où les héros étaient publiquement des gangsters, il était flic, et un bon flic, d'ailleurs. Un flic incapable de s'imaginer en train de gagner sa vie autrement que dans la police. Il était pris au piège, comme un rat dans un labyrinthe géant. Sauf qu'à la différence du rat, il n'avait même pas l'illusion d'être libre.

Le 6 juin, on lui enleva la coquille de plâtre. La fracture de sa colonne vertébrale était complètement ressoudée, et il avait retrouvé la sensibilité de ses deux jambes. Sans l'ombre d'un doute, il pourrait marcher bientôt.

Pourtant, au début, il fut incapable de se tenir debout sans l'aide de deux infirmières, une de chaque côté, ou d'une infirmière et d'un déambulateur. Ses cuisses avaient littéralement fondu. En dépit de la gymnastique passive, les muscles de ses jambes étaient relativement atrophiés. Pour la première fois de sa vie, il était gras, et mou du bide.

Le premier tour de chambre, qu'il accomplit avec l'aide des infirmières, lui donna des sueurs froides, et ses abdominaux tremblaient comme s'il avait tenté de soulever deux cents kilos. Mais le jour était à marquer d'une pierre blanche. La vie reprenait son cours, et il eut l'impression de renaître.

Il fit une pause devant la fenêtre qui encadrait le bouquet de palmes et, comme par enchantement, un trio de mouettes apparut dans le ciel. Elles venaient de la plage de Santa Monica, tels des cerfs-volants fantasques se jouant du vent de l'océan, et tracèrent dans le ciel bleu une chorégraphie à la gloire de la liberté, avant de disparaître vers l'ouest. Jack les regarda jusqu'à ce qu'elles soient hors de sa vue, puis se détourna de la fenêtre sans accorder un seul regard à la ville qui s'étendait au-delà.

Ce soir-là, Heather et Toby lui rendirent visite, apportant avec eux de la glace aux cacahuètes et au chocolat, que Jack dévora allégrement, malgré sa bedaine naissante.

Pendant la nuit, il rêva de mouettes. Trois mouettes aux ailes immenses, plus lumineuses que des anges. Elles volaient vers l'ouest, avec force piqués et autres loopings, et il courait à travers champs, en essayant de ne pas se laisser distancer. Redevenu petit garçon, il gambadait dans la nature, les bras écartés, faisant l'oiseau, et les fleurs sauvages lui chatouillaient les mollets. Il s'imaginait qu'il allait s'envoler et se libérer de la gravité, pour enfin rejoindre les mouettes, là-haut, dans l'azur du ciel. Mais, alors qu'il les suivait du regard, il se retrouva soudain tout près du bord de la falaise, trop près. Il fit quelques pas dans le vide, et bascula en direction des rochers noirs et pointus, quelques centaines de mètres plus bas... Sa chute ne semblait pas devoir s'achever, et il n'en finissait plus de tomber. Tout en sachant qu'il était en train de rêver, il n'arrivait pourtant pas à se réveiller. Il persistait à dégringoler vers la masse noire des rochers, se rapprochant de la mort sans jamais l'atteindre, comme aspiré par le ressac d'une mer affamée. Et il tombait, tombait...

Au bout de quatre jours de soins particulièrement ardus à l'Hôpital général de Westside, Jack fut transféré au Centre de rééducation fonctionnelle de Phoenix, le 11 juin. Bien que la fracture de sa colonne vertébrale soit complètement consolidée, la moelle épinière avait subi un léger traumatisme. Mais le diagnostic des médecins était excellent.

Sa chambre était digne d'un motel. Il y avait, au lieu des dalles en plastique blanc de l'hôpital, de la moquette sur le sol, du papier peint à larges rayures vertes et blanches, de jolies aquarelles bucoliques et des rideaux aux fenêtres, dont les motifs étaient plutôt moches, mais très colorés. Mais les deux lits surélevés contredisaient l'aspect très *Holiday Inn* de la décoration.

La salle de rééducation fonctionnelle, où il fut conduit en fauteuil roulant, à six heures et demie, le matin du 12 juin, était bien équipée en appareils divers. L'odeur rappelait plutôt celle de l'hôpital que celle d'un gymnase, ce qui était plutôt bien. Et, peut-être parce qu'il avait une petite idée de ce qui l'attendait, il se dit que l'endroit avait en fait des allures de chambre des tortures.

Le kinésithérapeute qui s'occupait de lui, Moshe Bloom, avait la trentaine, un corps aux muscles parfaitement sculptés, une chevelure brune et bouclée, des yeux marron tachetés de doré et un teint mat, bronzé par le soleil californien. Avec ses mocassins blancs, son T-shirt et son pantalon immaculés, on aurait dit une apparition séraphique flottant à quelques centimètres au-dessus du sol, et venue pour délivrer un message divin.

« Qui souffre bien, progresse bien.

— De la façon dont vous le dites, ce n'est pas un conseil, lui dit Jack.

— Ah bon ?

— On dirait plutôt une menace.

— Vous verrez, après les premières séances, vous allez pleurer comme un bébé.

— Si c'est ce que vous recherchez, je peux me mettre à

chialer tout de suite, et on pourra rentrer à la maison, comme
ça.

— D'abord, la douleur vous fera peur.

— J'ai déjà fait quelques exercices, à l'hôpital.

— De la gnognotte. Rien comparé à l'enfer que je vais
vous faire subir.

— Voilà qui me rassure. »

Bloom haussa d'immenses épaules. « Il vaut mieux que
vous ne vous fassiez pas trop d'illusions. La rééducation
n'est jamais facile.

— Mettons que j'ai perdu *toutes* mes illusions.

— Tant mieux. D'abord, vous allez craindre la douleur et
la redouter, vous ferez tout pour lui échapper, quitte à nous
supplier de vous renvoyer chez vous sans attendre d'être
remis en état...

— Dites donc, ça a l'air rudement sympa, votre truc.

— ... mais je vous apprendrai à haïr la douleur...

— Ecoutez, j'ai presque envie de prendre des cours
d'espagnol, à la place, maintenant que vous me racontez tout
ça.

— ... et puis je vous apprendrai à *aimer* cette douleur, car
elle est signe de progrès.

— Vous, vous devriez revoir votre approche des
malades, j'ai peur que tout ça ne les inspire pas beaucoup.

— Vous devez trouver votre propre inspiration, McGarvey. Mon rôle est de vous aider à vous dépasser.

— Appelez-moi Jack. »

Le kiné n'était pas d'accord, visiblement. « Non. Pour
commencer, je vous appellerai McGarvey, et vous m'appel-
lerez Bloom. Au début, notre relation sera conflictuelle, et
vous aurez *besoin* de me haïr, afin de diriger sur moi votre
colère et vos frustrations. Et quand vous en serez à ce stade,
il vous sera plus facile de me détester si nous ne nous appe-
lons pas par nos prénoms.

— Je vous déteste déjà, Bloom. »

Ce dernier sourit. « J'ai l'impression que ça va aller,
McGarvey. »

CHAPITRE DOUZE

Après la nuit du 9 juin, Eduardo vécut en reclus. Pour la première fois de sa vie, il refusait de regarder la réalité en face, alors que c'était le moment ou jamais. Il aurait été plus sain qu'il se rende directement à l'endroit où il était susceptible — ou incapable — de trouver de quoi confirmer ses plus sinistres soupçons, au sujet de l'intrus qui s'était introduit chez lui, le soir où il avait rendu visite à Travis Potter. Mais c'était justement ce qu'il évitait. Il ne regardait même jamais dans cette direction.

Il buvait trop et s'en fichait. Pendant soixante-dix ans, il avait vécu selon un seul principe, celui de la modération, mais il se rendait compte à présent que ce précepte l'avait conduit tout droit à la solitude et à l'horreur. Il aurait aimé que les effets de la bière, qu'il relevait parfois d'un bon bourbon, soient plus franchement anesthésiants, mais il semblait offrir à l'alcool une résistance surprenante. Et, bien qu'il ait bu une quantité de liquide suffisante pour lui couper les jambes, son esprit demeurait beaucoup trop lucide à son goût.

S'évadant dans la lecture, il lisait exclusivement le genre de littérature que, depuis peu, il appréciait tant. Heinlein, Clarke, Bradbury, Sturgeon, Benford, Clement, Wyndham, Christopher, Niven, Zelazny. Alors qu'à sa grande surprise, il avait d'abord trouvé le genre fantastique passionnant, il s'apercevait à présent que celui-ci pouvait aussi constituer un puissant calmant, plus efficace que la bière, et moins éprouvant pour la vessie. Ses effets — divertissement onirique, ou anesthésie intellectuelle et émotionnelle — dépendaient du seul choix du lecteur. Vaisseaux spatiaux, machines à remonter le temps, cabines de téléportation, mondes inconnus, lunes colonisées, mutants extraterrestres, plantes intelligentes, robots, androïdes, clones, ordinateurs habités par une intelligence artificielle, télépathie, flottes de guerre livrant bataille aux confins de la galaxie, destruction totale de l'Univers ! Il se perdait dans des lendemains qui n'auraient jamais lieu, afin de ne plus penser à l'impensable.

Planqué dans la forêt, le voyageur se tenait tranquille, à présent, et les jours passèrent sans incidents particuliers. Eduardo ne comprenait pas pourquoi l'envahisseur avait traversé l'espace pendant des millions de kilomètres, ou des milliers d'années-lumière, si c'était dans le seul but de conquérir la planète à la vitesse d'une limace.

Evidemment, l'intérêt d'un *extraterrestre* résidait dans le fait que, pour un être humain, ses motivations et ses actions étaient mystérieuses, et parfois carrément incompréhensibles. La conquête de la Terre n'intéressait peut-être pas la chose qui était passée par l'immense disque aveugle, et sa conception du temps pouvait être si radicalement différente de celle d'Eduardo, que les jours terrestres lui paraissaient durer une minute seulement.

Dans les romans de S.-F., il existait essentiellement trois types d'extraterrestres. En général, les gentils voulaient aider l'humanité à utiliser son potentiel d'espèce vivante douée d'intelligence, et tout le monde finissait par coexister harmonieusement, partageant les mêmes aventures pour le reste de l'éternité. Les méchants, eux, n'avaient qu'une idée, c'était réduire les humains en esclavage, pour s'en nourrir, y pondre leurs œufs, les chasser, ou encore les rayer de la surface du globe, à la suite d'un malentendu linguistique tragique, ou tout simplement par pure méchanceté. Le troisième type d'extraterrestre, et le moins fréquent, n'était ni méchant ni bon, mais aussi parfaitement énigmatique que Dieu lui-même ; cette troisième catégorie rendait habituellement un immense service à l'humanité — ou le contraire — en se contentant de foncer à l'autre bout de la galaxie, tel un autobus roulant sur une colonne de fourmis, et ses vaisseaux spatiaux frôlaient la Terre à la vitesse de la lumière, et même plus vite encore, sans rencontrer personne et sans se rendre compte que la planète bleue était peuplée d'êtres *intelligents*.

Eduardo n'avait pas la moindre idée des intentions de la chose tapie dans la forêt, mais il savait instinctivement que, sur un plan personnel, elle ne lui voulait pas que du bien. Ce genre de bestiole, ça ne recherchait ni l'amitié ni l'aventure, mais comme c'était rentré en contact avec Eduardo, ça n'appartenait donc pas à la troisième catégorie. C'était méchant et malfaisant, et, un jour ou l'autre, ça le tuerait.

Dans les romans, les gentils extraterrestres étaient plus nombreux que les méchants, ce qui tendait à prouver que, fondamentalement, la science-fiction était une littérature porteuse d'espoir.

Et, tandis que s'écoulaient les chaudes journées du mois de juin, le ranch Quartermass se mit singulièrement à en manquer, d'espoir.

Au cours de l'après-midi du 17 juin, Eduardo se trouvait dans un fauteuil du salon, buvant de la bière et lisant du Walter M. Miller, quand le téléphone se mit à sonner. Il posa le livre et, sa bière à la main, se rendit dans la cuisine pour répondre.

C'était Travis Potter.

« Monsieur Fernandez, vous n'avez aucune inquiétude à avoir.

— Vraiment ?

— Le labo vient de m'envoyer par fax les résultats des analyses : les ratons laveurs n'avaient pas la moindre infection.

— Pourtant, ils sont morts, lui fit remarquer Eduardo, fort justement.

— Oui, mais pas de la rage. Ni de la peste, d'ailleurs. D'après les résultats, il n'y a aucune infection, et rien qui soit transmissible par morsure, ou même par piqûre.

— Vous avez autopsié les cadavres ?

— Oui, bien sûr.

— Vous êtes donc en train de me dire que ces ratons laveurs sont morts d'ennui, c'est ça ? »

Potter hésita. « La seule chose que j'aie trouvée, c'est une inflammation du cerveau, ayant provoqué un gros œdème.

— Mais je croyais qu'il n'y avait pas la moindre infection.

— Aucune. Pas de lésions, pas d'abcès, pas de pus, seulement une inflammation. Et cet œdème, impressionnant, je l'avoue.

— Il faudrait peut-être envoyer au labo un échantillon de cervelle,

— Il y en avait un dans mon premier envoi.

— Ah.

— Je n'ai jamais vu un truc pareil », lui dit Potter.

Eduardo ne pipa mot.

« C'est très étrange, tout ça, dit Potter. Il y en a eu d'autres ?

— D'autres ratons laveurs morts ? Non. Ces trois-là, c'est tout.

— J'ai l'intention de pratiquer un examen toxicologique, histoire de savoir s'il y a eu empoisonnement.

— Je n'utilise jamais de désherbant.

— Une toxine d'origine industrielle, alors.

— Vous croyez ? Mais il n'y a pas d'industrie dans le coin, bon sang de bon sang !

— Euh... Une toxine naturelle, peut-être. »

Eduardo réfléchit. « Quand vous les avez disséqués...

— Oui ?

— Vous leur avez ouvert le crâne et vous avez aperçu le cerveau, rouge et enflé...

— La pression était telle que, même après le décès, le sang a littéralement jailli dès que j'ai commencé à trépaner.

— Belle image.

— Excusez-moi. Mais c'est la raison pour laquelle ils avaient, tous les trois, les yeux qui leur sortaient de la tête.

— Vous avez pris des échantillons de cerveau, ou vous avez...

— Oui ?

— Avez-vous vraiment disséqué l'intérieur des crânes ?

— J'ai pratiqué une cérébrotomie complète sur deux des trois ratons laveurs.

— Vous avez complètement ouvert ?

— Oui.

— Et vous n'avez rien trouvé ?

— Comme je vous l'ai dit.

— Rien... d'anormal ? »

Le silence qu'observa alors Potter était éloquent. « Vous pensiez que j'allais trouver quoi, exactement, monsieur Fernandez ? »

Eduardo ne répondit pas.

« Monsieur Fernandez ?

— Et la moelle épinière ? demanda Eduardo. Vous avez bien examiné la moelle épinière sur toute sa longueur, hein ?

— C'est ce que j'ai fait, oui.

— Vous n'avez rien trouvé qui y soit... comment dire ? Attaché ?

— Attaché ? reprit Potter.

— Oui.

— Que voulez-vous dire par *attaché* ?

— Quelque chose qui ressemble à une tumeur.

— Qui *ressemble* à une tumeur ?

— Disons une tumeur. Quelque chose comme ça.

— Non. Je n'ai rien vu de tel. Rien du tout. »

Eduardo éloigna le combiné, le temps d'avaler une gorgée de bière.

Quand il le replaça sur son oreille, il entendit Travis Potter qui disait : « ... savez quelque chose que vous ne m'avez pas dit ?

— Pas à ma connaissance », mentit Eduardo.

Le vétérinaire ne dit plus rien. Il était peut-être en train de boire une bière, lui aussi. « Si jamais vous rencontrez d'autres animaux comme ceux-là, vous me préviendrez ?

— Oui.

— Et pas seulement des ratons laveurs.

— D'accord.

— N'importe quel animal.

— Comptez sur moi.

— Ne les déplacez surtout pas, continua Potter.

— Surtout pas.

— Je voudrais les voir *in situ*, à l'endroit où ils sont morts.

— Tout ce que vous voudrez.

— Eh bien...

— Au revoir, Docteur Potter. »

Eduardo raccrocha et s'approcha de l'évier. Par la fenêtre, il jeta un coup d'œil en direction de la forêt, là-haut, à l'ouest de la maison.

Il se demanda combien de temps il lui faudrait encore attendre. Il n'en pouvait plus.

« Amène-toi », dit-il d'une voix sourde, en s'adressant à l'espion caché dans la forêt.

Il était prêt. Prêt pour l'enfer ou le paradis, ou encore le néant éternel, peu lui importait.

Il n'avait pas peur de mourir.

Ce qui l'inquiétait, c'était *comment* il mourrait, et ce qu'il aurait à endurer, ce qu'on lui ferait pendant les dernières minutes, les dernières heures de sa vie. Et ce qu'il risquait de *voir*.

Le matin du 21 juin, tandis qu'Eduardo prenait son petit déjeuner en écoutant les informations à la radio, il aperçut soudain un écureuil. Perché sur le rebord de la fenêtre, ce dernier le regardait à travers la vitre. Immobile, et intense. Exactement comme les ratons laveurs.

Il l'observa un moment, puis se concentra à nouveau sur son petit déjeuner. Chaque fois qu'il relevait la tête, l'animal le regardait fixement.

Après avoir fait la vaisselle, il s'approcha de la fenêtre et plaça son visage à la hauteur de l'écureuil. La vitre les séparait, mais celui-ci ne semblait pas troublé par le face-à-face.

Du bout de l'ongle, Jack tapota la vitre, juste devant l'écureuil, mais il ne cilla pas.

Jack se redressa et entreprit de soulever la partie inférieure de la fenêtre à guillotine.

En un bond, l'écureuil rejoignit le fond du jardin, puis il se retourna, le regard fixé sur Eduardo.

Il referma la fenêtre, puis se rendit sous le porche. Deux écureuils l'y attendaient. Quand Eduardo prit place dans le rocking-chair, l'une des petites créatures resta sur la pelouse, mais l'autre escalada les marches du porche et reprit aussitôt sa surveillance.

Cette nuit-là, couché dans sa chambre, barricadée pour l'occasion, il ne trouva pas le sommeil. Sur le toit, les écureuils gambadèrent toute la nuit, grattant les bardeaux de leurs petites griffes.

Il ne s'endormit que pour rêver de rongeurs.

Le jour suivant, le 22 juin, les écureuils ne le lâchèrent pas. Aux fenêtres. Dans la cour. Sous les deux porches, à l'avant et à l'arrière de la maison. Et quand il voulut aller se promener, ils le suivirent.

Le 23 juin se déroula de façon identique, mais, le matin du 24, il trouva un écureuil mort sous le porche, à l'arrière de la maison. Caillots de sang dans les oreilles et sur le museau. Yeux exorbités. Il en découvrit ensuite deux autres dans la cour, et un quatrième sous le porche devant la maison. Tous étaient dans le même état.

Ils avaient survécu plus longtemps que les ratons laveurs. Apparemment, le voyageur inconnu faisait des progrès.

Eduardo songea à téléphoner à Travis Potter. Se ravisant, il rassembla les quatre cadavres et les transporta au milieu du pré, à l'est de la maison, afin de les abandonner à d'éventuels charognards, qui se chargeraient de les faire disparaître.

Il songeait aussi à l'enfant qu'il avait imaginé, l'autre nuit, en train de suivre par la fenêtre les phares de la Cherokee, alors qu'il revenait de sa visite chez Travis, deux semaines auparavant. Il devait, pour cet enfant — et aux autres, ceux qui existaient vraiment —, raconter toute l'histoire à Potter. Et il fallait aussi qu'il essaie de rallier les autorités à sa cause, même si l'entreprise s'annonçait comme une épreuve des plus humiliantes.

C'était peut-être à cause de la bière qu'il buvait du matin au soir, mais il ne ressentait plus du tout le sentiment de solidarité qui l'avait saisi cette nuit-là. Il avait passé sa vie à éviter les gens, et il lui était difficile, voire impossible, de changer.

D'ailleurs, plus rien n'était pareil depuis que, de retour chez lui, il avait découvert les traces de l'intrus : les mottes de terre effritées, les scarabées morts, le ver de terre, le bout de tissu bleu coincé dans la porte du four. Il redoutait de voir comment *cette* partie du jeu allait évoluer, tout en refusant pourtant de se livrer à la moindre hypothèse, et en bloquant instantanément toutes les pensées interdites qui tourbillonnaient dans son esprit torturé. Lorsque la confrontation aurait enfin lieu, il n'était pas question de la faire partager à des étrangers. L'horreur était trop personnelle, et c'était à lui, et à lui seul, de l'endurer jusqu'au bout.

Il persistait à écrire le journal des événements, et il consigna dans le bloc-notes l'épisode des écureuils. Il n'avait ni la volonté ni l'énergie nécessaires pour tout raconter en détails, ainsi qu'il l'avait fait au début. Il rédigea l'histoire aussi succinctement que possible, en n'omettant aucune information pertinente. Après une existence entière passée à estimer que la tenue d'un journal était décidément trop contraignante, voilà qu'il ne pouvait plus s'arrêter d'écrire.

C'était un moyen de comprendre les motivations du voyageur. Celles du voyageur... et les siennes.

Le dernier jour de juin, il décida de se rendre à Eagle's Roost, pour y faire quelques courses. Dans la mesure où il était à présent profondément immergé dans l'inconnu et le fantastique, tous les gestes quotidiens, comme le simple fait de préparer le repas deux fois par jour, de faire son lit tous les matins et les courses toutes les semaines, étaient devenus une perte de temps et d'énergie, une tentative absurde de rendre normale une existence qui ne l'était plus. Mais la vie continuait.

Tandis qu'Eduardo sortait la Cherokee du garage, un gros corbeau s'envola de la rampe du porche et passa à tire-d'aile au-dessus du coffre avant de la voiture. Eduardo pila, le moteur cala, et l'oiseau s'éleva haut dans le ciel moutonné.

Plus tard, en ville, Eduardo sortait du supermarché en poussant devant lui un chariot rempli de provisions, quand il aperçut un corbeau, perché sur le capot de sa voiture. Il en conclut qu'il s'agissait de celui qui l'avait déjà surpris deux heures auparavant.

Le corbeau ne bougeait pas, fixant Eduardo à travers le pare-brise, tandis que celui-ci faisait le tour de la Cherokee. Eduardo ouvrit le coffre et entreprit d'y déposer ses achats, sans que l'oiseau interrompe une seule seconde sa surveillance. Il rapporta le chariot devant le supermarché, fit demi-tour et s'installa au volant, sous l'œil attentif du corbeau, qui s'envola quand le moteur se mit à ronfler.

Pendant les seize kilomètres du trajet de retour, l'oiseau suivit la Cherokee. Pour l'apercevoir, il suffisait à Eduardo de se pencher sur le volant et de regarder en l'air à travers le pare-brise, ou de passer la tête par la portière, suivant la position que l'oiseau choisissait pour le garder dans sa ligne de mire. A plusieurs reprises, il vola parallèlement à la Cherokee, sans se laisser distancer. A d'autres moments, il se perdait si haut dans les nuages qu'il devenait impossible de le repérer, puis il réapparaissait soudain à côté de la voiture, comme pour faire la course avec Eduardo. Le corbeau le suivit ainsi jusqu'au ranch.

Pendant le dîner d'Eduardo, le volatile se percha sur le rebord extérieur de la fenêtre, là où s'était posté le premier écureuil. Quand il se leva pour soulever la partie inférieure de la fenêtre, le corbeau ficha le camp, comme l'écureuil.

Laissant la fenêtre ouverte, il finit son dîner. Une brise rafraîchissante jouait dans l'herbe des prés, illuminés par le soleil couchant. Eduardo n'avait pas fini son repas que le corbeau était déjà de retour sur le rebord de la fenêtre.

L'oiseau resta là, immobile, fixant Eduardo de son œil rond, tandis que le vieil homme faisait la vaisselle, qu'il l'essuyait et qu'il la rangeait. La pupille noire suivait chacun de ses mouvements.

Prenant une autre bière dans le réfrigérateur, il retourna à table et rapprocha sa chaise du corbeau. Une longueur de bras seulement les séparait.

« Qu'est-ce que tu me veux ? » demanda-t-il, étonné de s'adresser à l'oiseau sans éprouver la moindre gêne ou se sentir ridicule.

Bien sûr, il n'était pas vraiment en train de parler à l'oiseau. Il s'adressait à la force qui le contrôlait. Cette même force qui était arrivée dans le ranch en passant par le grand trou noir.

« Tu veux me regarder, c'est ça ? », fit-il.

Le corbeau le fixait imperturbablement.

« Tu as envie de communiquer avec moi ? »

Il souleva une aile et plaça sa tête dessous, picorant ses plumes comme pour en ôter la vermine.

Après une gorgée de Corona, Eduardo relança la conversation. « A moins que tu ne cherches à me contrôler, moi aussi ? »

Passant d'une patte sur l'autre, le corbeau se secoua un peu, puis il baissa la tête et le regarda par en dessous, de son œil noir et brillant.

« Tu peux bien faire l'oiseau tant que tu veux, je sais que ce n'est pas ce que tu es, en tout cas, pas *tout* ce que tu es. »

L'oiseau s'immobilisa.

De l'autre côté de la fenêtre, la nuit avait fini par chasser le crépuscule.

« Tu crois vraiment *pouvoir* me contrôler ? Ton pouvoir est peut-être limité aux créatures moins complexes, dotées de systèmes nerveux plus simples. »

Eclair noir au fond de l'œil rond. Bec orange légèrement entrouvert.

« Si ça se trouve, tu étudies la faune et la flore locales, c'est ça ? Et tu essaies de piger comment ça marche, en testant tes talents sur les animaux. Hmm ? En attendant de te faire la main sur moi, pas vrai ? »

Œil fixe.

« Je sais que tu n'es pas réellement dans l'oiseau, pas physiquement, en tout cas. Exactement comme pour les ratons laveurs. L'autopsie a au moins permis d'établir ce point avec certitude. Je pensais qu'il te fallait peut-être implanter quelque chose dans l'animal pour le contrôler, un bidule électronique, je ne sais pas, ou même biologique, qui sait ? J'ai cru également que vous étiez toute une bande à vous planquer dans la forêt, dans un essaim, une ruche, un nid... Et que l'un d'entre vous pénétrait réellement dans un animal, quel qu'il soit, dans le but de le tenir en votre pouvoir. Je m'attendais presque à ce que Potter tombe sur une espèce de limace vivant dans le cerveau de l'un des ratons laveurs, ou un foutu mille-pattes accroché à une vertèbre. Une graine, une araignée mutante, un *truc*, quoi. Mais ce n'est pas comme ça que ça marche, hein ? »

Il s'envoya au fond du gosier une bonne lampée de Corona.

« Ah... Ça fait du bien. »

Il leva la bière en direction de l'oiseau.

Qui le regardait fixement par-dessus le goulot.

« Jamais d'alcool, c'est ce que je dois comprendre ? Décidément, j'apprends plein de choses sur toi, on dirait. Nous autres humains, nous sommes très curieux, tu verras. Nous apprenons vite, et nous mettons assez bien en pratique ce que nous avons appris, et nous *adorons* les défis. Ça ne t'inquiète pas un peu, dis-moi ? »

Le corbeau leva les plumes de sa queue et expulsa une crotte.

« Dois-je prendre ceci pour un commentaire, s'interrogea Eduardo, ou s'agit-il d'une bonne imitation d'un oiseau en train de se soulager ?

Le bec pointu s'ouvrit et se referma plusieurs fois de suite, mais aucun son ne se fit entendre.

« D'une façon ou d'une autre, tu contrôles ces animaux à

distance. Télépathie, hypnose ? Dans le cas de ce corbeau, tu le contrôles même d'assez loin, puisque Eagle's Roost se trouve à une vingtaine de kilomètres d'ici. Disons une quinzaine, à vol d'oiseau. »

Si l'autre avait saisi la subtilité du jeu de mots qu'Eduardo venait de faire, l'oiseau, lui, n'en laissa rien paraître.

« Que ce soit de la transmission de pensée ou autre chose, c'est très malin. Mais on dirait que ça fatigue drôlement la bête, pas vrai ? Tu t'améliores, remarque, maintenant que tu connais mieux les limites des esclaves que tu recrutes parmi les bestioles du coin. »

Le corbeau picorait son plumage.

« Tu as déjà essayé de me contrôler ? Si tel est le cas, je dois dire que je n'ai rien senti. Pas la moindre migraine, aucune hallucination... Enfin, rien de ce qu'on lit à longueur de pages dans les romans de science-fiction. »

Pic, pic, pic.

Eduardo téta les dernières gouttes de Corona et s'essuya la bouche d'un revers de manche.

L'oiseau avait fini de s'épouiller et le regardait sereinement, comme s'il avait eu l'intention de rester là, à l'écouter radoter, tout la nuit s'il le fallait.

« A mon avis, tu ne te presses pas, tu attends de voir ce qui se passe, tu te livres à des expérimentations... Cette planète paraît assez normale à ceux d'entre nous qui sont nés dessus, mais, pour toi, c'est peut-être l'endroit le plus bizarre que tu aies jamais visité. Si ça se trouve, tu n'es pas encore complètement sûr de toi. »

Il n'avait pas entamé la conversation dans l'espoir que le corbeau lui réponde. On n'était pas non plus dans un foutu dessin animé des studios Disney. Pourtant, le silence persistant du volatile commençait à lui porter sur le système, probablement à cause de la marée de bière que la venue de la nuit faisait monter, et il se sentait prêt à piquer une vraie colère d'ivrogne.

« Bon, arrêtons les conneries. Allons-y. »

Le corbeau se contenta de le dévisager.

« Viens, rends-moi une petite visite, montre-toi tel que tu es, sans te déguiser ni en oiseau, ni en écureuil, ni en raton laveur. Viens comme ça, nature. Allons-y, et finissons-en. »

Ses ailes battirent une fois, une seule, sans même se déployer entièrement, et ce fut tout.

« Tu es pire que le corbeau d'Edgar Allan Poe. Tu ne dis rien, tu ne bouges pas... Mais à quoi sers-tu, je me le demande ? »

L'œil rond l'observait sans ciller.

Et le corbeau, qui jamais ne s'envole, immobile est posé... Immobile.

Bien que Poe n'ait jamais fait partie de ses auteurs favoris, il avait quand même lu certaines de ses œuvres. S'adressant à la sentinelle emplumée, d'une voix forte, il se mit alors à déclamer des vers, rendant aux mots l'émotion tourmentée que le poète avait voulut exprimer : *« Et ses yeux sont pareils à ceux d'un diable qui sommeille, et le réverbère, sur lui se déversant, jette son ombre à terre... »*

Il comprit brutalement, mais trop tard, que l'oiseau et le poème, ainsi que son propre esprit perfide, l'avaient amené à affronter l'horrible pensée qu'il refoulait constamment depuis le 10 juin, jour où il avait nettoyé la maison des débris de terre suspects. Le poème de Poe, *Le Corbeau*, évoquait une virginale jeune fille, la belle Lenore, trop tôt disparue, que le narrateur soupçonnait, de façon tout à fait morbide, d'être revenue du...

Eduardo claqua une porte mentale au nez de cette pensée. La bouche déformée par un atroce rictus, il balança la canette vide. Celle-ci atteignit le corbeau avec force, et l'oiseau et la bouteille disparurent dans la nuit.

Il bondit de sa chaise et courut à la fenêtre.

Le corbeau battit des ailes au-dessus de la pelouse, puis il s'éleva dans les airs, furieux, vite happé par l'obscurité.

Eduardo referma la fenêtre si violemment que la vitre faillit se briser, puis se prit la tête à deux mains, comme pour déchirer l'angoissante pensée qu'il n'arrivait plus à réprimer.

Cette nuit-là, il se soûla, et la mort n'aurait pas été plus douce que le sommeil où il sombra enfin.

Et si le corbeau revint se poser sur le rebord de sa fenêtre, et s'il arpenta le toit toute la nuit durant, Eduardo ne l'entendit pas.

Le 1er juillet, il se réveilla vers midi, passant le reste de la journée à soigner sa gueule de bois, ce qui lui évita de penser aux vers morbides d'un poète disparu depuis longtemps.

Le corbeau lui tint compagnie le 1er, le 2 et le 3 juillet, sans le lâcher d'un battement d'ailes, mais il fit de son mieux pour l'ignorer. Fini, les duels visuels comme ceux qu'il avait livrés avec ses précédents gardes. Fini, les monologues. Eduardo avait laissé tomber le rocking-chair et, lorsqu'il se trouvait à l'intérieur de la maison, il se gardait bien de tourner le regard en direction des fenêtres. Sa vie sans envergure s'était encore rétrécie, plus que jamais.

A trois heures de l'après-midi, le 4 juillet, victime d'une crise de claustrophobie, il détermina soigneusement un itinéraire et, saisissant son fusil de chasse, partit pour une petite promenade. Se gardant de lever les yeux vers le ciel, il fixait l'horizon. Pourtant, à deux reprises, une ombre rapide se dessina en un éclair devant lui, et il sut qu'il n'était pas seul.

De retour vers la maison, il était à vingt mètres des marches du porche quand soudain, venu de nulle part, semblant crever le ciel, surgit un oiseau noir. Ses ailes battaient en vain, comme s'il ne savait plus voler, et il se fracassa sur le sol avec autant de grâce qu'un caillou. Quelques soubresauts agitèrent le corbeau, qui poussa deux ou trois cris plaintifs, puis il expira.

Sans prendre la peine de l'examiner, Eduardo le saisit par le bout d'une aile, et le transporta jusqu'à l'endroit où il s'était débarrassé des écureuils, le 24 juin.

S'attendant à y trouver des restes macabres, poils ou petits ossements laissés par quelque charognard repu, il ne put que constater la disparition totale des écureuils. Il était tout à fait possible que l'un des cadavres, ou même deux d'entre eux, aient été traînés plus loin pour y être dévorés, mais la plupart des nécrophages qui sévissaient dans le coin étaient du genre à se régaler de leur trouvaille sur place, laissant derrière eux quelques vertèbres, au moins, sans compter les pattes, immangeables, d'inévitables lambeaux de fourrure, et le crâne, en général parfaitement rongé.

L'absence totale de restes indiquait forcément qu'on était passé par là. C'était encore un coup de l'autre planqué, ou de l'un des esclaves que cette espèce de sorcier contrôlait.

Les ayant testés au point de les détruire, le voyageur voulait peut-être examiner les écureuils, afin de déterminer les raisons de leur échec — ce qu'il n'avait pas pu faire avec les ratons laveurs, qu'Eduardo avait emportés chez le vétérinaire. A moins qu'il n'ait eu peur que les écureuils, comme les ratons laveurs, ne trahissent sa présence. Il préférait sans doute laisser le moins de traces possible, jusqu'à ce qu'il ait fermement établi ses positions.

Debout au milieu du pré, Eduardo fixait l'endroit où il avait déposé les écureuils. Il réfléchissait.

Levant la main gauche, d'où pendait le corbeau mort, il examina les yeux sans vie, plus brillants que de l'ébène polie, qui sortaient de leur orbite..

« Je t'attends », murmura-t-il.

Il se décida enfin à rentrer, emportant le corbeau avec lui dans la maison. Il lui avait trouvé un usage. En fait, il avait même un plan.

Cerclée d'acier inoxydable en haut et en bas, la passoire reposait sur trois pieds très courts. Eduardo l'utilisait pour égoutter les pâtes lorsqu'il lui arrivait d'en faire cuire une grosse quantité, en vue d'une salade, ou simplement afin de s'assurer une provision pour plusieurs jours. Deux petites poignées permettaient d'attraper la passoire lorsqu'elle était pleine de pâtes bouillantes, et de la secouer pour hâter l'égouttage.

Tournant et retournant la passoire entre ses mains, Eduardo fit défiler mentalement les étapes successives de son plan d'action — puis il entreprit de le mettre à exécution.

Se tenant devant le plan de travail, dans la cuisine, il replia les ailes du corbeau mort, et flanqua l'oiseau tout entier dans la passoire.

A l'aide d'une aiguillée de fil, il fixa le corbeau à la passoire en trois endroits, afin d'empêcher le cadavre de s'échapper lorsqu'il retournerait la passoire.

Il était en train de poser l'aiguille, quand la tête de l'oiseau roula sur elle-même.

Surpris, Eduardo s'écarta vivement et fit quelques pas en arrière.

Le corbeau émit un faible cri rauque.

Eduardo savait pourtant qu'il était mort. Et même raide mort. Le cou de l'oiseau avait été brisé, et ses yeux gonflés pendaient littéralement hors de leur orbite. Apparemment, il avait succombé en plein vol à une embolie cérébrale, comme celles qui avaient terrassé les ratons-laveurs et les écureuils. Tombant d'assez haut, il avait heurté le sol avec violence, et sa chute avait réduit à néant ses chances de survie. Raide mort, il était.

Et voilà qu'à présent, cousu aux parois de la passoire, l'oiseau ressuscité était incapable de soulever la tête, non seulement parce qu'il était ligoté à la passoire, mais surtout parce que son cou était *définitivement* brisé. Ses pattes cassées flottaient sans aucune vigueur, et il tentait pathétiquement de battre des ailes, en vain, celles-ci ayant été irrémédiablement abîmées par sa chute.

Surmontant sa peur et sa répugnance, Eduardo posa la main contre la cage thoracique du corbeau. Pas le moindre battement de cœur.

Or tous les oiseaux de petite taille ont un rythme cardiaque extrêmement rapide, beaucoup plus que celui des mammifères : un véritable engin de compétition. En outre, il est très facile à détecter, leur corps tout entier faisant office de caisse de résonance.

Le cœur du corbeau ne battait plus. Définitivement. Pour autant qu'il puisse en juger, l'oiseau ne respirait plus non plus. Et il avait toujours le cou rompu.

Il avait espéré n'être que le témoin de la capacité du voyageur clandestin à ressusciter un cadavre, procédé plus communément appelé *miracle*. Mais la vérité était bien plus glauque.

Le corbeau était mort.

Et pourtant, il bougeait.

Tremblant de dégoût, Eduardo ôta sa main du petit corps frémissant.

Le clandestin pouvait rétablir le contrôle qu'il exerçait sur un cadavre, sans pour autant ranimer l'animal.

Eduardo aurait désespérément voulu ne pas penser à ça.

Mais il en était incapable. Impossible pour lui d'esquiver plus longtemps ce sujet tant redouté.

S'il n'avait pas emporté les ratons laveurs chez le vétérinaire, auraient-ils à leur tour frissonné avant de se redresser, froids mais mobiles, morts mais remuants ?

Dans la passoire, la tête du corbeau dodelinait au bout de

ses vertèbres brisées, et son bec claqua d'un pauvre coup sec, à peine audible.

Personne n'avait déplacé les quatre écureuils morts, en fait. Peut-être que les cadavres, raides comme des pantins, avaient seulement répondu aux appels insistants de leur marionnettiste, fléchissant et contractant gauchement leurs muscles rigides, en craquant de toutes leurs articulations roides. Bien que les corps aient déjà entamé le processus de décomposition, ils tentaient peut-être de relever la tête, s'efforçant de se traîner hors du pré jusqu'à la forêt, pour rejoindre la tanière de celui qui les commandait à distance.

N'y pense pas. Arrête. Pense à autre chose, pour l'amour du Christ. N'importe quoi, mais pas ça. Pas ça.

S'il relâchait le corbeau qu'il avait cousu à la passoire, allait-il aussitôt ramper sur le sol, les ailes brisées, jusqu'au jardin qui s'étendait derrière la maison, accomplissant ainsi un pèlerinage cauchemardesque à travers la forêt ?

Oserait-il le suivre au cœur de ces ténèbres ?

Non. Non, s'il devait y avoir une ultime confrontation, il fallait qu'elle ait lieu sur son propre territoire, et pas dans quelque étrange tanière que l'invisible passager s'était appropriée.

Tout à coup, un soupçon glaça le sang d'Eduardo. Et si la nature de l'anonyme manipulateur, à l'opposé de celle des humains, était telle que ce dernier avait une tout autre perception de la vie et de la mort ? Et s'il n'établissait pas de limite entre les deux, du moins pas au sens où les hommes et les femmes de cette planète l'entendaient ? Ceux de son espèce ne mouraient peut-être jamais. Et s'ils mouraient, au sens biologique du terme, c'était peut-être pour renaître, sous une autre forme, de leur chair corrompue — et ils s'attendaient tout naturellement à ce que les habitants de la Terre en fissent autant. En fait, la race à laquelle appartenait l'intangible visiteur était peut-être incroyablement plus bizarre, plus perverse, et plus repoussante, spécialement dans sa relation à la mort, que tout ce que l'imagination d'Eduardo était capable de concevoir.

Dans un Univers infini, le nombre potentiel de formes de vie intelligentes était infini, lui aussi, comme il l'avait découvert dans les livres qu'il avait lus récemment. Théoriquement, dans l'immensité du Cosmos, tout ce qui pouvait se concevoir était, par définition, susceptible d'exister. Lorsque l'on se référait aux formes de vie extraterrestres, le terme *étranger* s'appliquait à ce qui, plus *étrange* par essence que l'étrange lui-même, accumulait les bizarreries, et se situait largement au-delà de l'entendement commun. Toute communication étant, de fait, impossible, aucun espoir de compréhension mutuelle ne subsistait.

Il avait déjà réfléchi à tout ça, mais il comprenait seulement maintenant qu'il avait à peu près autant de chances d'appréhender le comportement du voyageur, afin d'en connaître *vraiment* la nature, qu'une souris blanche essayant de saisir les subtilités de l'expérience humaine.

L'oiseau mort frémit, tordant ses pattes cassées, et un gargouillis infâme s'échappa de sa gorge, parodie grotesque du croassement d'un corbeau vivant.

Une sorte de cécité spirituelle envahit alors Eduardo, parce qu'il lui était impossible, à présent, de nier l'identité de l'intrus anonyme qui avait laissé chez lui une piste aussi répugnante, en cette nuit du 10 juin. Il avait toujours été conscient de ce qu'il réprimait au fond de lui. Même les soirs où il s'était noyé dans la bière, même les soirs où il avait prétendu ne rien savoir, il *savait*. Et maintenant aussi, il savait. *Il savait.* Seigneur, doux Jésus, comme il savait...

Eduardo n'avait jamais eu peur de mourir.

Il aurait presque accueilli la mort à bras ouverts.

Mais voilà qu'il avait peur. Peur de mourir. L'idée le terrorisait littéralement, le rendant physiquement malade d'angoisse, avec de violents tremblements et des sueurs glacées.

Bien que le nouveau venu n'ait pas encore démontré qu'il était capable de contrôler l'organisme d'un être humain *vivant*, que se passerait-il quand Eduardo serait mort ?

Il prit le fusil posé sur la table, décrocha au vol les clés de la Cherokee, et se dirigea vers la porte séparant la cuisine du garage. Il fallait qu'il parte immédiatement, sans perdre une seule seconde, et qu'il file le plus loin possible. Rien à foutre d'en savoir plus sur le visiteur. Rien à foutre de la confrontation. Il n'avait plus qu'une chose à faire : sauter dans la Cherokee et foncer droit devant lui, pied au plancher, en écrasant tout sur sa route, afin de s'éloigner le plus loin possible de ce qui avait débarqué, incognito, dans la nuit du Montana, en passant par l'étrange hublot sans fond.

Il ouvrit énergiquement la porte, pour s'immobiliser brusquement sur le seuil. C'est qu'il ne savait pas où aller. Plus de famille, pas d'amis... Il était trop vieux pour prendre un nouveau départ et recommencer sa vie ailleurs.

Où qu'il aille, le visiteur, lui, serait toujours *ici*, affinant sa connaissance du monde et se livrant à de vicieuses expériences, et sa nature profanatrice commettrait d'indicibles outrages envers tout ce qu'Eduardo comptait de plus sacré.

Il ne pouvait décemment pas s'enfuir. Jamais, durant toute sa vie, il n'avait fui devant personne ; pourtant, ce n'était pas l'orgueil qui le retenait à la porte du garage. Ce qui l'empêchait de partir, c'était le sens moral qui lui permettait de faire la différence entre le bien et le mal, ainsi que les valeurs fondamentales qui l'avaient toujours guidé au cours de son existence. S'il tournait le dos à son éthique personnelle, pour fuir comme un dégonflé, il ne serait plus jamais capable de se regarder dans un miroir. Il était vieux et seul, ce qui n'était déjà pas très drôle, mais l'idée de ne plus éprouver à l'égard de lui-même que mépris et dégoût était tout bonnement intolérable. Il aurait désespérément voulu quitter le ranch, mais cette option lui était interdite.

Il recula d'un pas et referma la porte, avant de replacer le fusil sur la table.

Seule l'âme perdue d'un damné aurait pu prétendre à plus de désespoir.

Le corbeau mort, déjà bien mal en point, persistait toujours à vouloir se libérer de la passoire, mais Eduardo avait utilisé du fil épais, et il l'avait de surcroît solidement noué, de sorte que l'oiseau, trop grièvement blessé, s'épuisait à se débattre.

A présent, son plan était presque ridicule. Un pur acte de bravoure absurde, une folie. Mais Eduardo fit pourtant ainsi qu'il l'avait décidé, préférant agir plutôt que d'attendre, passivement, la fin.

Sous le porche situé à l'arrière de la maison, il plaqua la passoire contre la porte de la cuisine. Le corbeau prisonnier se mit aussitôt à griffer bruyamment la paroi. A l'aide d'un stylo, Eduardo marqua sur le bois l'emplacement des deux poignées.

Enfonçant un clou dans chacun des repères, il y accrocha ensuite la passoire.

A travers les petits trous dans le métal, on apercevait le corbeau, qui se débattait faiblement, pris au piège. Mais la passoire n'était pas assez solidement fixée.

Utilisant cette fois deux clous en forme de U, il s'assura que l'ustensile de cuisine était fermement maintenu contre le chêne massif. Les coups de marteau résonnèrent jusqu'aux premiers sapins, à l'autre bout de la pelouse, et la masse dense des arbres lui en renvoya l'écho.

Pour ôter la passoire et accéder au corbeau, l'intrus invisible, ou l'un de ses sbires, seraient contraints de retirer au moins l'un des deux clous en U qui bloquaient les poignées. La seule alternative consistait à découper le métal à l'aide d'une grosse cisaille.

Quelle que soit la méthode choisie, il était impossible de récupérer le corbeau sans faire de bruit. Eduardo recevrait ainsi pas mal de signaux l'avertissant qu'on s'intéressait au contenu de la passoire — surtout s'il passait la nuit dans la cuisine, comme il en avait l'intention.

Impossible d'affirmer que l'envahisseur chercherait à récupérer le corbeau. Eduardo pouvait se tromper, l'entité inconnue n'éprouvant peut-être plus aucun intérêt pour l'oiseau, qui avait échoué dans son rôle d'espion. Pourtant, il avait tenu plus longtemps que les écureuils, qui avaient duré davantage que les ratons laveurs, et la chose trouverait peut-être instructif d'examiner le pantin brisé prisonnier de la passoire, afin de découvrir les raisons de sa relative longévité.

Cette fois, *ça* ne prendrait pas l'apparence d'un écureuil, ou même d'un malin raton laveur. Telle que l'avait conçue Eduardo, la tâche qui attendait le visiteur lui demanderait de la force et de la dextérité. Il priait pour que, relevant le défi, l'entité prenne son apparence originale, quelle qu'elle soit. *Viens, viens ici...* Mais si jamais elle décidait d'envoyer à sa place l'indicible créature, Lenore, la vierge perdue, il se sentait capable de l'affronter aussi.

Etonnant, tout ce qu'un être humain pouvait endurer. Incroyable, la force qu'avait un homme, même sous l'emprise de la terreur la plus abjecte et du désespoir le plus absolu.

Le corbeau était à nouveau immobile. Et totalement silencieux. Plus mort qu'une pierre...

Eduardo se retourna pour jeter un coup d'œil à la forêt.

Viens. Viens, salaud. Montre-moi ta sale gueule, ta sale gueule qui pue la mort. Amène-toi, sors de là que je te voie. Ne sois pas aussi péteux, Martien de mes deux.

Eduardo rentra dans la maison et referma la porte, sans la verrouiller.

Après avoir fermé les volets, histoire que personne ne puisse l'espionner sans qu'il le sache, il s'assit à la table de la cuisine et entreprit de mettre à jour son rapport des événements. Remplissant plus de trois pages de son écriture nette, il rédigea la conclusion de ce qui risquait d'être son ultime contribution au journal.

Au cas où il lui arriverait quelque chose, il voulait qu'on puisse trouver le bloc-notes, mais pas trop facilement. Il le glissa donc dans une pochette en plastique transparent, munie d'un système de fermeture hermétique, en s'assurant que le papier ne risquait pas de prendre l'humidité. Puis, le confiant au congélateur, qui occupait la moitié inférieure du frigo, il le plaça au milieu des surgelés.

Le crépuscule était descendu sur les montagnes, et l'épreuve de vérité approchait à grands pas. Il n'avait pas imaginé que l'entité cachée dans la forêt ferait son apparition en plein jour. Son instinct lui soufflait qu'il s'agissait d'une créature dont les goûts et les habitudes étaient, par essence, nocturnes.

Il prit une bière dans le frigo. Pourquoi pas. C'était la première depuis au moins deux ou trois heures.

Bien qu'il ait tenu à rester sobre pour faire face à l'imminente confrontation, il ne voulait quand même pas être *complètement* à jeun. Pour le règlement de certaines affaires, il était préférable d'administrer un petit remontant à l'homme qui en était chargé.

La tombée de la nuit venait à peine d'obscurcir l'ouest de l'horizon, et il n'avait pas fini sa première bière, quand il entendit du bruit sous le porche. Un choc sourd, suivi d'une sorte de raclement, puis, à nouveau, un choc. Jamais le corbeau n'aurait pu produire ce genre de sons, lourds et pesants, traduisant une gaucherie certaine. On était en train de gravir, maladroitement, mais résolument, les trois marches en bois menant de la pelouse au porche.

Eduardo se leva et se saisit du fusil, en priant pour que ses paumes, moites de sueur, ne le gênent pas pour tirer.

Nouveau choc, et nouveau grattement.

Le cœur d'Eduardo battait la chamade, et son rythme cardiaque dépassait sans aucun doute celui du plus émotif des passereaux. En tout cas, il cognait plus vite que celui du corbeau dans toute sa pauvre existence.

Quels que soient son monde et son nom, et qu'il s'agisse d'un mort ou d'un vivant, le visiteur parvint au sommet des marches et traversa le porche en direction de la porte. Plus de chocs sourds, mais au contraire des glissements, des grattements, et d'autres glissements encore.

A cause de ses lectures des derniers mois, il fallut qu'en une seconde, Eduardo conjure un défilé d'images toutes plus atroces les unes que les autres, représentant tour à tour les diverses créatures susceptibles de produire de tels sons, chacune d'elles plus maléfique que la précédente, jusqu'à ce que son esprit regorge de monstres hallucinants. Seul l'un d'entre eux, ressemblant plus aux personnages de Poe qu'à ceux de Heinlein, de Sturgeon ou de Bradbury, offrait une apparence plus gothique que futuriste, indubitablement terrienne, comme s'il surgissait des entrailles de la terre.

Ça s'approcha de la porte, *ça* se rapprocha encore, pour enfin être *à* la porte. Cette même porte qu'Eduardo n'avait pas verrouillée.

Silence absolu.

Il suffisait à Eduardo de faire trois pas en avant, d'agripper la poignée et de la tirer vers lui, pour se trouver enfin face à l'étrange visiteur. Mais il était incapable de bouger, ne serait-ce qu'un doigt, et il restait comme enraciné dans le parquet de la cuisine. Il avait établi le plan d'action qui avait provoqué la confrontation, il ne s'était pas enfui lorsqu'il en avait eu l'occasion, il s'était persuadé que sa santé mentale dépendait de la façon dont il affronterait cette ultime terreur, et voilà qu'à présent, il était littéralement paralysé, ne sachant soudain plus très bien si la fuite n'était finalement pas la plus sage des issues.

La chose était silencieuse. *C*'était *là*, mais *ça* ne faisait aucun bruit. Là, à quelques centimètres, de l'autre côté du battant.

Ça faisait quoi ? *Ça* attendait qu'Eduardo bouge le premier ? *Ça* observait le corbeau par les petits trous de la passoire ? Le porche n'était pas éclairé, et seul un rai de lumière perçait les volets fermés de la cuisine. La chose avait-elle déjà repéré le corbeau prisonnier?

Oui. Oh, oui, *ça* voyait très bien dans le noir, merci, *ça* voyait même mieux que n'importe lequel de ces foutus matous, parce que *ça* venait précisément *des* ténèbres. *C'étaient les ténèbres.*

Il entendit le *tic-tac* de l'horloge de la cuisine. Elle était là depuis toujours, mais il ne l'avait pas entendue depuis des années, parce qu'elle faisait partie du décor, un bruit transparent qu'il oubliait d'écouter, mais voilà qu'elle manifestait à nouveau sa présence, plus sonore que jamais, battant une cadence lente et funèbre.

Viens, viens, finissons-en. Cette fois, il n'avait pas l'intention de forcer l'étranger à sortir de sa planque. C'était lui-même qu'il encourageait. *Vas-y, connard... Vas-y, trouillard... Espèce de vieux fou, ignorant et stupide, amène-toi, vas-y...*

S'approchant de la porte, il se positionna légèrement sur le côté, afin de pouvoir l'ouvrir.

Pour saisir la poignée, il aurait fallu qu'il lâche son arme d'une main, mais pour rien au monde il ne l'aurait fait.

Son cœur menaçait d'exploser dans sa cage thoracique, et il sentait le sang battre à ses tempes.

Il sentait l'odeur de la chose, qui transperçait l'épais battant en chêne. Une odeur nauséabonde, aigre et putride, que ses narines ne parvenaient pas à identifier.

Le bouton de porte, ce même bouton qu'il ne pouvait se résoudre à tourner, rond et poli, cuivré et luisant, se mit à bouger. Le reflet des néons de la cuisine parcourut les courbes lisses de la poignée, qui pivotait maintenant sur elle-même, lentement. Très lentement. Le pêne de la serrure sortit de la gâche, produisant un imperceptible chuintement de cuivre.

Le pouls affolé, le sang pulsant dans ses veines, le cœur d'Eduardo martelait sa poitrine, si fort qu'il comprimait ses poumons et rendait sa respiration difficile et douloureuse.

Le bouton de la porte fit le chemin inverse, et la porte s'obstina à rester close. Le pêne reprit sa place dans la gâche, et la révélation attendue ne se produisit pas, repoussée à plus tard. Ou peut-être à jamais, si le visiteur décidait de s'éclipser...

Poussant un cri de colère qui le surprit lui-même, Eduardo saisit la poignée et ouvrit la porte d'un seul geste convulsif et violent, avant de se trouver confronté au pire de ses cauchemars. La vierge perdue, qui lui revenait après trois années passée dans son cercueil : un paquet de cheveux gris hirsutes et sales, des orbites aveugles, une chair hideusement corrompue et suintante, des os jetant une tache blanche, çà et là, parmi les tissus putrides, et des lèvres putréfiées découvrant des chicots jaunis, dans un immense rictus, singulièrement dépourvu d'humour.

La hideuse incarnation de la vierge d'Edgar Allan Poe se tenait toute droite, encore revêtue des lambeaux d'une robe bouffée par les vers, dont le tissu bleu était horriblement taché par le pourrissement des chairs, une vierge macabre qui, revenue de l'au-delà, lui tendait la main... Sa vue ne le remplit pas seulement d'horreur, mais aussi de désespoir. *Seigneur, ô Seigneur...* Il se sentit sombrer au fond d'un océan noir et glacé. Pourquoi Margarite avait-elle subi l'indicible destin qui guette patiemment toutes créatures vivantes...

Ce n'est pas Margarite, pas cette horreur, pas cette puanteur, non... Margarite est au paradis, avec le bon Dieu... Il y a un Dieu, n'est-ce pas ? Répondez-moi, y a-t-il un Dieu ? Margarite mérite un Dieu, mais pas ça, pas cette parodie de résurrection... Elle est assise à la droite de Notre Père à tous, à côté de lui, et elle a quitté son corps depuis longtemps pour rejoindre le royaume des âmes pures...

... Mais, après le premier choc, il se dit qu'il allait se ressaisir. Il crut sincèrement que sa santé mentale allait résister à ce spectacle, et qu'il n'aurait qu'à lever son fusil de chasse pour flinguer à bout portant cette chose haïssable, lui tirant dessus jusqu'à ce qu'elle n'ait plus la moindre ressemblance avec sa Margarite, jusqu'à ce qu'il n'ait plus devant lui qu'un tas d'os éclatés et de ruines organiques immondes.

Puis il s'aperçut qu'il n'était pas en train de recevoir la visite d'une seule abomination, mais de deux. Quoi que ce fût, ce qui avait emprunté le mystérieux passage noir, quelques mois auparavant, était venu aussi. Deux confrontations en une. Comme entremêlé au cadavre, l'extraterrestre était accroché à lui, mais il s'était également insinué dans les cavités béantes du dos de Margarite, installé sur — et dans

— le cadavre de la femme. Le corps de l'horrible entité semblait plutôt mou, et très mal adapté à une gravité aussi forte que celle qu'il subissait sur Terre, ce qui expliquait pourquoi il avait besoin d'un moyen de transport. Noir et luisant, tacheté de rouge, il était apparemment constitué d'un grouillement immonde d'appendices entremêlés, plus fluides et lisses que des serpents, qui se changeaient soudain en tentacules crochus, à l'aspect rugueux et irrégulier. Mais à l'opposé des anneaux musclés et puissants d'un serpent, et des pattes carapaçonnées d'un crabe, l'incroyable étranger était visqueux et gluant. Eduardo ne distingua aucun orifice quelconque, aucun semblant de tête, aucun trait particulier permettant de déterminer une morphologie précise, mais il n'eut que quelques secondes pour mémoriser en un clin d'œil ce qui se tortillait devant lui. La vue de ces longues choses noires et déliquescentes qui ondulaient à travers la cage thoracique décharnée lui fit brutalement comprendre qu'il ne restait quasiment plus de chairs accrochées aux os du cadavre, inhumé depuis trois ans. L'atroce créature avait pris possession du squelette, installant l'enchevêtrement de ses membres entre les côtes qui avaient autrefois protégé le cœur et les poumons de Margarite, enroulant ses tentacules comme autant de sarments autour de l'ivoire sale des clavicules et des omoplates, le long des deux humérus, des radius et des cubitus, des fémurs et des tibias, et remplissant même le crâne vide, pour s'agiter follement au fond des orbites creuses.

C'était infiniment plus qu'il n'en pouvait supporter, et largement au-delà de tout ce à quoi l'avaient préparé ses lectures. Le spectacle était trop étranger à Eduardo, trop obscène, trop insupportable. Il entendit soudain le son de sa propre voix, gonflée par un hurlement qui n'en finissait plus, et il fut incapable de lever son arme, son cri terrible mobilisant toutes ses forces.

Cinq secondes s'étaient écoulées depuis qu'il avait ouvert la porte, bien qu'elles aient paru durer une éternité, et il n'en fallut pas davantage pour que le cœur d'Eduardo soit saisi de spasmes fatals. Malgré la chose qui se tenait debout, tant bien que mal, sur le seuil de la porte, et en dépit des pensées atroces qui explosèrent alors dans l'esprit d'Eduardo, il connaissait exactement le nombre de secondes qu'il avait passées face à l'innommable, parce qu'une partie de lui-même, suivant la cadence funèbre qui égrenait le temps, avait bizarrement continué à compter le *tic-tac* de l'horloge. Et une déchirure se produisit alors dans tout son être, une souffrance originelle se dilatant démesurément au fond de lui. Un éclair plus blanc qu'une fission atomique, et aussi dévastateur, aveugla Eduardo, pulvérisant chacun de ses soucis et chacune de ses peines, pour que enfin, il goûte au repos éternel.

CHAPITRE TREIZE

A cause d'un problème neurologique, qui s'était ajouté à sa fracture de la colonne vertébrale, Jack s'était vu contraint de rester plus longtemps que prévu en maison de rééducation. Ainsi qu'il le lui avait promis, Moshe Bloom lui avait appris à apprivoiser la souffrance, et à la considérer comme une preuve de l'amélioration de son état. Dès le début du mois de juillet, quatre mois après qu'il eut été blessé, la douleur, dont il souffrait de moins en moins, était devenue une vieille compagne, avec lui depuis si longtemps qu'il la considérait presque comme une sœur.

Le 17 juillet, à sa sortie du Phoenix Hospital, il marchait, bien qu'il eût encore besoin du soutien non pas d'une canne, mais de deux. En fait, il s'en servait rarement, et n'en utilisait souvent aucune, mais, sans elles, il avait peur de tomber, surtout dans les escaliers. Il se déplaçait lentement, mais ses pas étaient relativement assurés, même si, parfois, à cause de quelque réaction nerveuse incontrôlée, l'une de ses jambes refusait de lui obéir. Ces surprises déplaisantes, néanmoins, se faisaient de plus en plus rares, et il espérait être débarrassé d'au moins une canne à la fin du mois d'août, et de l'autre en septembre.

Moshe Bloom, solide comme un roc, mais qui semblait toujours se déplacer sur coussin d'air, l'accompagna jusqu'à la sortie, pendant que Heather garait la voiture devant l'hôpital. Le kinésithérapeute était tout de blanc vêtu, comme à l'accoutumée, mais il portait une toque multicolore en coton crocheté.

« Ecoutez, il faut que vous fassiez les exercices que je vous ai conseillés tous les jours, vous m'entendez ?

— D'accord.

— Même après avoir laissé tomber les béquilles.

— Je ferai tout ce que vous dites.

— En général, personne ne le fait. Quand les malades décident qu'ils sont guéris, et qu'ils ont à nouveau confiance en eux, ils se croient dispensés des exercices. Mais la guérison est un processus plus long qu'on ne le croit.

— Je comprends. »

Tout en ouvrant à Jack l'un des battants de la large porte vitrée, Moshe poursuivit : « Et alors, le type commence à avoir des problèmes, et il faut qu'il revienne ici, pour des séances de rééducation supplémentaires.

— Ça ne m'arrivera pas, je vous l'assure », affirma Jack en se propulsant, aidé de ses cannes, sous le glorieux soleil d'été.

« Prenez bien tous vos médicaments.

— Ne vous inquiétez pas.

— Et n'essayez pas de jouer aux gros durs.

— Ce n'est pas mon style.

— Quand vous souffrez, n'oubliez pas de prendre un bain chaud avec des sels d'Epsom. »

Jack prit alors un ton très solennel, et lança : « Et je jure devant l'Eternel que je mangerai tous les jours un grand bol de soupe. »

Moshe éclata de rire. « Je n'ai pas l'intention de vous materner, vous savez.

— Pourtant...

— Non, c'est vrai.

— Ça fait des semaines que vous êtes une vraie mère pour moi.

— Vraiment ? Bon, d'accord, j'avoue. »

Jack s'accrocha une canne sur le poignet et lui tendit sa main libre. « Merci pour tout, Moshe. »

Le kinésithérapeute prit la main qu'il lui offrait, puis il le prit dans ses bras.

« Je dois vous dire que vous vous êtes drôlement retapé. Je suis fier de vous, vous savez.

— C'est que vous connaissez bien votre boulot, mon ami. »

Heather et Toby montèrent dans la voiture, et Moshe, avec un large sourire, ajouta : « Bien sûr que je m'y connais. En ce qui concerne la souffrance, nous, les juifs, nous n'avons rien à apprendre de personne. »

Pendant quelques jours, le simple fait d'être de retour chez lui et de dormir dans son lit représenta pour Jack un tel délice qu'il n'eut besoin d'aucun effort pour se sentir naturellement optimiste. Assis dans son fauteuil préféré, il prenait ses repas à l'heure de son choix, sans avoir à subir d'horaires rigides, il aidait Heather à faire la cuisine, il lisait à Toby ses histoires favorites, il regardait la télé après dix heures du soir sans avoir besoin d'écouteurs — toutes choses qui lui procuraient plus de plaisir que tout le luxe du palais d'un émir richissime.

Il s'inquiétait toujours de l'état des finances familiales, mais, de ce côté-là aussi, il était confiant. Il espérait pouvoir être en état de travailler à la fin du mois d'août, redécouvrant enfin les joies du bulletin de salaire. Mais, avant de patrouiller dans les rues, il lui faudrait passer des examens médicaux rigoureux, incluant des tests psychologiques destinés à déterminer si toutes ses facultés étaient intactes ; par conséquent, pendant un certain nombre de semaines, il serait contraint de rester dans les bureaux de la police.

La récession économique ne donnant guère de signes d'amélioration, et chaque initiative gouvernementale semblant répondre au seul but de supprimer davantage d'emplois, Heather avait cessé d'attendre que ses innombrables lettres de candidature portent leurs fruits. Pendant que Jack se trouvait en maison de rééducation, elle était donc devenue chef d'entreprise — « comme Howard Hughes, la mégalomanie en moins », disait-elle en riant — sous la raison sociale de McGarvey & Associés, les dix années passées chez IBM en tant que conceptrice de programmes informatiques lui donnant toute la crédibilité nécessaire. Quand Jack revint à la maison, Heather avait décroché son premier contrat, et elle travaillait à la conception de logiciels de gestion et de comptabilité, pour le compte du propriétaire d'une chaîne de brasseries ; l'un des secteurs en plein essor de l'économie actuelle étant justement la vente d'alcools divers, à consommer dans une atmosphère conviviale, le client de Heather ne parvenait plus à assurer tout seul la bonne marche de ses florissantes affaires.

L'argent gagné grâce à ce premier contrat était loin de remplacer le salaire qu'elle ne recevait plus depuis octobre, mais elle plaçait beaucoup d'espoirs dans le bouche à oreille, certaine que la qualité du boulot qu'elle était en train d'accomplir lui vaudrait d'autres contrats.

Jack était content de la voir s'activer. Elle avait installé ses ordinateurs dans une chambre inoccupée, où elle avait fait de la place en relevant le matelas et le sommier du lit contre l'un des murs. Dès qu'elle travaillait, elle se sentait revivre, et le respect que Jack éprouvait pour son intelligence et ses compétences professionnelles était si grand qu'il n'aurait pas été surpris de voir les modestes bureaux de McGarvey & Associés rivaliser, au fil des mois, avec le siège national de Microsoft.

Il était rentré depuis quatre jours quand il lui fit cet aveu. Elle se carra alors dans son fauteuil et gonfla fièrement le torse. « Absolument, mon cher. Bill Gates, c'est moi, sauf que je suis moins difficile à supporter. »

Appuyé contre le chambranle de la porte, la main sur sa canne — il ne se servait déjà plus de la seconde —, il dit : « Je préfère franchement t'imaginer comme un Bill Gates que la nature aurait doté d'une paire de jambes superbes.

— Sexiste !

— Et fier de l'être.

— D'ailleurs, comment sais-tu que Bill Gates n'a pas de belles jambes ? Tu les as vues ?

— Bon, d'accord, je retire tout ce que j'ai dit. Mais, que je sache, tu es tout aussi difficile à vivre que Bill Gates.

— Merci beaucoup, mon amour.

— Mais je t'en prie, chérie.

— Tu les trouves vraiment bien ?

— Quoi ?

— Mes jambes.

— Toi, tu as des jambes ? »

Tout en doutant que le bouche à oreille permette aux affaires de Heather de devenir assez rapidement rentables pour régler le problème des factures et des échéances, Jack ne se faisait pas trop de soucis — jusqu'au 24 juillet. Il était rentré à la maison depuis une semaine, et sa belle humeur commençait à s'épuiser. Or, lorsque l'optimisme qui le caractérisait commençait à fléchir, il ne tardait pas non plus, en général, à s'effondrer.

Il ne dormait jamais sans faire de cauchemars, plus sanglants nuit après nuit, et se réveillait régulièrement en pleine crise de panique trois ou quatre heures après s'être couché, désespérément fatigué, mais incapable de retrouver le sommeil.

Rapidement, un malaise global s'installa. Les repas perdirent de leur attrait. Il restait maintenant à l'intérieur : le soleil d'été lui paraissait trop brillant, et la chaleur sèche de la Californie, qu'il avait toujours adorée, l'étouffait et le rendait irritable. Bien qu'ayant toujours aimé la lecture, aucun auteur — y compris ses favoris — ne semblait plus l'attirer ; toute histoire, toute intrigue, même encensées par une critique dithyrambique, le laissaient indifférent, et il lui fallait fréquemment relire un paragraphe trois ou quatre fois avant que le sens pénètre le brouillard de son esprit.

Le 28, le malaise évolua en une déprime totale, onze jours seulement après sa sortie de l'hôpital. Il s'interrogeait sur l'avenir d'une façon qui ne lui était pas coutumière — et il n'aboutissait à aucune vision, aucun plan qui lui convînt. S'il nageait jadis allégrement dans un océan d'optimisme, force lui était de reconnaître qu'il s'était à présent réfugié dans les marécages du désespoir.

Il était captivé par les nouvelles quotidiennes dans les journaux, s'alarmant à la lecture des faits divers, et passait beaucoup trop de temps devant la télé. Guerres, génocides, émeutes, attentats terroristes, attaques à la bombe, balles perdues, enfants victimes de sadiques, récidivistes en cavale, pirates de la route, scénarios de catastrophe écologique, jeune employé d'une épicerie de quartier abattu derrière sa caisse pour cinquante malheureux dollars, viols, agressions à l'arme blanche, crimes de sang. Jack savait pourtant que la vie moderne ne se résumait pas seulement à ça. Il existait encore des hommes de bonne volonté qui accomplissaient de bonnes actions, mais les médias braquaient leurs projecteurs sur les aspects les plus négatifs de l'actualité, et Jack en faisait autant. Tout en s'efforçant de ne pas ouvrir le journal et de ne pas allumer la télé, il subissait l'attraction de leurs comptes rendus hauts en couleur, se délectant des tragédies quotidiennes comme un alcoolique succombant à la dive bouteille, ou un parieur à l'excitation des champs de courses.

Le désespoir que lui inspiraient les journaux et les informations télévisées l'emportait à la façon d'un escalier mécanique, qui serait descendu toujours plus bas, sans lui laisser d'autre choix. Et dont la vitesse allait en s'accélérant.

Quand Heather mentionna devant lui le fait que Toby allait rentrer en classe dans un mois, Jack s'inquiéta aussitôt, à cause de la drogue et de la violence qui cernaient tant d'écoles à Los Angeles. Persuadé que Toby allait se faire tuer dans la cour de récréation, il décida qu'il fallait trouver, en dépit de leurs problèmes financiers, de quoi payer l'inscription de leur fils dans une école privée. La certitude que les paisibles salles de classes d'antan étaient à présent plus dangereuses qu'un champ de bataille l'amena inévitablement et promptement à conclure que son fils ne serait en sécurité *nulle part*. Si Toby courait le risque de se faire tuer quand il était à l'école, le danger était identique dans la rue, et même dans leur jardin. Jack se changea alors en père ultra-protecteur, ce qu'il n'avait jamais été jusqu'à présent, et il exerça sur Toby une surveillance vigilante.

Le 5 août, à deux jours de ses retrouvailles avec l'uniforme et de la reprise de ses activités professionnelles, il aurait dû se sentir ragaillardi, mais c'était exactement le contraire. L'idée de reprendre son service et ses fonctions dans la police lui donnait des sueurs froides, même s'il avait plus d'un mois devant lui avant de quitter les bureaux pour recommencer à patrouiller les rues.

Il croyait que personne n'avait conscience des doutes et des angoisses qu'il dissimulait, mais, cette nuit-là, il s'aperçut du contraire.

Après s'être couché et avoir éteint la lumière, rassemblant tout son courage, il osa enfin dire dans l'obscurité ce qu'il n'arrivait pas à exprimer au grand jour : « Heather, je ne vais pas retourner dans la rue.

— Je sais, répondit-elle, allongée à ses côtés.

— Ce que je veux dire, c'est que je ne retournerai pas dans la rue. *Je n'y retournerai plus jamais*.

— Je sais, bébé », dit-elle tendrement en glissant sa main dans celle de Jack.

« Ça se voit tant que ça ?

— Ces derniers quinze jours ont été plutôt difficiles, tu sais.

— Je te demande pardon.

— Il fallait que tu en passes par là.

— Je croyais vraiment que je ferais ce boulot jusqu'à la retraite, tu comprends. J'ai toujours voulu être flic.

— On change, dans la vie, dit-elle, sereine.

— Je n'ai plus envie de prendre des risques. Je n'ai plus confiance en moi.

— Ça reviendra.

— Peut-être, oui.

— C'est certain, insista-t-elle. Mais la rue, les patrouilles, tout ça, c'est fini. Tu as fait ta part de boulot, tu as risqué ta peau comme tout le monde, dans la police. Laisse donc quelqu'un d'autre sauver le monde à ta place.

— Je me sens...

— Je sais.

— ... vidé...

— Ça s'arrangera. Tout finit toujours par s'arranger.

— ... comme un minable qui se dégonfle.

— Tu n'es ni un minable ni un dégonflé. » Elle se serra contre Jack et posa une main douce sur son torse. « Tu es bon, et tu es courageux. Trop courageux à mon goût, d'ailleurs. Si tu n'avais pas pris la décision d'arrêter, je l'aurais prise à ta place. D'une façon ou d'une autre, je t'aurais poussé à démissionner, parce que, la prochaine fois, il y a de grands chances pour que ce soit Alma Bryson qui vienne *me* tenir la main et *me* présenter ses plus sincères condoléances. Je veux bien être damnée si je laisse se produire une chose pareille. En un an, tes deux coéquipiers se sont fait descendre pendant le service, à côté de toi et, depuis le mois de janvier, sept flics sont déjà morts. *Sept*. Je n'ai pas l'intention de te perdre, Jack. »

Passant le bras autour d'elle, il la serra contre lui. Il lui était profondément reconnaissant de l'avoir trouvée, elle, dans un monde cruel, où tant de choses dépendaient d'un hasard aveugle. Il s'abstint de parler pendant quelques instants, craignant que sa voix ne trahisse l'émotion qui l'étreignait.

« A partir de maintenant, dit-il enfin, j'imagine qu'il va

falloir que je me cherche du boulot dans un bureau, n'importe quoi.

— Je t'achèterai un carton entier de tubes de pommade contre les hémorroïdes, mon chéri.

— Il va falloir que je me dégote une tasse en plastique, avec mon nom dessus, pour boire le café avec mes futurs collègues.

— Et une réserve de bloc-notes, sur lesquels tu feras imprimer ton nom et ton numéro de poste. »

Jack réfléchit. « Le salaire ne sera plus le même. Ça ne va pas payer autant que dans la police.

— On s'en sortira.

— Tu crois ? Je n'en suis pas aussi certain. Ça va être juste.

— Tu oublies McGarvey & Associés. Création de logiciels à la demande, suivant les besoins et les désirs du client. Service personnalisé. Excellent rapport qualité/prix et respect des délais de livraison. Et une paire de jambes nettement plus intéressante que celles de Bill Gates. »

Et cette nuit-là, à la faveur de la pénombre, il leur parut possible de retrouver un peu de bonheur et de paix dans la Cité des Anges.

Mais les dix jours qui suivirent les confrontèrent à une série de rappels à l'ordre, réduisant à néant la vision idyllique de L.A. qu'ils avaient eue cette nuit-là. La municipalité décida, une fois de plus, de combler un nouveau déficit budgétaire grâce à des réductions de salaires, en baissant de cinq pour cent celui des patrouilles de flic, et de douze pour cent celui des autres policiers. Les tâches administratives, qui ne rapportaient pas un gros salaire, étaient à présent *nettement* moins bien payées. Le jour suivant, les statistiques gouvernementales indiquèrent une nouvelle récession économique ; et un nouveau client, sur le point de signer un contrat avec McGarvey & Associés, et que la publication de tels chiffres irrita au plus haut point, annula sa commande, retardant de plusieurs mois l'acquisition de nouveaux logiciels. Le taux d'inflation grimpa. Les taxes s'envolèrent. Les services d'utilité publique, en constant déficit et au bord de la faillite, se virent accorder une augmentation de leurs tarifs, ce qui se traduisit par une hausse du prix de l'électricité. Et du prix de l'eau. Et de celui du gaz naturel. La facture des réparations de la voiture, six cent quarante dollars, parvint à Jack le jour de la sortie d'un vieux film d'Anson Oliver, le premier, qui n'avait pas pourtant pas reçu un très bon accueil lors de sa première diffusion, mais que la Paramount remettait sur le marché, ravivant ainsi l'intérêt des médias et du public pour la fusillade de la station-service, et pour Jack lui-même. Et Richie Tendero, le mari de la flamboyante Gina, la tigresse en cuir noir à la bombe lacrymo que rien ne semblait devoir abattre, Richie Tendero qui avait été appelé au domicile d'un couple en pleine scène de ménage, reçut plusieurs coups de fusil à pompe, ayant pour conséquence l'amputation de son bras gauche et deux opérations de chirurgie esthétique au visage.

Le 15 août, une petite fille de onze ans fut prise entre deux feux au cours d'un règlement de comptes entre gangs rivaux, à cent cinquante mètres de la future école de Toby. La fillette fut tuée sur le coup.

Parfois, on a l'impression que la vraie vie est ailleurs. Les événements succèdent les uns aux autres en s'enchaînant de façon inquiétante. Des gens qu'on n'avait pas vus depuis longtemps réapparaissent un jour, porteurs de nouvelles propres à modifier le cours d'une existence. Un inconnu débarque, prononce quelques mots pleins de sagesse, et résout ainsi un problème considéré comme insoluble. Le détail d'un rêve presque oublié devient soudain une réalité. Et c'est comme si l'existence de Dieu s'en trouvait confirmée.

Dans l'après-midi du 18 août, Heather se trouvait dans la cuisine, en train d'attendre que la cafetière électrique ait rempli son office, et elle triait le courrier du jour, quand elle tomba sur une lettre émanant d'un certain Paul Youngblood, notaire à Eagle's Roost. L'enveloppe était assez lourde. D'après le cachet de la poste, l'envoi datait du 6 août, et elle ne manqua pas de s'interroger sur l'itinéraire fantaisiste que les services postaux lui avaient fait suivre.

Elle avait déjà entendu parler d'Eagle's Roost, mais elle ne savait plus quand ni pourquoi.

Eprouvant à l'égard des notaires une aversion communément partagée par le commun des mortels, elle mit l'enveloppe de côté. Elle jeta à la poubelle les envois publicitaires, puis parcourut rapidement le reste du courrier. Quatre factures. Elle entreprit alors de lire la lettre de Paul Youngblood, et celle-ci se révéla complètement différente des mauvaises nouvelles auxquelles elle s'attendait — et tellement plus incroyable... Heather la lut une première fois, puis elle s'assit sur une chaise et recommença sa lecture depuis le début.

Eduardo Fernandez, un client de Youngblood, était décédé le 4 ou 5 août. C'était le père de feu Thomas Fernandez, le Tommy tombé aux côtés de Jack, onze mois avant la tuerie de la station-service. Eduardo Fernandez avait fait de Jack McGarvey, résidant à Los Angeles, Calif., son unique héritier. En tant qu'exécuteur testamentaire, Youngblood avait vainement tenté de joindre Jack par téléphone, mais leur numéro était à présent sur liste rouge. L'héritage consistait en une police d'assurance couvrant les cinquante-cinq pour cent de droits de succession fédéraux, et en trois cents hectares dans les montagnes du Montana. Ce qui faisait de Jack l'heureux propriétaire du ranch Quartermass, comprenant une maison de maître de style victorien, mobilier inclus, celle du gardien, une écurie, et divers matériel technique. A tout ça, s'ajoutait également une *substantielle somme d'argent.*

Tenant lieu de document officiel, une demi-douzaine de photos étaient jointes à la courte lettre du notaire. D'une main tremblante, Heather les étala sur la table de la cuisine, face à elle. La grande demeure était charmante, avec juste assez de bois sculpté et autres moulures décoratives pour avoir de l'allure, sans tomber dans la lourdeur gothique. Deux fois plus grande, au moins, que leur actuelle maison, elle se dressait dans un paysage enchanteur de vallées et de monts, d'une beauté à couper le souffle.

De toute son existence, jamais Heather n'avait ressenti un tel mélange d'émotions contradictoires.

Alors qu'ils désespéraient de trouver une solution, voilà qu'une main salvatrice se tendait, proposant une issue inattendue à tous leurs problèmes. Elle ignorait ce qu'un notaire du Montana pouvait bien entendre par *substantielle somme d'argent,* mais, à son avis, le ranch seul, s'ils décidaient de le vendre, leur rapporterait largement de quoi payer toutes les factures en retard et rembourser l'intégralité du restant de leur crédit, tout en renflouant généreusement leur compte en banque. Heather se sentit alors comme prise de vertiges, en proie à une exaltation qu'elle n'avait plus connue depuis que, petite fille, elle croyait encore aux contes de fées et aux miracles.

D'un autre côté, la chance qui leur souriait aujourd'hui aurait dû revenir à Tommy Fernandez, s'il avait vécu, et cette sombre considération plaçait l'héritage dans une tout autre perspective, gâchant ainsi la joie que ressentait Heather.

Pendant un moment, elle fut partagée entre une intense jubilation et une certaine culpabilité, puis elle finit par décréter qu'elle était en train de réagir comme une Beckerman, et non comme une McGarvey. Elle aurait donné n'importe quoi pour rendre la vie à Tommy Fernandez, même au prix de l'héritage ; mais la cruelle vérité, c'était que Tommy était mort, et au fond de sa tombe depuis plus de seize mois. Personne ne pouvait plus rien pour lui. Souvent méchant, le destin aveugle n'était que trop rarement généreux. Elle aurait été idiote de faire mauvaise figure à cette incroyable surprise du sort.

Sa première idée fut de téléphoner à Jack au bureau. S'approchant de l'appareil fixé au mur de la cuisine, elle composa les premiers chiffres du numéro, puis raccrocha.

C'était le genre de nouvelles qu'on annonce une seule fois dans sa vie. Plus jamais elle n'aurait l'occasion de lui apprendre quelque chose d'aussi merveilleusement inattendu, et il ne fallait pas la laisser passer. Et puis, elle tenait à voir l'expression de son visage lorsqu'il saurait qu'il venait d'hériter d'un ranch dans le Montana.

Elle prit le bloc-notes et le stylo accrochés près du téléphone et retourna s'asseoir, pour relire la lettre du notaire. Puis elle rédigea une liste de questions destinées à Paul Youngblood, qu'elle appela ensuite dans son étude à Eagle's Roost.

D'une voix mal assurée, Heather se présenta d'abord à la secrétaire, qui lui passa le notaire lui-même. Elle s'attendait presque à l'entendre dire qu'il y avait eu une erreur, ou qu'on avait contesté l'héritage. Ou qu'un autre testament, plus récent, avait été découvert au fond d'un tiroir, privant Jack de son titre de légataire universel. Ou encore que...

C'était l'heure de pointe, et les embouteillages étaient pires que d'habitude. Jack rentra à la maison avec plus d'une demi-heure de retard, fatigué et énervé, mais il réussit quand même à avoir l'air du type content de son nouveau job, et heureux de vivre.

A la seconde précise où Toby eut fini de manger, il demanda l'autorisation d'aller regarder son émission préférée à la télé, et Heather la lui accorda bien volontiers. Elle voulait d'abord annoncer la nouvelle à Jack, seule avec lui, et n'en parler à Toby que plus tard.

Comme à l'accoutumée, Jack l'aida à débarrasser la table et à charger la machine à laver la vaisselle, puis il lança : « Je crois que je vais aller faire un tour, histoire de me dégourdir un peu les jambes.

— Des douleurs ?

— Quelques crampes, rien de grave. »

Bien qu'il n'utilise plus de canne pour marcher, elle s'inquiétait toujours de savoir s'il ne lui cachait pas d'éventuels problèmes d'équilibre, ou d'articulations. « Tu es sûr que ça va ?

— Affirmatif. » Il l'embrassa sur la joue. « Moshe Bloom et toi, vous feriez un couple impossible. Toujours en train de vous disputer le droit de me materner.

— Assieds-toi une minute, dit-elle en le guidant vers une chaise. Il faut que je te parle de quelque chose.

— S'il faut encore payer à Toby des séances chez le dentiste, je préfère me charger des soins moi-même.

— Aucun frais dentaires en vue, rassure-toi.

— Tu as vu le montant de la dernière note ?

— Oui, je l'ai vu, merci.

— Et d'abord, pourquoi avoir des dents, hein ? Les palourdes n'ont pas de dents, et elles s'en sortent très bien. Les huîtres n'ont pas de dents. Les asticots non plus. Pleins de trucs n'ont pas de dents, et ils sont parfaitement heureux.

— Laisse tomber cette histoire de dents », fit-elle en prenant la lettre de Youngblood et les photos, qu'elle avait posées sur le frigo.

Il prit l'enveloppe qu'elle lui tendait. « Qu'est-ce qui te fait sourire ? C'est ça ?

— Lis. »

Heather s'assit en face de lui, les coudes sur la table, le

menton posé dans la main, le regard fixé sur lui, essayant de deviner, par l'expression de son visage, à quel stade de la lecture il en était. Le voir absorber la nouvelle la réjouit comme cela ne lui était pas arrivé depuis longtemps.

« Mais... C'est... Je... Comment... » Il leva le regard vers elle. « C'est vrai ? »

Elle gloussa de rire. Des mois qu'elle n'avait pas gloussé comme ça. « Oui. Oui ! C'est incroyable, mais tout est vrai. J'ai téléphoné à ce Paul Youngblood, et il a l'air très gentil. C'était le notaire d'Eduardo Fernandez, et aussi son voisin. Son voisin le plus proche, bien qu'à trois kilomètres du ranch. Il m'a confirmé tout ce qui est écrit dans sa lettre, chaque phrase, chaque mot. Et maintenant, demande-moi à combien s'élève une *substantielle somme d'argent*. »

Jack écarquillait bêtement les yeux, comme si le poids de la nouvelle l'avait véritablement sonné. « Combien ? »

— Il ne peut encore rien affirmer, mais, quand tous les comptes seront faits... il estime que ça représentera entre trois cent cinquante mille et quatre cent mille dollars. »

Jack changea de couleur. « Il doit se tromper.

— C'est ce qu'il m'a dit.

— En *plus* du ranch ?

— Parfaitement.

— Tommy parlait souvent du ranch de sa famille dans le Montana, en disant que son père l'adorait, mais que, lui, il le détestait. D'après lui, l'endroit était sinistre, coupé de tout, bref, un trou au milieu de nulle part. Il aimait beaucoup son père, et il racontait à son sujet un tas d'histoires plutôt rigolotes, mais il ne m'avait jamais dit qu'il était riche. » Jack reprit la lettre. « Mais pourquoi le père de Tommy me léguerait-il tous ses biens, bon sang ?

— C'est l'une des questions que j'ai posées à Paul Youngblood. Il m'a dit que Tommy parlait de toi à son père, dans ses lettres, lui racontant que tu étais vraiment un chic type. Il te considérait comme son frère, tu sais. Après la disparition de Tommy, son père a décidé que tout devait te revenir.

— Qu'en pensent les autres membres de la famille ?

— Il n'y en a pas. »

Jack secoua la tête. « Mais je n'ai jamais vu ce... » Il consulta la lettre. « ... cet Eduardo. C'est dingue. Je veux dire, bon Dieu, c'est merveilleux, mais c'est complètement *dingue*. Il lègue tous ses biens à quelqu'un qu'il ne connaît même pas ? »

Incapable de rester en place, bouillant d'excitation, Heather se leva et se dirigea vers le frigo. « Paul Youngblood m'a dit que l'idée plaisait à Eduardo Fernandez, pour la simple raison qu'il avait lui-même hérité de la propriété de son patron, ce qui avait été, pour lui aussi, une surprise totale.

— Je n'en reviens toujours pas... », fit Jack, encore incrédule.

Heather prit dans le bac à légumes du réfrigérateur la bouteille de champagne qu'elle y avait dissimulée, afin de ne pas éveiller prématurément les soupçons de Jack. « D'après Youngblood, Eduardo Fernandez estimait que c'était la seule façon pour lui d'honorer la mémoire de son ancien patron. »

A la vue de la bouteille de champagne, Jack fronça les sourcils. « Je me sens comme un ballon, j'ai l'impression de faire des bonds jusqu'au plafond, mais... en même temps...

— Tommy », dit-elle.

Il hocha la tête.

Tout en ôtant à la bouteille son manchon en étain, elle dit : « On ne peut pas le faire revenir parmi nous.

— Non, mais...

— Je suis sûre qu'il serait ravi de ce qui nous arrive.

— Oui, je sais. Tommy était un type rudement sympa.

— Alors, réjouissons-nous, mon chéri. »

Il ne dit rien.

Détordant la bague métallique, elle ajouta : « Nous serions vraiment idiots de faire la gueule.

— Je sais.

— C'est un miracle, au moment précis où nous en avons le plus besoin. »

Il fixait la bouteille de champagne.

« Il ne s'agit pas seulement de notre avenir, mais aussi de celui de Toby.

— D'accord, qu'il garde ses dents. »

Heather se mit à rire. « Jack, c'est merveilleux. »

Il se mit enfin à sourire sans réserve. « Et comment ! Tu te rends compte, nous n'aurons plus à supporter tout le bruit que fait notre fils en mangeant. »

Otant le muselet du goulot, elle dit : « Même si nous ne méritons pas cette chance, Toby, lui, en a besoin.

— Nous en avons tous le plus grand besoin. » Jack se leva et s'approcha d'un placard, d'où il retira un torchon propre. « Attends, laisse-moi faire. » Il prit la bouteille des mains de Heather et l'enveloppa du torchon. « Ça peut exploser, tu sais. » Le bouchon jaillit avec un *Pop!* réjouissant, mais les bulles de champagne restèrent sagement dans la bouteille.

Elle posa deux flûtes sur la table, qu'il remplit.

« A Eduardo Fernandez, dit-elle en guise de toast.

— A Tommy. »

Debout à côté de la table, ils burent à la santé de leurs bienfaiteurs, puis Jack déposa un baiser sur la bouche de Heather. Le bout de sa langue avait le goût du champagne. « Bon sang, Heather, tu sais ce que tout ça signifie ? »

Tout en se rasseyant, elle dit : « Ça signifie que, la prochaine fois que nous sortirons le soir, nous irons dans un restaurant où il y a de vraies assiettes. Fini, les burgers ! »

Les yeux de Jack étaient brillants d'excitation, et sa joie faisait plaisir à voir. « On va pouvoir payer le crédit, et toutes les factures, et aussi mettre de l'argent de côté pour les études de Toby, et même partir en vacances quelque part — et tout ça, seulement avec le cash. Si on vend le ranch...

— Regarde les photos », le pressa-t-elle en l'attrapant par le bras, pour lui montrer les photos qu'elle avait étalées sur la table.

« Très joli, dit-il, impressionné.

— Mieux que ça, Jack, c'est superbe. Regarde toutes ces montagnes ! Et celle-là... Quand tu te tiens devant la maison, tu peux voir jusqu'à l'infini !... »

Il leva les yeux vers elle, et leurs regards se croisèrent.

« Qu'est-ce que j'ai cru entendre ?

— Nous ne sommes pas obligés de vendre.

— Tu veux habiter là-bas ?

— Pourquoi pas ?

— Mais nous sommes des gens de la ville, des citadins...

— Et nous détestons ça.

— Nous avons toujours vécu ici, à Los Angeles.

— Ce n'est plus ce que c'était. »

Heather sentait que l'idée l'intriguait. Redoublant

d'enthousiasme, elle vit que Jack commençait à se rallier à son point de vue.

« Ça fait longtemps qu'on a envie de changer de vie, dit-il, mais si vite ! Je n'en reviens pas.

— Regarde les photos.

— D'accord, la vue est superbe, mais qu'est-ce qu'on va faire ? C'est une grosse somme, mais pas suffisante pour durer éternellement. Par ailleurs, nous sommes encore jeunes, toi et moi, et il n'est pas question de végéter sous prétexte que nous venons d'hériter. Il faut que nous fassions quelque chose.

— On peut monter une petite affaire à Eagle's Roost, qu'en dis-tu ?

— Quel genre d'affaire ?

— Je n'en sais rien. N'importe quoi, dit-elle. On peut aller là-bas, voir à quoi ça ressemble, et on tombera peut-être sur la bonne occasion. Et si rien ne se présente, eh bien... personne ne nous oblige à rester là-bas éternellement. Un an, deux ans, et, dès que ça ne nous plaît plus, on vend tout. »

Il finit sa coupe de champagne, et les resservit tous les deux. « Toby reprend l'école dans deux semaines...

— Dans le Montana, aussi, ils ont des écoles, tu sais », dit-elle, tout en sachant qu'il était préoccupé par autre chose.

Jack pensait à la petite fille de onze ans, abattue accidentellement à quelques centaines de mètres de l'école où ils avaient inscrit Toby pour la rentrée.

« Il aura une cour de récréation de trois cents hectares, Jack, renchérit-elle. Depuis combien de temps nous réclame-t-il un labrador, qu'il n'aura jamais, parce que, ici, c'est trop petit pour un chien de cette taille ? »

Jack avait les yeux fixés sur les photos. « Aujourd'hui, au boulot, les gars parlaient des surnoms qu'on donne à Los Angeles, qui en a plus que n'importe quelle autre ville des Etats-Unis. Pour New York, c'est la Grosse Pomme, et c'est tout. Mais L.A. a un tas d'autres noms, et aucun ne lui convient plus, désormais. Par exemple, la Grosse Orange. Partout, on voit des mobil-homes, des centres commerciaux, des parkings, mais il n'y a plus une seule orangeraie dans le coin. Los Angeles, la Cité des Anges. Peut-être, mais cette ville n'a plus rien d'angélique, au contraire. Aujourd'hui, c'est le diable qui court les rues.

— La Cité des Stars ? proposa-t-elle.

— Et quatre-vingt-dix-neuf pour cent des jeunes qui viennent ici pour devenir des vedettes de cinéma finissent, tu sais comment ? Dans le caniveau, sans un dollar en poche, et toxicomanes, par-dessus le marché.

— La Ville du soleil couchant.

— Là-dessus, rien à dire, le soleil se couche encore à l'ouest, reconnut-il en prenant une photo des montagnes du Montana. « La Ville du soleil couchant... Ça rappelle les années trente et quarante, au temps du swing, quand les hommes portaient des hauts-de-forme et s'inclinaient galamment devant des dames en robes du soir, dans des night-clubs en face de l'océan... Humphrey Bogart et Lauren Bacall, Clark Gable et Carole Lombard, des couples d'amoureux qui sirotent des cocktails en admirant le coucher de soleil... Tout ça est bien fini. Enfin, presque. De nos jours, on pourrait appeler cette ville la Mégalopole du crépuscule. »

Il se tut. Le regard rivé sur les photos, Jack en étudiait tous les détails.

Heather patienta.

Relevant enfin la tête, il dit alors : « Allons-y. »

DEUXIÈME PARTIE

LE PAYS DE LA LUNE ROUSSE

Dessous l'éclat blafard de la lune hivernale,
Au travers de la nuit étoilée et glaciale,
Des plus hautes montagnes, et d'amont en aval,
Jusqu'à l'océan résonne le cri primal,
Dans les déserts stériles et les verts pâturages,
Dans les ruesdes cités, les sombres marécages,
Hurle le cœur humain torturé qui, sans trêve,
Quête sagesse et réconfort, d'une carte rêve,
Où lire enfin le sens de son destin fatal
Dessous l'éclat blafard de la lune hivernale.
La nuit éteint l'aurore, astrale ou boréale.
L'homme doit-il à jamais vivre au cœur du mal,
Dessous l'éclat glacé de la lune hivernale,
Seul, perdu, perdu dans la peur et la haine brutale,
Hier et aujourd'hui, jusqu'à la nuit finale,
Dessous l'éclat livide de la lune hivernale ?

Le Livre des Chagrins comptés

CHAPITRE QUATORZE

A l'ère lointaine de la préhistoire, des créatures aussi redoutables que les énormes tyrannosaures avaient péri au fond de dangereux ravins, par-dessus lesquels les constructeurs visionnaires de Los Angeles construisirent, beaucoup plus tard, des autoroutes, des centres commerciaux, des maisons, des immeubles de bureaux, des théâtres, des bars où les serveuses montraient leurs seins, des restaurants en forme de hot-dog ou de chapeau mou, des églises, des parkings souterrains entièrement automatisés, et bien d'autres choses encore, toutes plus merveilleuses les unes que les autres.

Profondément enfouis sous certains quartiers de la mégalopole, les monstres fossilisés goûtaient au repos éternel.

De septembre à octobre, Jack eut l'impression que la ville tout entière était devenue un gouffre au fond duquel *il* était tombé. Il était tenu de donner à Lyle Crawford un préavis de trente jours. Sur les conseil de l'agence immobilière, avant de mettre en vente la maison, ils la repeignirent entièrement, à l'intérieur comme à l'extérieur, remplacèrent la moquette et se livrèrent à de menues réparations. Au moment où Jack avait pris la décision de quitter Los Angeles, ses valises étaient déjà mentalement faites. Son cœur était à présent dans le Montana, à l'est des Rocheuses, tandis que ses deux pieds, paradoxalement, foulaient toujours le bitume de la ville.

Etant donné qu'ils n'avaient plus besoin d'argent de façon aussi pressante, ils mirent la maison en vente à un prix inférieur à celui du marché. Malgré la crise économique, ils trouvèrent rapidement un acquéreur. Le 28 octobre, ils signaient le protocole de vente, s'estimant alors raisonnablement prêts à prendre le départ d'une nouvelle vie.

Le 4 novembre, à bord d'un Ford Explorer dans lequel ils avaient investi une partie de l'héritage, ils prirent la route en direction de leur nouvelle résidence. Jack avait insisté pour partir à six heures du matin, ayant la ferme intention de ne pas laisser le moindre embouteillage gâcher la joie du départ.

Ils emportaient des valises et quelques cartons d'affaires personnelles, ainsi que leurs livres. De nouvelles photos, envoyées par Paul Youngblood, leur avaient appris que leur nouvelle demeure était déjà meublée, dans un style simple et élégant auquel ils s'adapteraient aisément. Ils se livreraient sans doute à quelques modifications, mais la plupart des meubles d'époque étaient d'une très belle facture.

Quittant Los Angeles par l'autoroute n° 5, ils n'accordèrent pas un seul regard aux collines de Hollywood et dépassèrent successivement Burbank, San Fernando, Valencia, Castaic, puis les banlieues plus lointaines, traversant ensuite la réserve naturelle du parc national et le lac Pyramid, jusqu'au col de Tejon, entre la Sierra Madre et les monts Tehachapi.

Kilomètre après kilomètre, Jack sentait qu'il émergeait d'un épais brouillard mental et émotionnel, comme un homme tombé à la mer, les fers aux pieds, et qui, miraculeusement libéré, remonte des profondeurs marines pour se retrouver enfin à l'air libre et au soleil.

Toby était épaté par les vastes étendues cultivées qui bordaient l'autoroute, et Heather lui cita quelques chiffres, relevés dans un guide touristique. La vallée de San Joaquin s'étendait sur plus de deux cents kilomètres, limitée à l'ouest par le Diablo Range, et, à l'est, par les contreforts des Rocheuses. Sur ces milliers de kilomètres carrés, les plus fertiles du monde, poussaient quatre-vingts pour cent de la production nationale de légumes verts et de melons, cinquante pour cent de celle de fruits, d'agrumes et d'amandes, pour ne mentionner que ceux-là.

S'arrêtant devant l'étal d'un producteur local, installé au bord de la route, ils achetèrent une livre d'amandes grillées pour un quart du prix qu'ils auraient payé dans un supermarché. Debout à côté de l'Explorer, Jack en grignota une poignée, émerveillé par les champs et les vergers à perte de vue. Il faisait beau, la campagne respirait la tranquillité, et l'air était pur.

Quand on habite en ville, il est facile d'oublier qu'il existe d'autres modes de vie, loin du bourdonnement de la ruche urbaine contemporaine. Trop longtemps endormi, il était en train de se réveiller dans le vrai monde, dont la diversité était plus intéressante que le rêve qu'il avait pris pour la réalité.

En route pour leur nouvelle vie, ils arrivèrent à Reno à la nuit tombante. Le lendemain, ils étaient à Salt Lake City, et le jour suivant, dans l'après-midi du 6 novembre, à trois heures, ils arrivaient à Eagle's Roost, Montana.

To Kill a Mockingbird[1] était l'un des romans préférés de Jack, et Atticus Finch, l'avocat courageux qui en était le héros, se serait senti parfaitement à l'aise dans le bureau de Paul Youngblood, au dernier étage d'un immeuble qui en comptait trois, unique en son genre à Eagle's Roost, puisque c'en était la plus haute construction. Les volets en bois dataient certainement du siècle dernier, et l'acajou des lambris et de la bibliothèque était lustré par des décades de soins attentifs. Tout, dans la grande pièce, était de bon ton et de bon goût, y compris le silence feutré et les essais historiques et philosophiques qui côtoyaient sur les étagères les livres de droit.

Personne, à Los Angeles, n'aurait supposé que Paul Youngblood était un homme de loi, et on l'eût peut-être même discrètement éconduit si l'idée lui était venue de visiter les buildings luxueux où se tenaient les bureaux des puissants cabinets juridiques, à Century City, le quartier de L.A. qu'ils occupaient. Âgé d'une cinquantaine d'années, les cheveux grisonnants, bien dégagés au-dessus des oreilles, il était plutôt grand et efflanqué. Des années de vie au grand air avaient tanné son visage, et ses mains gardaient les traces d'un labeur rude et physique. Il portait des bottes éculées,

---

1. Roman de Harper Lee traduit en français sous le titre : *Alouette, je te plumerai.*

une paire de jeans bien délavée, une chemise blanche, et un petit bison d'argent retenait le lien de cuir autour de son col.

A L.A., les gens qui s'habillaient comme lui étaient dentistes, comptables, ou les plus inférieurs des cadres supérieurs, qui se déguisaient de la sorte en vue d'une soirée *Western* dans un bar *country*, sans réussir à masquer leur vraie nature. Mais Paul Youngblood, lui, avait réellement l'air d'être né avec des bottes de cow-boy aux pieds, entre un cactus et un feu de camp, nourri au lait de pouliches mustangs...

Tout en présentant l'apparence d'un homme capable d'entrer dans un bar plein de Hell's Angels pour les traiter de gonzesses, sans partir en courant tout de suite après, le notaire parlait d'une voix posée, ne s'exprimant qu'en termes élégants, et Jack prit soudain conscience de la lente détérioration de ses propres bonnes manières, dont l'érosion constante par la vie de tous les jours dans une grande ville n'avait laissé, lui semblait-il, que le pire.

Youngblood gagna immédiatement le cœur de Toby, en offrant de lui apprendre à monter à cheval, « au printemps prochain, sur un poney pour commencer, bien sûr... et à condition que tes parents soient d'accord ». Et quand, afin de les conduire jusqu'au ranch Quartermass, l'avocat revêtit une veste en daim et se posa sur le crâne un chapeau de cow-boy, Toby leva vers lui des yeux définitivement pleins d'admiration.

La Bronco blanche de Youngblood en tête, ils parcoururent une vingtaine de kilomètres à travers un paysage dont les photos avaient mal traduit l'implacable beauté. Marquant l'entrée de leur domaine, se dressaient deux colonnes en pierre, supportant une arche sculptée dans le bois. Gravé au fer rouge dans le chêne massif, on lisait : RANCH QUARTERMASS. Quittant la petite route de campagne, ils s'engagèrent sous l'arche, pour remonter l'allée qui menait au bâtiment principal.

« Hé, c'est superbeau, ici ! C'est à nous, tout ça ? », s'écria Toby depuis la banquette arrière, complètement fasciné par les prés et les forêts qui se déroulaient jusqu'à l'horizon. Avant que Jack ou Heather n'aient eu le temps de lui répondre, il posa la question qu'il mourait d'envie de poser depuis des semaines : « Je pourrai avoir un chien à moi ?

« — Un seul chien, c'est tout ? lui demanda alors Jack.

— Hein ?

— Avec tout cet espace, tu pourrais même avoir une vache, si tu en avais envie. »

Toby partit d'un grand éclat de rire. « Mais, une vache, c'est pas un animal familier, comme un chien ou un chat.

— C'est justement là où tu fais erreur, fiston, répliqua Jack, en s'efforçant d'avoir l'air de bien connaître la question. Avec de la patience, il est tout à fait possible d'apprendre à une vache à rapporter de menus objets, à obéir à des ordres simples, comme "*Assis !*", ou "*Couché !*", à meugler pour avoir à manger, à serrer la main, bref, tous les tours qu'on apprend aux chiens en général — sans négliger l'aspect le plus intéressant de cet animal de compagnie, j'ai nommé le lait de vache, indispensable dans les céréales du petit déjeuner.

— Tu me fais marcher, p'pa. Maman, c'est vrai, ce qu'il dit ?

— L'unique petit problème, enchaîna Heather, c'est qu'il y a certaines vaches qui adorent s'amuser à courir après les voitures, exactement comme un chien, sauf que... elles font nettement plus de dégâts.

— Je crois que c'est des bêtises, ce que tu dis, fit le garçon en rigolant.

— Attends de te trouver dans une voiture poursuivie par une vache, et tu verras..., lui assura Heather.

— C'est *là* que ça fait vraiment peur, renchérit Jack.

— Je préfère quand même avoir un chien.

— Eh bien, si c'est ce que tu veux vraiment..., soupira Jack.

— Tu cs d'accord, c'est bien vrai ? Je peux avoir un chien à moi tout seul ? »

Heather intervint. « Je ne vois pas ce qui s'y oppose, à présent. »

Et Toby de pousser un cri de triomphe.

L'allée privée menait à la résidence principale, au pied de laquelle s'étendait un grand pré, couleur d'herbes sèches. Parvenu au bout de sa course quotidienne, avant de disparaître derrière les montagnes à l'ouest, le soleil éclairait l'arrière de la maison, qui projetait alors devant elle une ombre violette, longue et étroite.

Jack gara l'Explorer à côté de la Bronco de Paul Young-blood.

La visite commença par le sous-sol. Quoique entièrement dépourvues d'ouvertures sur l'extérieur, les pièces étaient froides. La première contenait des machines à laver et à sécher, un évier à double bac et deux grands placards en pin. Le plafond s'ornait aux quatre coins des œuvres géométriques des araignées et de quelques cocons de papillons. Dans la seconde, se tenaient une chaudière et un ballon d'eau chaude, ainsi qu'un générateur électrique de fabrication japonaise, de la taille d'une machine à laver. Apparemment capable de produire assez de courant pour éclairer une petite ville.

« Nous avons vraiment besoin d'un engin pareil ? demanda Jack en montrant le générateur.

— Dans ces régions rurales, relativement isolées, expliqua alors Paul Youngblood, les grosses tempêtes de neige provoquent parfois des coupures d'électricité qui peuvent durer deux jours. Comme nous ne sommes pas raccordés au réseau de gaz naturel, et que se faire livrer du gazole par ces routes de montagnes coûte assez cher, nous avons recours à l'électricité pour les appareils de chauffage, la cuisinière, bref, pour tout. Quand le courant est coupé, on allume la cheminée, mais ce n'est pas l'idéal. Et Stan Quartermass était un homme qui n'avait pas la moindre envie de se priver du confort moderne.

— Mais c'est un monstre, dit Jack en posant la main sur le générateur couvert de poussière.

— Il alimente la maison principale, celle du gardien, ainsi que les écuries. Et il ne se contente pas de fournir de quoi éclairer quelques ampoules, vous pouvez me croire. Tant qu'il reste du carburant, tout fonctionne normalement dans la maison, exactement comme si on était toujours branché sur le réseau.

— Ça doit être sympa, de se retrouver sans électricité, quelques jours de temps en temps », dit Jack, d'un air réjoui.

Fronçant les sourcils, le notaire secoua la tête. « Pas quand la température extérieure est de moins vingt et qu'il y a du blizzard.

— Brrr !... », frissonna Heather à la pensée d'un froid aussi polaire.

« Personnellement, je ne trouverais pas l'expérience très sympathique », ajouta Youngblood.

Jack acquiesça. « Ce serait même carrément suicidaire. Je veillerai à ce que nous ayons une bonne réserve d'essence. »

Inoccupés, le rez-de-chaussée et le premier étage de la maison étaient à peine chauffés, le thermostat de la chaudière étant baissé au minimum. Un froid désagréable régnait dans toutes les pièces, le genre d'humidité glacée et pénétrante que laisse derrière elle une inondation, mais l'atmosphère allait se réchauffer graduellement, Paul Youngblood ayant relancé la chaudière électrique. Après le sous-sol, ils avaient visité le rez-de-chaussée, et Heather n'avait cessé de frissonner, malgré son blouson de ski en duvet.

La maison possédait du caractère, et tout le confort souhaité, et il leur serait sans doute facile de s'y adapter. Les affaires personnelles d'Eduardo Fernandez, et tous ses vêtements, étaient encore là, ce qui les obligerait à vider les placards avant d'y installer leurs propres effets. Depuis le décès subit du vieil homme, quatre mois plus tôt, personne ne s'était occupé de la maison, et une fine couche de poussière s'était déposée partout. Mais Eduardo Fernandez avait mené une vie exemplaire, et tout était à peu près en ordre, et en bon état.

Dans la dernière chambre à l'étage, qui donnait sur l'arrière de la maison, les derniers rayons de soleil de l'après-midi dardaient leur lumière cuivrée à travers les fenêtres orientées vers l'ouest, et l'air était comme empli de leurs vibrations. Pourtant, Heather frissonnait toujours.

« C'est génial, c'est archi-génial ! », s'écria Toby.

La pièce était deux fois plus grande que la chambre qu'il avait dans leur maison de Los Angeles, mais Heather savait qu'il était moins impressionné par ses dimensions que par son aspect, presque baroque, dont la décoration aurait enflammé l'imagination de n'importe quel enfant. Le plafond, à trois mètres cinquante du sol, formait une voûte à quatre pans, et les ombres jouant sur les surfaces concaves rendaient l'ambiance de la chambre tout à fait mystérieuse.

« Super, s'exclama Toby, le nez en l'air, c'est comme si on était suspendus à un parachute. »

Dans une alcôve à gauche de la porte, on avait installé un

lit d'un mètre vingt sur deux, visiblement fabriqué sur mesure. Sur la paroi du fond, des étagères chargées de livres et, le long de l'une des parois, une série de coffres où il pourrait ranger des modèles réduits de vaisseaux spatiaux, sa collection entière de *Rambos* et autres *Terminators* en plastique, ses jeux vidéos, et tous les jouets d'un petit garçon. De chaque côté de l'alcôve, pendaient des rideaux, qui, lorsqu'on les tirait, lui donnaient presque l'apparence de la couchette d'un wagon-lit du chemin de fer d'antan.

« Est-ce que je peux prendre cette chambre, s'il vous plaît ? demanda Toby, anxieusement.

— On dirait bien qu'elle est faite pour toi, dit Jack.

— Génial ! »

Ouvrant l'une des deux autres portes que la chambre comptait, Paul Youngblood annonça : « Et voici un placard si grand qu'on peut rentrer dedans, et presque en faire une autre chambre. »

Derrière le dernier battant, une volée de marches en bois brut descendait vers le rez-de-chaussée, formant un colimaçon si étroit qu'on se serait cru dans un phare.

Tout de suite, Heather détesta cet escalier. Elle se sentait à l'étroit, presque au bord de la claustrophobie, dans cet espace confiné et aveugle, mais elle suivit néanmoins Paul Youngblood et Toby, qui ouvraient la marche, et Jack les suivit à son tour. C'était sans doute le mauvais éclairage — deux ampoules nues, et trop espacées l'une de l'autre — qui produisait sur elle un effet désagréable, renforcé encore par une vague odeur de moisissure, et même, en y reniflant à deux fois, de pourriture. Pas la moindre toile d'araignée. Sans qu'elle s'en explique la raison, son cœur battait comme si elle avait gravi l'escalier au lieu de le descendre. Une peur bizarre s'était emparée d'elle, à la façon d'une angoisse ressentie lors d'un cauchemar, et elle avait l'impression qu'on les attendait au bas des marches. Elle ressentait autour d'eux une hostilité étrange, à peine perceptible.

Ils débouchèrent dans une sorte de vestibule dépourvu de la moindre ouverture sur l'extérieur, et Paul Youngblood tira de sa poche une clé, avec laquelle il ouvrit la première des deux portes devant lesquelles aboutissait l'escalier en colimaçon.

« La cuisine », dit-il en entrant.

Apparemment, rien d'inquiétant.

« Allons par là », reprit Paul Youngblood en se tournant vers la seconde porte, qui ne se fermait à clé que de l'extérieur.

Le verrou, obstinément grippé, refusa d'abord de tourner, et les quelques secondes d'attente parurent insupportables à Heather. Elle était à présent intimement convaincue qu'on les avait suivis, et qu'un esprit malfaisant était à leurs trousses. Il fallait qu'ils sortent de ce vestibule sans fenêtre immédiatement, sinon...

Les gonds se décidèrent à grincer.

Ils suivirent Paul Youngblood et se retrouvèrent sous un porche, celui qui se trouvait à l'arrière de la maison, à trois mètres environ de la porte d'entrée donnant sur la cuisine.

Heather prit quelques profondes inspirations, s'efforçant d'expirer tout l'air vicié qu'elle avait emmagasiné dans l'étroit escalier. Sa peur s'estompa bientôt, et les battements de son cœur reprirent un rythme plus normal. Elle jeta un coup d'œil derrière elle. Pas de monstre en vue, évidemment, et elle décida que son instant de panique était dû à la fatigue du voyage.

Sans s'apercevoir du trouble de Heather, Jack posa la main sur l'épaule de Toby. « Fiston, si tu choisis cette chambre, je te préviens qu'il n'est pas question que tu fasses monter tes petites copines par l'escalier dérobé.

— Mes petites copines ? » Toby ne comprenait pas. « *Berk*. Qu'est-ce que je ferais avec des *filles*, p'pa ?

— Je crois que tu trouveras tout seul la réponse à cette question, Toby, mais tu as encore pas mal de temps devant toi, intervint le notaire, amusé.

— Détrompez-vous, dit Jack. Dans cinq ans, maximum, il faudra combler cet escalier avec du béton. »

Au prix d'un effort de volonté, Heather détacha son regard de la porte que le notaire était en train de refermer. Ce qui venait de se dérouler l'avait perturbée, et elle se sentit soulagée à l'idée que personne ne s'était aperçu de son étrange réaction.

Los Angeles. Elle venait de subir une montée d'angoisse, un retour de la vieille trouille que Los Angeles lui avait inspirée trop longtemps. Certes, elle se trouvait à présent dans le Montana, une région rurale où l'on commettait un meurtre tous les dix ans, et où les gens avaient l'habitude de ne jamais fermer leur porte à clé, de jour comme de nuit, mais, psychologiquement, elle était encore dans la Grosse Orange, anticipant inconsciemment un quelconque déchaînement de violence urbaine. Son instant de panique dans l'escalier, c'était un accès typique de paranoïa citadine.

« Passons à l'extérieur, dit Paul Youngblood. Il ne reste guère plus d'une demi-heure de jour, le soleil est presque couché. »

A la suite du notaire, ils descendirent les quelques marches qui menaient du porche à une vaste pelouse, remontant en pente douce vers une petite construction en pierre, au bord de la forêt, au milieu des sapins. Pour l'avoir déjà vue en photo, Heather l'identifia tout de suite : c'était la maison du gardien.

A l'approche de la nuit, l'est de l'horizon était d'un bleu saphir profond et intense. A l'ouest, où le soleil se hâtait derrière le sommet des montagnes, le ciel était encore clair.

La température avait considérablement fraîchi. Les mains enfoncées dans ses poches, Heather eut un nouveau frisson.

Elle était ravie de voir que Jack s'élançait énergiquement à l'assaut de la pente sans faire mine de boiter. De temps en temps, il avait des douleurs dans la jambe gauche, et sa démarche s'en ressentait. Difficile d'imaginer que, huit mois auparavant, ils avaient pu croire leur destin définitivement brisé. Et pas étonnant qu'elle soit encore un peu fragile, nerveusement. Les huit derniers mois avaient été une terrible épreuve. Mais tout allait bien, à présent. Tout allait très bien.

Depuis la mort d'Eduardo Fernandez, nul n'avait songé à tondre la pelouse. L'herbe haute, desséchée par l'été, et décolorée à présent par les premiers frimas, craquait sous les quatre paires de pieds.

« Ed et Margarite ont quitté la maison des gardiens lorsqu'ils ont hérité du ranch, il y a huit ans de ça », les informa Paul Youngblood tandis qu'ils approchaient du bungalow en pierre. « Ils ont vendu ce qu'il y avait dedans, ils ont cloué les volets, et je crois que plus personne n'y est entré depuis. Si vous n'envisagez pas d'employer des gardiens, vous ne l'utiliserez probablement pas. Mais autant vous la faire visiter tout de suite. »

Des sapins se dressaient sur trois des côtés de la maisonnette. La forêt était si dense que l'obscurité l'envahissait bien avant le coucher du soleil. Le vert ondoyant des branches lourdes qui se noyaient dans l'encre de la nuit offrait un spectacle ravissant — mais le royaume végétal s'étendant devant eux représentait un mystère que Heather jugea troublant, et même un peu inquiétant.

Pour la première fois de sa vie, elle se demanda quels animaux sauvages s'aventuraient parfois dans ces forêts primitives. Des loups ? Des ours ? Des lynx ? Et Toby, était-il vraiment en sécurité ici ?

Oh, pour l'amour du ciel, Heather...

Elle raisonnait comme une banlieusarde, en proie à une inquiétude permanente, et se sentant constamment menacée. En fait, en liberté dans la nature, les animaux faisaient de leur mieux pour éviter les rencontres, et s'enfuyaient dès que quelqu'un approchait.

Qu'est-ce que tu crois ? se demanda-t-elle, sarcastique. *Que tu vas te retrouver barricadée chez toi, cernée par des grizzlis déchaînés et des meutes de loups, comme dans un mauvais téléfilm ?*

En guise de porche, de larges dalles de pierre permettaient d'accéder à la porte d'entrée. Pendant que Paul Youngblood passait en revue les clés de son trousseau, les trois McGarvey admirèrent le paysage.

Le panorama qui se déployait devant eux était renversant. Au nord, au sud et à l'est, tel un tableau de Maxfield Parrish, les monts et les vallées du Montana étalaient leur splendeur, noyés au loin dans le mauve délicat de la brume et le sombre éclat du ciel couleur de saphir.

Pas un souffle de vent n'agitait l'air, et le silence était si profond que Heather eut soudain l'impression d'être devenue sourde. Aucun bruit, hormis le cliquetis des clés du notaire. Après des années de vie citadine, une telle tranquillité relevait de la magie.

Après force grincements et autres craquements, la porte s'ouvrit d'un coup. Paul avança d'un pas et actionna l'interrupteur.

Heather entendit plusieurs *clic!* consécutifs, mais la lumière ne fut pas.

Réapparaissant sur le seuil, Paul Youngblood leur sourit. « Ed a probablement coupé le compteur d'alimentation. Je sais où il se tient. Attendez-moi ici, je reviens tout de suite. »

Les trois McGarvey se retrouvèrent seuls devant la porte béante, et le notaire disparut derrière le coin de la maison. Son brusque départ provoqua un certain malaise chez Heather, sans qu'elle puisse s'expliquer pourquoi. Peut-être parce qu'ils ne l'avaient pas accompagnée.

« Quand j'aurai mon chien, il pourra dormir dans ma chambre ? demanda Toby.

— Oui, répondit Jack, mais pas sur ton lit.

— Pas sur mon lit ? Mais il dormira où, alors ?

— En général, les chiens adorent dormir par terre.

— C'est pas juste.

— On n'a jamais entendu un chien se plaindre, en tout cas.

— Mais pourquoi pas sur mon lit ?

— A cause des puces.

— Je m'occuperai bien de lui, et il n'aura pas de puces.

— Les poils dans les draps.

— Ça, c'est pas grave, p'pa.

— Comment, tu as l'intention de le raser ? Tu veux un chien chauve ?

— Je le brosserai tous les jours. »

Tout en écoutant la conversation entre son mari et son fils, Heather surveillait du coin de l'œil l'angle de la maisonnette, certaine que Paul Youngblood ne reviendrait jamais. Il lui était arrivé quelque chose. Une chose...

Il réapparut à cet instant précis. « Tous les fusibles avaient été enlevés, mais ça devrait aller, maintenant. »

Mais qu'est-ce qui m'arrive ? se dit Heather. *Il faut absolument que je me débarrasse de ces réflexes californiens.*

Les nouvelles tentatives de Paul Youngblood pour faire jaillir la lumière se révélèrent vaines. Accroché au plafond de la pièce plongée dans l'obscurité, un lustre à peine visible refusait de s'éclairer. Dehors, la lampe fixée au-dessus de la porte restait éteinte, elle aussi.

« La maison n'est peut-être plus raccordée au réseau électrique », suggéra Jack.

Le notaire secoua la tête. « Je ne vois pas comment. C'est la même ligne qui alimente la maison principale, celle-ci et l'écurie.

234

— Les ampoules sont fichues... Les douilles, peut-être ? »

Paul Youngblood repoussa son chapeau de cow-boy vers l'arrière de sa tête, puis, d'un doigt, il se gratta la tempe, les sourcils froncés. « Ça ne ressemble pas à Ed, de laisser les choses se détériorer de cette façon. A mon avis, il était du genre à entretenir tous les équipements et à maintenir le ranch en parfait état de marche, au cas où le nouveau propriétaire déciderait de s'installer. Il était comme ça. Un bon fond, c'est ce qu'il avait, Ed. Pas porté sur les mondanités, mais fondamentalement bon.

— Eh bien, lança Heather, on peut s'occuper de ça dans deux ou trois jours, lorsque nous serons installés dans la grande maison. »

Paul Youngblood referma la porte à clé. « Vous devriez faire vérifier tous les branchements par un électricien. »

Au lieu de revenir sur leurs pas, ils coupèrent en diagonale à travers la pelouse, en direction de l'écurie, située en contrebas, au sud de la maison principale. Les bras écartés, Toby courait devant, en imitant avec la bouche le bruit des réacteurs. Il jouait à l'avion.

Heather lança deux ou trois regards furtifs à la maisonnette et aux sapins qui l'encadraient, et un frisson lui parcourut la nuque.

« Il fait plutôt froid, pour un début de mois de novembre », constata Jack.

Le notaire pouffa de rire. « On n'est plus dans le sud de la Californie, j'en ai peur. Aujourd'hui, l'air était relativement doux, mais, cette nuit, la température va probablement tomber au-dessous de zéro.

— Beaucoup de neige, dans le coin ?

— Et en enfer, beaucoup de pécheurs ?

— A quelle date tombent les premières neiges ? Avant Noël ?

— Longtemps avant, Jack. Si une grosse tempête éclatait demain, vous n'entendriez personne vous dire que l'hiver est en avance.

— C'est pour cette raison qu'on a pris un Explorer, dit Heather. Avec quatre roues motrices. On compte sur lui pour sillonner la région, cet hiver.

— A condition que les routes ne soient pas toutes fermées dans deux mois », dit Paul Youngblood en rabattant son chapeau sur son front.

Toby était déjà à côté de l'écurie. Courant de toute la vitesse de ses petites jambes, il disparut derrière le bâtiment avant que Heather ait pu lui crier de les attendre.

Paul reprit la parole. « Tous les hivers, il faut vous attendre à être bloqués par la neige pendant deux ou trois jours, avec des congères plus hautes que la maison, parfois.

— *Bloqués* par la neige ? Plus *hautes* que la maison ? » répéta Jack, que l'idée excitait comme un gosse. « C'est vrai ?

— Un coup de blizzard descendant des Rocheuses peut faire tomber jusqu'à un mètre de neige en vingt-quatre heures, avec des vents à vous arracher la peau. Les routes enneigées ne peuvent pas être toutes débloquées en même temps. Vous avez des chaînes, pour les roues de cet Explorer ?

— Oui, deux jeux », répliqua Jack.

Heather pressa le pas, et les deux hommes l'imitèrent.

Toby n'avait toujours pas réapparu.

« Ce que vous devez faire sans tarder, leur dit Paul Youngblood, c'est vous procurer une lame qui fasse office de chasse-neige, afin de pouvoir l'installer à l'avant de l'Explorer. Même si le service public prend en charge le dégagement des routes, je vous rappelle que vous êtes responsables de votre voie privée. »

Si le petit garçon avait eu l'intention de courir autour de l'écurie en faisant l'avion, il aurait dû déjà réapparaître.

« Chez Lex Parker, le garagiste d'Eagle's Roost, poursuivit Paul Youngblood, vous trouverez de quoi équiper votre Explorer. L'armature, les fixations, la lame, les bras hydrauliques, et du bon matériel. Vous laissez la lame tout l'hiver, vous la retirez au printemps, et ainsi vous êtes prêts à affronter tous les coups de pied au derrière que cette bonne vieille Nature nous réserve. »

Aucun signe de Toby.

Le cœur de Heather s'était remis à battre la chamade. Le soleil aurait bientôt disparu derrière les montagnes. Si Toby s'était égaré, ou s'il lui... Il serait plus difficile de le repérer dans le noir. Elle se retint de s'élancer en courant à sa recherche.

« Remarquez », continuait Paul Younblood, très détendu, sans faire attention à l'énervement croissant de la jeune femme, « l'hiver dernier était très sec, ce qui signifie sans doute que celui-ci sera particulièrement rude. »

Sur ce commentaire que Heather jugea particulièrement encourageant, ils atteignirent enfin l'écurie. A l'instant où Heather se préparait à crier le nom de Toby, ce dernier apparut. Apparemment, il ne jouait plus à l'avion. Il se précipita vers elle en courant, le sourire aux lèvres, les yeux brillants. « Maman, c'est génial, c'est ultragénial. Tu crois que je pourrais avoir un poney, dis ?

— On verra », dit Heather. Elle avait eu du mal à parler. « Et s'il te plaît, ne cours pas n'importe où, d'accord ?

— Pourquoi ?

— Parce que.

— D'accord », dit Toby. C'était un garçon très obéissant.

Elle lança un regard en direction de la maisonnette et de la forêt sauvage qui s'étendait au-delà. Suspendu sur la crête des montagnes, le soleil ressemblait à un énorme jaune d'œuf cru sur le point de s'empaler sur les pointes inégales d'une fourchette géante. Sur les piques les plus hautes, le roc passait du gris au noir, nimbé de rose par les derniers éclats du soleil. Au-dessous, la forêt déroulait son tapis d'arbres sombres. Jusque derrière la petite maison en granit.

Tout était paisible.

L'écurie consistait en un long bâtiment en pierre, recouvert d'ardoises. Les murs n'offraient aucune ouverture, à l'exception de petits vasistas percés en hauteur. On entrait par une grande porte de grange, peinte en blanc, que Paul Youngblood fit aisément coulisser. Il appuya sur l'interrupteur et la lumière s'alluma.

« Comme vous le constatez, dit le notaire en les précédant à l'intérieur, c'était la propriété d'un vrai *gentleman-farmer*, et pas un simple investissement à la montagne. »

Par-delà le seuil en béton, qu'aucune dénivellation ne séparait du sol, on marchait sur une couche de terre battue, fine et claire comme du sable. Cinq grands boxes vides, dont les moitiés de portes étaient fermées, se tenaient de chaque côté d'une allée assez large. Fixées aux poutres en bois massif qui séparaient les boxes, des appliques en bronze diffusaient une lumière ambrée, dirigée vers le sol et le plafond ; celles-ci étaient nécessaires, les ouvertures en haut des murs étant trop petites — une vingtaine de centimètres sur cinquante — pour que le jour éclaire l'écurie, même à midi.

« L'hiver, Stan Quartermass chauffait cette écurie, et elle est équipée d'une ventilation pour l'été », racontait Paul Youngblood, en montrant les grilles disposées au plafond. « D'ailleurs, elle sentait à peine le crottin, l'air étant constamment renouvelé. Tous les conduits étaient enfermés dans des gaines d'isolation renforcées, afin de ne pas gêner les chevaux. »

Sur la gauche, après le dernier box de la rangée, se trouvait une pièce, où étaient autrefois rangés les selles et les harnais. Elle était vide, à l'exception d'un évier, plus profond qu'un lavoir.

De l'autre côté, était alignée une rangée de coffres, qui avaient contenu les réserves d'avoine et de pommes dont les chevaux se nourrissaient à l'époque. A côté, accrochés au mur, divers outils pendaient, les manches vers le bas. Une fourche, deux pelles et un râteau.

« Témoin d'incendie », annonça Paul Youngblood en pointant le doigt vers un appareil installé au-dessus d'une deuxième grande porte coulissante, à l'autre bout de l'écurie. « Il est branché sur le système électrique, ce qui évite les problèmes de batteries. La sonnerie de l'alarme se déclenche dans la maison, parce que Stan Quartermass voulait être certain de l'entendre.

— Ce type adorait ses chevaux, dites donc, dit Jack.

— Il en était dingue. Et ses films lui rapportaient plus d'argent qu'il ne pouvait en dépenser. A la mort de Stan, Ed s'est assuré que le nouveau propriétaire des chevaux les traiterait bien. Stan était un type bien. C'était ce qu'il fallait faire.

— Je pourrais avoir dix poneys, p'pa? demanda Toby.

— Sûrement pas, assura Heather. Pas question d'ouvrir une usine à crottin.

— Je disais ça parce que c'est une grande écurie, dit le petit garçon.

— Un chien, des poneys, fit Jack. Mais tu deviens un véritable petit fermier. Et quoi d'autre encore? Des poulets?

— Non, une vache, répondit Toby. J'ai réfléchi à ce que tu m'as expliqué, et je crois que tu as raison.

— Petit malin », s'esclaffa Jack en ébouriffant les cheveux du petit garçon.

Toby se déroba en riant. « Tel père, tel fils ! Monsieur

Youngblood, mon papa dit que les vaches sont comme les chiens, et qu'elles lèvent la patte et tout ça.

— Eh bien, dit le notaire en faisant demi-tour, je connais un taureau qui marche debout sur ses pattes arrière.

— C'est vrai ?

— Plus fort encore : c'est un champion de calcul mental. »

Il avait dit ça d'un ton si calmement convaincu que Toby leva vers Youngblood des yeux écarquillés. « Si on lui demande de faire une addition, il donne le résultat en frappant le sol avec sa queue ?

— Ça aussi, il peut le faire. Mais, en général, il donne la réponse immédiatement.

— Hein ?

— Ce taureau-là, il parle.

— C'est impossible, dit Toby en suivant Jack et Heather en direction de la sortie.

— Mais si. Il parle, il danse, il conduit une voiture de sport et il va à la messe tous les dimanches, dit Paul Youngblood en éteignant l'écurie. Il s'appelle Miguel Toro, et c'est le propriétaire d'un restaurant, à Eagle's Roost.

— Mais c'est un homme !

— Oui, bien sûr, dit le notaire en tirant la porte qui glissa sur ses rails. Je n'ai jamais dit le contraire. »

Et Paul Youngblood se retourna vers Heather. Celle-ci s'aperçut alors qu'il ne lui avait pas fallu bien longtemps pour apprécier la compagnie du notaire.

« Vous me racontez des histoires. P'pa, le monsieur me raconte des histoires.

— Pas du tout, l'interrompit Paul Youngblood. Je t'ai dit l'exacte vérité, Toby. Tu t'es raconté des histoires tout seul, mon p'tit gars.

— Tu sais, fiston, Paul est notaire, dit Jack. Il faut toujours faire très attention, avec les notaires, sinon on se retrouve sans poneys *et* sans vaches. »

Paul Youngblood partit d'un grand éclat de rire. « Ecoute ce que te dit ton père, p'tit gars. Ce sont de sages paroles. Très sages. »

Seul apparaissait encore le bord supérieur du soleil orange, et les crans acérés des montagnes eurent tôt fait de le déchiqueter. Partout, l'obscurité s'intensifiait. Le crépuscule se drapa de bleu profond et de mauve sombre, comme pour porter le deuil du jour disparu au cœur de cette immensité presque déserte.

Portant le regard au-delà de l'écurie, en direction de la forêt au nord, Paul leur indiqua une sorte de monticule, à la lisière des sapins. « Inutile de vous emmener là-haut à cette heure-ci. Bien qu'il n'y ait pas grand-chose à voir dans le cimetière, même en plein jour.

— Le cimetière ? reprit Jack en fronçant les sourcils.

— Vous êtes également propriétaires d'un cimetière privé, pourvu de toutes les autorisations nécessaires, dit le notaire. Prévu pour douze tombes, dont quatre seulement sont utilisées. »

Le regard fixé sur le monticule, Heather distinguait vaguement la forme d'un mur en pierre, pas très haut, et de deux piliers à l'entrée.

« Qui repose dans ce cimetière ? demanda-t-elle.

— Stanley Quartermass, Eduardo Fernandez, Margarite, son épouse, et Tommy, leur fils unique.

— Tommy ? Mon vieux Tommy, mon coéquipier, c'est là qu'il est enterré ? demanda Jack.

— Un cimetière privé », répéta Heather. Elle frissonna, prétendant qu'elle avait froid. « C'est un peu macabre, vous ne trouvez pas ?

— Une pratique tout à fait courante dans la région, la rassura Paul Youngblood. Dans la plupart des ranches des environs, On trouve la même famille depuis des générations. Leur ferme, ce n'est pas seulement leur maison, c'est aussi leur patrie, et c'est le seul endroit qui compte vraiment. Les gens d'ici vont à Eagle's Roost pour faire leurs courses, c'est tout. Et quand leur dernière heure a sonné, ils préfèrent reposer sous la terre qui les a vus vivre et mourir.

— C'est mégagénial, lança Toby. Vous vous rendez compte, on habite dans un *cimetière* !

— Pas tout à fait, rectifia Paul Youngblood. Mes grands-parents, ainsi que mes parents, sont enterrés un peu partout autour de chez moi, et je trouve qu'il n'y a rien de macabre là-dedans. C'est plutôt réconfortant, au contraire. Une manière de transmettre un certain sens du patrimoine familial. Une extension du concept d'héritage, en quelque sorte. Carolyn et moi, nous avons l'intention de perpétuer la tradition, mais je ne sais pas ce que nos enfants, eux, décideront de faire. L'un étudie la médecine, l'autre, le droit, et leur vie n'aura pas grand-chose en commun avec le ranch de leur enfance.

— Dommage que Halloween soit déjà passé », dit Toby, plus pour lui-même que pour les trois adultes. Les yeux fixés sur le monticule, il était plongé dans une intense réflexion, rêvant sans doute à de futures expéditions.

Pendant un long moment, ils restèrent immobiles, sans échanger un seul mot.

Entre chien et loup, la nuit se préparait en silence.

Plus haut, le petit cimetière semblait s'être dépêché de tirer sur lui le linceul nocturne, se dérobant à la vue plus vite que le reste du paysage.

Heather lança un coup d'œil à Jack, afin de s'assurer que la proximité de la tombe de Tommy Fernandez ne le perturbait pas trop. Jack se trouvait à côté de lui quand Tommy était tombé sous les balles, onze mois avant que Luther Bryson ne connaisse le même sort tragique. Sachant que la dépouille de Tommy reposait à côté, Jack ne pouvait que se souvenir de son ancien coéquipier, forcé ainsi d'exhumer, des oubliettes de sa mémoire, les drames qu'il était précisément venu oublier dans le Montana.

Comme s'il avait compris qu'elle s'inquiétait, Jack sourit. « J'ai l'impression de me sentir mieux, maintenant que je sais que Tommy va passer l'éternité dans un coin magnifique. »

Ils reprirent la direction de la maison principale, et le notaire les invita à dîner et à passer la nuit dans son ranch, où sa femme les attendait. « Premièrement, il est trop tard pour que vous vous installiez maintenant. Deuxièmement, les placards sont vides. Troisièmement, en supposant que le congélateur soit plein, ce n'est plus l'heure de se mettre à faire la cuisine, surtout après toute une journée de route. Pourquoi ne pas passer la soirée à vous détendre, histoire d'être frais et dispos demain matin ? »

Heather lui était reconnaissante de son invitation, pour toutes les raisons qu'il avait énumérées, mais aussi parce que la grande maison isolée ne lui inspirait pas franchement confiance. Elle avait décidé que sa nervosité était une réaction normale chez une citadine exposée pour la première fois de sa vie à d'aussi grands espaces. Phobie classique. Une simple agoraphobie momentanée. Ça lui passerait. Tout ce qu'il lui fallait, c'étaient un ou deux jours d'adaptation — voire quelques heures —, le temps pour elle de s'acclimater. De s'habituer un peu au panorama grandiose, et à une nouvelle façon de vivre. Une soirée en compagnie de Paul Youngblood et de son épouse serait peut-être le remède idéal.

Après avoir réglé le chauffage, afin que la maison soit chaude à leur retour, ils fermèrent les portes à clé et remontèrent dans l'Explorer, suivant de près la Bronco de Paul Youngblood. Quittant la voie privée qui menait au ranch, ce dernier prit la direction de Eagle's Roost, et Jack l'imita.

La nuit avait définitivement englouti les dernières lueurs du crépuscule, mais la lune n'était pas encore levée. L'obscurité était si profonde qu'il semblait que rien ne la dissiperait jamais, pas même le retour du soleil.

Le ranch des Youngblood portait le nom des sapins qui poussaient dans la propriété. Fixés à chaque extrémité de l'arche blanche surplombant l'entrée, deux projecteurs éclairaient des lettres vertes : LES MÉLÈZES. Au-dessous, écrit plus petit, on lisait *Paul et Carolyn Youngblood*.

Les terres du notaire, fort bien exploitées, couvraient une superficie considérablement supérieure aux leurs. De chaque côté de l'allée, beaucoup plus longue que celle du ranch Quartermass, on apercevait des écuries blanches avec leurs moitiés de portes peintes en rouge, des manèges, des pistes d'entraînement et de grands prés clôturés. Des spots à basse tension illuminaient de leur éclat nacré les divers bâtiments. Les barrières blanches qui séparaient les prés luisaient dans l'obscurité en formant des motifs géométriques, tels d'indéchiffrables hiéroglyphes.

La maison principale, devant laquelle les deux voitures se garèrent, était une construction basse, faite de galets et de bois, une extension presque organique du milieu naturel.

Tout en se dirigeant vers l'entrée, Paul répondit à la question de Jack concernant le ranch des Mélèzes. « En fait, nous avons deux activités parallèles de base. Nous élevons et nous entraînons des chevaux de course, le hippisme étant un sport très populaire dans tout l'Ouest américain, du Nouveau-Mexique jusqu'à la frontière canadienne. A côté de ça, nous élevons également plusieurs races de chevaux de concours, et notamment des pur-sang arabes. Dans la région, nous avons ce qui se fait de mieux en la matière. Certains spécimens d'étalons sont d'une telle perfection et d'une telle beauté qu'on en a le cœur serré, rien qu'en les regardant. Et les obsédés du pedigree sortent tout de suite leur chéquier.

— Pas de vaches ? » demanda Toby en arrivant au pied des marches menant à la vaste véranda qui longeait la façade de la maison.

« Désolé, p'tit gars, ni vaches ni taureaux, répondit le notaire en souriant. Pas mal de ranches des environs possèdent des troupeaux, mais pas nous. Ce qui ne nous empêche pas d'avoir de *vrais* cow-boys. » Il leur indiqua les fenêtres éclairées d'une série de bungalows, à cent mètres de là. « Il y en a dix-huit qui vivent dans le ranch en permanence, certains avec leur famille. Un vrai petit village, quoi.

— Des vrais cow-boys... » dit Toby, du ton rêveur qu'il avait déjà pris en évoquant les charmes potentiels du cimetière privé, et la future acquisition d'un éventuel poney. Depuis quelques heures, le Montana était devenu, pour lui, plus exotique que la plus lointaine des planètes. « Des vrais cow-boys... »

Carolyn Youngblood les attendait à la porte d'entrée, et elle leur fit un accueil chaleureux. Pour être la mère des enfants de Paul Youngblood, il fallait qu'elle ait la cinquantaine, comme lui, mais sa silhouette et ses manières avaient conservé une jeunesse certaine. Elle portait des jeans et une chemise à carreaux rouge et blanche, et le tout mettait particulièrement en valeur sa silhouette de jeune femme, mince et musclée. Ses cheveux blancs, coupés court, étaient restés épais et brillants. Moins ridé que celui de son mari, son visage respirait la santé et la joie de vivre.

Si c'était là ce que la vie au grand air dans un ranch du Montana réservait aux femmes, Heather se sentait prête à surmonter son aversion pour les panoramas grandioses à perte de vue, les nuits écrasantes de solitude et l'étrangeté de l'immense forêt. Elle était même prête à oublier que quatre cadavres étaient enterrés au fond du jardin.

Le dîner achevé, Jack et Paul Youngblood passèrent quelques instants dans le bureau du notaire, un verre de porto à la main, s'intéressant aux photos d'étalons qui recouvraient quasi entièrement l'un des murs de la pièce lambrissée de pin naturel. Passant des pur-sang arabes au ranch Quartermass, la conversation dévia soudain.

« Je crois sincèrement que vous allez être très heureux dans le ranch, tous les trois.

— Je le crois aussi.

— C'est un endroit merveilleux pour y passer son enfance, et Toby a beaucoup de chance.

— Un chien, un poney... Il a l'impression que tous ses rêves deviennent des réalités.

— La région est magnifique.

— Et si paisible, comparée à Los Angeles. Mais les deux ne sont pas comparables. »

Paul Youngblood ouvrit la bouche pour dire quelque chose, puis il se ravisa, reportant son attention sur la photo de l'étalon dont il vantait les mérites avant de changer de sujet. Lorsque le notaire reprit la parole, Jack eut l'impression qu'il parlait de tout à fait autre chose que ce qu'il avait failli dire un instant auparavant.

« Et bien que nous ne soyons pas ce que j'appellerais de proches voisins, Jack, j'espère vous revoir, tous les trois, afin de faire vraiment la connaissance de la famille McGarvey.

— Ça me plairait beaucoup. »

Le notaire marqua une nouvelle hésitation, qu'il dissimula en buvant une gorgée de porto.

Jack l'imita, puis il dit : « Quelque chose ne va pas comme vous voulez, Paul ?

— Non, non, tout va très bien. C'est seulement que... Mais pourquoi me posez-vous cette question ?

— J'ai été flic pendant longtemps. Et je possède comme un sixième sens qui me permet de repérer les gens qui cachent quelque chose.

— Je comprends, à présent. Vous serez sans aucun doute un excellent homme d'affaires.

— Alors, Paul, que se passe-t-il ? »

Poussant un profond soupir, Paul Youngblood prit place dans un fauteuil. « Je ne savais pas si je devais vous en parler. Je ne veux pas que cette histoire vous inquiète, et je suis convaincu qu'il n'y a vraiment aucune raison de se faire du souci.

— Mais encore ?

— Ed Fernandez est mort d'une crise cardiaque, comme je vous l'ai déjà dit. Un infarctus foudroyant, qui a entraîné le décès plus vite qu'un coup de chevrotine en pleine tête. C'est ce que le médecin-légiste a inscrit sur le certificat de décès.

— Le médecin-légiste ? Vous voulez dire qu'on a autopsié le corps ?

— C'est ça », acquiesça Paul Youngblood avant d'avaler une autre gorgée de porto.

Dans le Montana, comme en Californie, on n'appelait pas un médecin-légiste chaque fois que quelqu'un mourait, surtout quand le décédé en question, dans la tranche d'âge d'Eduardo Fernandez, était victime d'un arrêt cardiaque. Autant dire de mort naturelle. Si le corps du vieil homme s'était retrouvé à la morgue, c'était pour des raisons tout à fait particulières, comme, par exemple, la présence d'un traumatisme indiquant la possibilité d'un homicide.

« Mais vous disiez que le médecin-légiste n'avait trouvé aucune autre cause de décès, à l'exception de la crise cardiaque. »

Fixant son verre, le notaire se décida enfin à donner quelques explications. « On a retrouvé le corps sur le seuil de la porte située entre la cuisine et le porche, à l'arrière. Il était couché sur le côté droit, et ses deux mains étaient agrippées à un fusil de chasse.

— Ah ! Des circonstances assez suspectes pour justifier l'autopsie. Mais s'il était chasseur...

— La chasse n'était pas encore ouverte.

— Vous prétendez que personne ne braconne dans les environs, même quand on dispose de trois cents hectares en pleine nature, avec du gibier toute l'année ? »

Le notaire secoua la tête. « Pas du tout. Mais Ed n'a jamais aimé chasser.

— Vous en êtes certain ?

— Je suis catégorique. Le chasseur, c'était Stan Quartermass, et Ed s'est contenté d'hériter de ses fusils. D'autre part, l'arme qu'on a retrouvée dans ses mains était chargée, mais, le plus incompréhensible, c'est que deux cartouches étaient déjà engagées dans le canon. Même le plus crétin des chasseurs ne se baladerait pas avec des cartouches prêtes à tirer dans son fusil. S'il trébuche et tombe, il peut se faire sauter le crâne.

— A plus forte raison s'il est chez lui.

— Sauf s'il se sentait menacé, enchaîna Paul Young-blood.

— Par un cambrioleur, par exemple? Un rôdeur?

— Peut-être. Bien que, dans le coin, ils soient plus rares qu'une boucherie chevaline.

— Pas de traces d'effraction, pas de vandalisme?

— Non. Rien de tout ça.

— Qui a trouvé le corps?

— Travis Potter, le vétérinaire d'Eagle's Roost. Ce qui nous conduit à une nouvelle bizarrerie : le 10 juin, plus de trois semaines avant sa mort, Ed a apporté à Travis des ratons laveurs, morts, qu'il lui a demandé d'examiner. »

Le notaire raconta à Jack le peu de détails qu'Ed avait confiés au vétérinaire, puis il lui répéta le diagnostic de Travis Potter.

« Un œdème au cerveau? fit Jack d'une drôle de voix.

— Sans le moindre signe d'infection ou de maladie quelconque, le rassura Paul Youngblood. Travis a demandé à Ed de lui signaler tout autre animal se comportant de façon inhabituelle. Ensuite... Ed a téléphoné à Travis le 17 juin, et ce dernier a eu l'impression qu'Ed avait découvert autre chose, mais qu'il préférait ne pas lui en parler.

— Pour quelle raison? C'est Fernandez lui-même qui avait apporté les ratons laveurs à Potter. »

Le notaire haussa les épaules. « Quoi qu'il en soit, le matin du 6 juin, l'affaire intriguant toujours Travis, il a décidé de se rendre au ranch Quartermass, afin de parler à Ed — et c'est là qu'il a découvert son cadavre. Le médecin-légiste a estimé que le décès remontait à plus de vingt-quatre heures, en tout cas à moins de deux jours. »

Son verre de porto à la main, Jack s'était mis à arpenter la pièce, passant et repassant devant les photos de pur-sang. « A votre avis, il s'est passé quoi? Fernandez a vu un animal qui se comportait *vraiment* bizarrement, et il a eu tellement peur qu'il est allé prendre son fusil?

— Possible.

246

— Il sortait peut-être de chez lui dans le but d'abattre l'animal en question, parce qu'il pensait qu'il avait la rage, ou un truc comme ça.

— Nous y avons pensé, oui. Et le cœur aurait lâché sous le coup de l'émotion. »

Par la fenêtre, tout en finissant son porto, Jack observait les lumières des bungalows des cow-boys, à peine visibles à cette distance. « D'après ce que vous en dites, Fernandez n'était pas particulièrement impressionnable, ni hystérique.

— Tout le contraire. Ed était plus calme qu'une vieille souche. »

Jack se retourna vers Paul Youngblood. « Dans ces conditions, je me demande vraiment ce qu'il a pu voir, pour que son cœur ait ainsi lâché. Quel degré de bizarrerie avait donc atteint le comportement de l'animal, et quelle menace représentait-il, pour réussir à provoquer un arrêt cardiaque chez un homme comme Fernandez ?

— Vous venez de mettre le doigt dessus, confirma le notaire en vidant son verre. Tout ça n'a aucun sens.

— Un vrai mystère.

— Heureusement que vous êtes inspecteur de police.

— Pas du tout. Moi, j'étais officier de patrouille.

— Eh bien, qu'à cela ne tienne, vous voilà promu au titre d'inspecteur, par la force des choses. » Paul Youngblood quitta le coin de bureau sur lequel il était assis. « Ecoutez, je suis absolument sûr qu'il n'y a pas de quoi s'inquiéter. Nous *savons* que les ratons laveurs n'étaient porteurs d'aucune maladie. Quant au fusil de chasse, il y a sans doute une bonne raison pour qu'on l'ait retrouvé dans les mains d'Ed. La région est tout à fait paisible, et je veux bien être damné si je sais quel danger menaçait le vieil Eduardo Fernandez.

— Vous avez certainement raison, dit Jack.

— J'ai abordé le sujet parce que... Parce que j'ai pensé qu'il fallait vous mettre au courant de cette histoire, au cas où il vous arriverait d'être témoin d'une quelconque bizarrerie. Si vous vous apercevez de quoi que ce soit, téléphonez à Travis Potter. Ou appelez-moi directement. »

Jack posa son verre vide sur le bureau, à côté de celui de Paul Youngblood. « Comptez sur moi. D'ailleurs... je préférerais que vous n'en parliez pas à Heather. Nos derniers mois à Los Angeles ont été particulièrement difficiles à vivre. C'est un nouveau départ que nous sommes venus prendre ici, à bien des égards, et je n'ai pas envie, pas du tout envie, de gâcher ça. Heather et moi, nous sommes encore un peu en état de choc, et il faut à présent que nous entamions une vie nouvelle. Et pour que ça marche, nous devons être positifs.

— C'est pour cette raison que j'ai attendu que nous soyons seuls.

— Merci, Paul.

— Et ne vous inquiétez pas, vous m'entendez ?

— Pas de problème.

— Je suis sûr qu'il n'y a rien de grave. Seulement l'un de ces petits mystères que la vie nous réserve souvent. Les gens qui s'installent dans la région se plaignent souvent d'une espèce de malaise, que leur inspireraient les grands espaces et la nature à l'état sauvage. Croyez bien que je n'ai nullement l'intention de provoquer chez vous de telles angoisses.

— Ne vous en faites pas, le rassura Jack. Quand on a fait du slalom entre les balles des dingues qui se promènent dans les rues de L.A., armés jusqu'aux dents, on ne va pas se laisser abattre par un raton laveur. »

CHAPITRE QUINZE

Pendant les quatre premiers jours — du mardi au vendredi —, Heather, Jack et Toby nettoyèrent la maison de fond en comble. Les murs et les boiseries furent soigneusement dépoussiérés ; les meubles, cirés ; les tapis et la moquette, passés à l'aspirateur ; toute la vaisselle et tous les ustensiles de cuisine furent lavés, rincés, puis essuyés, et les étagères des placards, lessivées à grande eau ; les vêtements ayant appartenu à Eduardo Fernandez firent le bonheur des déshérités de la paroisse ; et le ranch Quartermass devint un peu plus, chaque jour, la propriété de la famille McGarvey.

Heather et Jack avaient l'intention d'inscrire Toby à l'école dès la semaine suivante, afin de lui laisser le temps de s'adapter à leur nouvelle existence. L'idée de ne pas aller à l'école pendant que les autres enfants étaient enfermés en classe le réjouissait d'ailleurs au plus haut point.

Le mercredi, l'entreprise de déménagement, qui transportait le reste de leurs affaires, arriva de Los Angeles, leur apportant ce qui manquait : leurs vêtements, leurs livres, les ordinateurs de Heather et son matériel informatique, les jeux vidéo et les jouets de Toby, et tout ce qu'ils ne voulaient ni jeter ni donner. La présence, dans leur nouvelle maison, de tous leurs objets familiers contribua grandement à leur donner l'impression qu'ils étaient enfin chez eux.

Bien que la température ait baissé de jour en jour, et que le ciel se soit montré de plus en plus couvert au fil de la semaine, l'humeur de Heather était au beau fixe. Elle n'avait pas ressenti de nouvelles angoisses, comme le soir où Paul

Youngblood leur avait fait visiter le ranch, et le souvenir de son accès de paranoïa s'effaçait progressivement.

Après avoir balayé les toiles d'araignées et les insectes desséchés qui hantaient l'escalier dérobé, elle lava les marches en colimaçon à l'eau ammoniaquée, débarrassant l'endroit de l'odeur de pourriture qui y régnait. Aucun sentiment déplaisant ne l'assaillit, et elle eut du mal à croire qu'elle ait pu ressentir une si vive appréhension lors de son premier passage dans ce même escalier. Elle n'avait pourtant jamais été superstitieuse.

De certaines des fenêtres du premier étage, elle apercevait le cimetière, plus loin vers la forêt. Grâce à ce que leur avait raconté Paul Youngblood, quant à l'attachement atavique éprouvé par les gens du pays pour la terre qui les nourrissait depuis plusieurs générations, le petit cimetière ne produisait plus en lui un effet aussi macabre. Dans la famille bancale qui l'avait vue grandir, et à Los Angeles en général, les traditions et les usages n'étaient plus guère respectés, et le sentiment d'appartenir à un groupe humain quelconque, à quelqu'un ou à quelque chose, quelque part, était si flou que l'amour voué à leur terre par les autochtones était touchant, et même spirituellement exemplaire, plutôt que morbide ou suspect.

Heather nettoya également le réfrigérateur, et ils l'emplirent de bonnes choses, saines et vitaminées, destinées aux petits déjeuners et aux repas légers. Le congélateur étant déjà à moitié rempli de plats préparés, elle remit l'inventaire des réserves à plus tard, et passa à des tâches plus urgentes.

Quatre soirs de suite, trop fatigués pour faire la cuisine, ils s'étaient rendus à Eagle's Roost, dans le restaurant du taureau dont avait parlé Paul Youngblood, le champion de calcul mental. On y mangeait vraiment très bien.

Les vingt kilomètres du trajet étaient insignifiants. Dans le sud de la Californie, on ne mesurait pas les distances en kilomètres, mais en heures. Suivant la densité du trafic, même une course au supermarché du coin pouvait prendre une demi-heure. A Los Angeles, un trajet de vingt kilomètres d'un quartier à un autre durait une heure ou deux, voire une éternité. Tout dépendait des embouteillages et de l'agressivité dont faisait montre les automobilistes. Nul ne pouvait évaluer à l'avance le temps qu'il allait perdre en pre-

nant le volant. Mais ici, dans le Montana, il leur fallait invariablement vingt à vingt-cinq minutes, autant dire *rien*, pour
rallier Eagle's Roost. Pour des ex-victimes de l'heure de
pointe, la circulation automobile était d'une fluidité jubila-
toire.

Le vendredi soir, comme tous les soirs depuis leur arrivée
dans le Montana, Heather plongea dans un profond sommeil,
sans la moindre difficulté. Mais, pour la première fois, elle
dormit mal...

Dans son rêve, elle se trouvait dans un endroit glacial,
plus obscur qu'une nuit sans lune, plus sombre qu'un souterrain. Elle avançait à tâtons, comme frappée de cécité,
curieuse, mais confiante. Elle souriait, persuadée qu'au-delà
des ténèbres, une chose merveilleuse l'attendait quelque
part, au chaud. Un trésor. Du plaisir. Une révélation. Paix,
joie et transcendance lui étaient assurées, à condition qu'elle
trouve le chemin qui y menait. Sérénité, confiance absolue,
liberté éternelle, illumination mystique, joie, plaisir, plus
intenses que tout ce qu'elle avait connu jusqu'ici, tout
n'attendait plus que sa venue. Mais elle s'égarait dans l'obscurité impénétrable, les mains tendues, progressant péniblement dans la mauvaise direction, prenant à gauche, tournant
à droite, sans jamais aboutir nulle part.

Une curiosité toute-puissante l'égarait. Elle désirait
ardemment ce qui se tenait au-delà des ténèbres, elle le voulait plus que n'importe quoi, plus que tout, plus que l'amour
et la richesse, plus que le bonheur, parce que l'objet de tous
ses désirs, c'était tout ça, et bien davantage. Il suffisait
qu'elle ouvre la porte pour enfin rejoindre la lumière, la
merveilleuse porte et la belle lumière, la paix et la joie, la
liberté et le plaisir, la fin de ses tourments, une véritable
transformation. Elle s'approchait, tout près, si près, les
mains tendues. Puis le désir se changea en besoin et l'impul-
sion se fit obsessionnelle. Ce qui l'attendait, c'était son dû
— la joie, la paix, la liberté —, et elle se mit à *courir*, de
toutes ses forces, à travers l'écœurante obscurité, droit
devant elle, sans peur ni crainte. Puis elle se jeta en avant,
plongeant tout droit dans le noir, folle d'impatience, à la
recherche d'un moyen, d'une issue, d'un chemin, d'une
voie, d'une porte, (ne redoutant plus rien ni personne), en
quête de la joie infinie qui, seule, triomphe des peurs des

mortels, paradis perdu qu'elle voulait retrouver, Eden désespérément espéré, qu'elle persistait pourtant à fuir.

Une voix l'appelait, à présent, une voix étrange et muette, attirante et repoussante à la fois, qui lui montrait le moyen, l'issue, le chemin, la voie. Qui lui indiquait la direction de la joie et de la paix, terme de toutes ses souffrances. Accepter, voilà tout. Simplement accepter. C'était là, tout proche d'elle, si seulement elle suivait la bonne route. Le trouver. Le toucher. L'étreindre.

Elle s'immobilisa. Brutalement, elle s'aperçut qu'elle n'avait nullement besoin de courir, car ce qu'elle cherchait se trouvait précisément là où elle se tenait. Havre de la joie, palais de la paix, royaume de la vérité révélée. Tout ce qu'elle devait faire, c'était se laisser pénétrer, et ouvrir une porte, la porte intérieure, au-dedans d'elle-même, libérant le passage et ouvrant la voie, s'ouvrant elle-même à l'ineffable joie, paradis inconcevable, âge d'or mythique, jardin d'édéniques délices, se livrant au plaisir et au bonheur. C'était tout ce qu'elle voulait, et elle le désirait fortement et vite, parce que la vie était dure, alors qu'elle n'avait pas à l'être.

Mais, obstinément, une partie d'elle-même s'entêtait à refuser obstinément, haineusement soutenue par l'orgueil, l'une des puissantes composantes de sa personnalité complexe. Percevant alors la soudaine frustration qu'engendrait son refus — le Donateur, privé de donner. Frustration et colère — percevant sa colère, elle prononça les mots. *Désolée, je suis désolée, tellement désolée.*

Et voilà que tout lui était soudain échu — joie, paix, amour, bonheur —, un tout impérieusement imposé, irrésistiblement forcé, brutalement maintenu, puissamment acharné. Ça l'écrasait. Autour d'elle, les ténèbres s'épaississaient, elles s'alourdissaient même, la piégeant au fond d'un insondable abîme, la pressurant et la broyant sans merci. Qu'elle se soumette ! Toute résistance était inutile, il fallait céder et se laisser pénétrer, car dans la soumission était la joie. Dans la soumission, le paradis. Refuser de se soumettre, c'était souffrir au-delà des pires craintes, subir le désespoir et l'agonie des damnés. Se soumettre, c'était ouvrir la porte intérieure et laisser entrer, se laisser pénétrer et accepter de l'être, accepter d'être en paix. Martelant férocement son âme, comme pour mieux la tasser, y enfonçant irrésistiblement l'incantation unique. *Ouvre-toi, ouvre-toi, ouvre l'intérieur de toi.* Fais-... le... entrer.

Tout à coup, elle découvrit la porte secrète, enfouie au fond d'elle-même. Le chemin vers la joie, le passage vers la paix éternelle. Saisissant la poignée, elle la fit pivoter. Le pêne cliqueta et elle poussa enfin la porte, tremblante d'appréhension. Dans l'interstice qui s'élargissait lentement, elle entrevit alors le Passeur. Un éclat noir et luisant, de fébriles contorsions, et un chuintement de triomphe. Le froid guettant le seuil.

Claque la porte, claque la porte, claque la porte, claque-laportecla...

Pulvérisant le sommeil où elle était plongée, Heather rejeta très loin le drap et la couverture et bondit hors du lit, dans un seul et même mouvement. Son cœur battait si fort qu'elle n'arrivait plus à reprendre son souffle.

Un rêve. Elle avait rêvé. Mais aucun rêve ne l'avait jamais marquée aussi intensément.

La Chose derrière la porte l'avait peut-être suivie jusque dans le monde réel.

Impossible de se débarrasser de cette pensée ridicule.

Haletante, elle faillit renverser la lampe de chevet, puis ses doigts trouvèrent l'interrupteur. La lumière diffuse qui éclaira soudain la chambre ne fit apparaître aucune créature cauchemardesque. Seulement Jack. Couché sur le ventre, la tête tournée de l'autre côté, il ronflait tranquillement.

Elle parvint à retrouver une respiration normale, mais les battements de son cœur ne semblaient pas vouloir se calmer. Quoique trempée de sueur, elle était incapable d'arrêter de grelotter.

Seigneur, quel rêve...

Comme elle ne voulait surtout pas réveiller Jack, Heather éteignit la lampe — et le retour de l'obscurité la fit sursauter.

Elle s'assit au bord du lit, avec l'intention de rester là jusqu'à ce que son rythme cardiaque retrouve des pulsations normales et qu'elle ait cessé de trembler. Ensuite, elle passerait une robe de chambre par-dessus son pyjama, puis elle descendrait au rez-de-chaussée, pour lire jusqu'au matin. A en croire les chiffres verts luminescents du réveil électronique, il était trois heures neuf, mais elle savait qu'elle serait incapable de se rendormir. Inutile d'essayer. Il était même parfaitement envisageable qu'elle ne puisse pas non plus dormir la nuit suivante.

Elle se souvenait très bien de la présence visqueuse, à moitié entrevue, qui se tortillait sur le seuil, et du froid mordant. Il lui semblait encore en sentir le souffle sur sa peau, comme un frisson interminable. Et répugnant. Elle éprouvait une horrible impression de contamination, se sentant salie *à l'intérieur*, là où elle ne pourrait jamais effacer la souillure. Elle décida alors qu'elle avait le plus grand besoin d'une bonne douche brûlante, et elle se leva.

Son dégoût vira immédiatement à la nausée.

Sans allumer la salle de bains, elle se pencha au-dessus du lavabo, secouée par de longs hauts-le-cœur, qui lui laissèrent un goût amer au fond de la gorge. Elle éclaira brièvement l'une des deux appliques, et se rinça soigneusement la bouche. A nouveau dans le noir, elle se passa de l'eau sur le visage pendant un long moment.

Assise au bord de la baignoire, elle s'essuya le visage dans une serviette éponge, puis tenta de se calmer, tout en essayant de comprendre pourquoi le rêve l'avait à ce point bouleversée. Sans y parvenir.

Au bout de quelques minutes, après s'être ressaisie, elle retourna dans la chambre, en évitant de faire le moindre bruit. Les ronflements de Jack étaient à peine audibles, mais il dormait toujours.

Sa robe de chambre était posée sur le dossier d'un fauteuil. Elle la prit en passant et se glissa hors de la pièce, refermant lentement la porte derrière elle. Elle resta sur le palier, le temps d'enfiler la robe de chambre.

Bien qu'elle ait d'abord eu l'intention d'aller dans la cuisine, pour se faire un café et lire un bon bouquin, elle prit la direction de la chambre de Toby, au bout du couloir. Malgré ses efforts, elle ne parvenait pas à oublier complètement la peur ressentie après le cauchemar de tout à l'heure, et son angoisse commençait à se cristalliser sur son fils.

La porte était entrouverte, et la pièce plongée dans la pénombre. Depuis leur arrivée dans le ranch, Toby avait demandé à dormir avec une veilleuse à côté de son lit, un réconfort nocturne dont il n'avait pourtant plus besoin depuis un an. Sa réaction avait un peu surpris Heather et

Jack, mais ils ne s'inquiétaient pas trop de ce soudain sentiment d'insécurité. Dès qu'il se serait adapté à son nouvel environnement, Toby cesserait de réclamer la petite ampoule rouge.

Toby était presque entièrement recouvert par les couvertures, et seule sa tête dépassait, posée sur l'oreiller. Sa respiration était si paisible que Heather dut se pencher vers lui pour l'entendre.

Dans la chambre, apparemment, rien n'avait bougé, mais elle ne se décidait pas à repartir. Une légère angoisse persistait à la paralyser sur place.

Comme Heather regagnait la porte, elle entendit soudain un léger grattement, et s'immobilisa, avant de faire volte-face et de vérifier que Toby ne s'était pas réveillé.

Il dormait toujours. En fait, le bruit provenait de l'escalier en colimaçon, à l'arrière de la maison. Un frottement caractéristique, provoqué par quelque chose de dur, peut-être un talon de botte, raclant le bois de l'escalier. Facilement identifiable, à cause de l'espace qui séparait chaque marche et qui faisait ainsi office de caisse de résonance.

Instantanément, elle fut gagnée par cette même angoisse, qu'elle n'avait *pas* ressentie lorsqu'elle avait balayé les escaliers, mais qui s'était emparée d'elle lorsqu'elle descendait l'escalier, profond comme un puits, à la suite de Paul Youngblood et de Toby. La certitude éprouvante et paranoïaque que quelqu'un — quelque *chose* ? — l'attendait au tournant. Ou descendait derrière eux. Un ennemi possédé d'une rage singulière, et capable d'une extrême violence.

Elle fixait du regard la porte, fermée, qui accédait à la cage d'escalier. La laque blanche dont elle était peinte reflétait la lueur diffusée par la veilleuse, et le battant rougeoyait comme les portes de l'enfer.

Elle attendit que le bruit se répète.

Toby, tout en continuant à dormir paisiblement, poussa un petit gémissement. Un soupir, rien de plus.

A nouveau, ce fut le silence.

Bien sûr, elle pouvait se tromper. Il pouvait s'agir seulement d'une chouette se posant sur le toit dans un grand bruissement d'ailes, et grattant l'ardoise de ses pattes griffues. Elle s'était peut-être trompée en localisant le son dans la cage étroite de l'escalier. Le cauchemar avait exacerbé sa sensibilité. Ses perceptions n'étaient sans doute pas très fiables, étant donné sa nervosité. En tout cas, elle aurait payé cher pour le croire.

Crrrac-crrrrak.

Cette fois, pas d'erreurs. Moins sonore que la première fois, le bruit venait décidément bien de la porte qui ouvrait sur l'escalier en colimaçon. Elle se souvenait du craquement de certaines marches lorsqu'elle était descendue la première fois, lors de la visite guidée du lundi précédent, et de leurs gémissements sous ses coups de serpillière, le mercredi suivant.

Elle eut soudain envie d'arracher Toby à son lit, de l'emporter en courant dans le couloir, jusqu'à sa propre chambre, et de réveiller Jack. Jamais, dans toute son existence, elle n'avait battu en retraite. Au cours de la crise des huit derniers mois, elle avait considérablement développé sa force intérieure, et son assurance était plus grande que jamais auparavant. Malgré la sensation désagréable d'avoir dans le cou une mygale qui la faisait frissonner, elle se mit à rougir à l'idée de s'enfuir, telle la fragile héroïne d'un mauvais roman gothique, qu'un simple bruit suffisait à terroriser.

Elle s'approcha de la porte. Le verrou extérieur était fermé.

Elle colla son oreille contre la fente, entre le battant et l'encadrement, retenant sa respiration. Un imperceptible courant d'air lui chatouilla la joue, mais elle ne perçut pas le moindre bruit.

Tout en écoutant attentivement, elle se dit que l'intrus se trouvait peut-être en haut des marches, à quelques centimètres d'elle, de l'autre côté du battant. Elle se le représentait aisément, silhouette inconnue, la tête plaquée contre la porte, l'oreille sur la fente, guettant le moindre signe *d'elle*.

Ridicule. Les craquements qu'elle avait entendus étaient intrigants, sans plus. Même ancienne, la charpente d'une maison craquait continuellement, à cause de l'action permanente des diverses pressions exercées sur le bois. Ce fichu rêve lui avait vraiment perturbé l'esprit.

Toby grogna quelques mots incompréhensibles. Elle tourna la tête vers lui. Son murmure n'avait duré que trois ou quatre secondes.

Heather recula d'un pas et observa la porte, pensivement.

Elle ne voulait surtout pas mettre en danger Toby, mais elle commençait à se trouver franchement ridicule. C'était une porte qu'elle avait sous les yeux, une simple porte. Donnant sur l'escalier qui desservait l'arrière de la maison. La nuit était parfaitement banale, elle avait fait un mauvais rêve, ses nerfs étaient un peu secoués, voilà tout.

Elle posa la main sur la molette du verrou. Le cuivre était froid.

Elle se souvint alors du besoin urgent qui s'était emparé d'elle dans le rêve : Fais-le entrer, fais-le entrer, fais-le entrer.

C'était un rêve. Mais, à présent, elle était en pleine réalité. Les gens qui n'étaient pas capables de faire la différence entre les deux se retrouvaient en général entre quatre murs capitonnés, aux bons soins d'infirmières qui leur parlaient toujours très gentiment.

Laisse-le entrer.

Elle débloqua le verrou, tourna la poignée, et hésita à nouveau.

Ouvre.

Exaspérée, Heather ouvrit la porte à toute volée.

Elle avait complètement oublié que la lumière dans la cage d'escalier était éteinte. Celle-ci ne disposait d'aucune ouverture, et la lumière du couloir ne parvenait pas à l'éclairer. La lueur rouge de la veilleuse à côté du lit de Toby ne se diffusait que dans sa chambre. Heather se retrouva face à un rectangle noir, incapable de discerner la moindre présence, ni en haut des marches ni plus bas. Mais elle reconnut l'odeur répugnante qu'elle croyait avoir fait disparaître à grand renfort d'ammoniaque et d'huile de coude, deux jours auparavant. Une odeur pas très puissante, mais plus forte que la fois précédente : celle de la chair en décomposition.

Elle avait peut-être seulement *rêvé* qu'elle se réveillait, alors qu'elle était encore plongée en plein cauchemar.

Le cœur prêt à exploser, le souffle coupé, elle se jeta sur l'interrupteur électrique, qui était de son côté. S'il avait été de l'autre, elle n'aurait sans doute pas eu le courage nécessaire de tendre le bras pour le chercher. Ses doigts ne le localisèrent pas tout de suite, et elle s'y reprit à deux fois, sans oser détourner le regard, tâtant le mur là où elle se souvenait de l'avoir vu. Elle faillit crier à Toby de se réveiller et de venir la rejoindre, mais elle finit par trouver l'interrupteur — Merci, mon Dieu — et elle le fit jouer.

Lumière.

Personne.

Rien. Evidemment.

Quoi d'autre ?

Une spirale de marches dont elle n'apercevait pas la fin.

Plus bas, un craquement se fit distinctement entendre.

Oh, mon Dieu...

Elle fit un pas en avant. Elle était pieds nus, sur le bois froid et rugueux.

Un second craquement, plus faible que le précédent.

Une planche qui travaillait, sans doute.

Elle posa un pied sur la première marche, la main gauche posée sur le mur concave, et commença à descendre. A chaque pas, une nouvelle marche apparaissait à sa vue.

Si elle rencontrait quoi que ce soit, elle ferait volte-face et remonterait en courant, droit vers la chambre de Toby, et refermerait la porte de l'escalier le plus vite possible, poussant le verrou derrière elle. Il était impossible d'ouvrir depuis la cage d'escalier, et ils seraient en sécurité.

D'en bas, lui parvint alors un cliquetis furtif, suivi d'un choc léger — comme si une porte se refermait précautionneusement.

Soudain, la perspective d'une confrontation lui fut moins pénible que la possibilité de rester sur sa faim. Il fallait qu'elle *sache*, d'une façon ou d'une autre, et Heather oublia sa timidité. S'élançant dans l'escalier, elle dévala le colimaçon en manifestant sa présence le plus bruyamment possible, jusque dans le vestibule au pied des marches.

Désert.

Elle tenta d'ouvrir la porte donnant sur la cuisine. Fermée. Il fallait une clé pour l'ouvrir de ce côté, et elle ne l'avait pas. L'intrus non plus, assurément.

La seconde porte menait au petit porche à l'arrière. Le verrou étant poussé, elle fit jouer la molette et se retrouva dehors, sous le porche.

Désert lui aussi. Et, apparemment, nul n'était en train de courir sur la pelouse en direction des premiers sapins.

D'ailleurs, même si personne n'avait besoin d'une clé pour sortir par là, il en fallait une pour refermer le verrou de l'extérieur.

Quelque part dans la forêt, une chouette lança son faible cri. Sans un souffle, froid et humide, l'air de la nuit donnait l'impression d'être non pas dehors, mais enfermé au fond d'une cave couverte de moisissure.

Elle était seule. Mais ce n'était pas ainsi qu'elle aurait défini la sensation qui l'habitait. Elle était... observée.

« Doux Jésus, Heather, dit-elle, mais qu'est-ce qui t'arrive ? »

Elle retourna dans le vestibule et referma le verrou. Les yeux fixés sur le cuivre brillant, elle se demanda si son imagination n'était pas en train de lui jouer un mauvais tour, en lui faisant prendre quelques bruits, parfaitement anodins, pour les preuves d'une présence qui, jusqu'à présent, brillait surtout par son absence.

L'odeur de pourri persistait.

Oui, bien sûr, le mélange d'eau et d'ammoniaque n'avait pas été assez puissant pour dissiper la puanteur plus d'un jour ou deux. Un rat, ou n'importe quel animal de cette taille, était peut-être en train de pourrir au fond d'un trou, quelque part dans le mur.

Elle fit demi-tour, s'apprêtant à gravir à nouveau l'escalier, quand son pied nu se posa sur quelque chose. Relevant vivement la jambe, elle fixa le sol. Une motte de terre de la taille d'une prune s'était effritée sous son talon.

Remontant au premier étage, elle remarqua quelques grains de terre, éparpillés sur certaines marches, qui n'avaient pas attiré son attention lors de sa course vers le rez-de-chaussée. Après la désinfection à laquelle elle s'était livrée, il ne restait plus aucune saleté dans l'escalier, elle en était certaine. Elle y vit la preuve d'une présence récente. Plus vraisemblablement, il s'agissait d'un peu de terre que Toby avait rapportée sous ses semelles alors qu'il revenait de l'extérieur. C'était un enfant plutôt soigneux, en général, et naturellement propre, mais il n'avait que huit ans.

Heather retourna à la porte de la chambre de Toby et la ferma à clé, puis elle éteignit la lumière dans l'escalier.

Son fils dormait profondément.

Se sentant plus idiote que réellement troublée, elle redescendit à la cuisine. Si l'odeur répugnante indiquait la présence d'un intrus quelconque, et s'il en restait des traces dans l'air, elle saurait ainsi qu'il avait la clé de la porte donnant accès au petit vestibule. Et, dans ce cas, elle irait réveiller Jack, et insisterait pour qu'ils fouillent toute la maison de fond en comble — et pour qu'ils soient armés.

Dans la cuisine, ça sentait le propre. Et le sol était impeccable.

Elle en fut presque déçue. Le fait qu'elle ait tout imaginé la vexait terriblement, mais elle était forcée d'en convenir.

Imagination ou pas, elle ne pouvait s'empêcher de penser qu'elle était sous surveillance, et elle tira le store devant chacune des deux fenêtres.

Reprends-toi, se morigéna-t-elle. Tu es encore loin de la ménopause, jeune fille, et cette paranoïa subite ne te ressemble vraiment pas.

Elle voulait passer le reste de la nuit à lire, mais elle était trop énervée pour se concentrer sur un livre, quel qu'il soit. Il fallait qu'elle s'occupe.

Elle mit en marche la cafetière électrique. Puis, tandis que le café se faisait, elle se livra à l'inventaire du contenu du congélateur. Une demi-douzaine de plats cuisinés, un paquet de saucisses de Francfort, deux de maïs Géant Vert, un sac de myrtilles de l'Oregon, qu'Eduardo Fernandez avait laissés intacts, et qu'ils pouvaient utiliser.

Dans l'un des tiroirs du bas, sous un paquet de gaufres et une livre de bacon, elle trouva une pochette en plastique, hermétiquement fermée grâce à une fermeture à glissière. Le givre l'avait rendue opaque, mais elle devina un bloc-notes, de format courant, dont la première feuille était couverte d'une écriture fine.

Elle ouvrit la pochette — puis elle hésita. Le fait d'avoir rangé le bloc-notes dans un tel endroit revenait à l'avoir *caché*. Eduardo Fernandez considérait sans doute qu'il contenait des informations importantes et extrêmement confidentielles, et Heather répugnait à violer l'intimité d'un vieillard disparu. Même s'il était mort et enterré, il restait le bienfaiteur qui avait changé radicalement le cours de leur existence, et il méritait à la fois son respect et sa discrétion.

Elle lut les premières lignes de la page qu'elle avait sous les yeux — *Je m'appelle Eduardo Fernandez* — et feuilleta le reste du bloc-notes, qui confirmait qu'il s'agissait bien d'un texte, d'ailleurs assez long, écrit de la main du vieil homme. Deux tiers des pages ou presque étaient couvertes de son écriture appliquée.

Résistant à la curiosité, Heather posa le bloc-notes sur le réfrigérateur, dans l'intention de le remettre à Paul Young-blood, la prochaine fois qu'elle le verrait. Dans l'entourage d'Eduardo Fernandez, le notaire était la seule personne à pouvoir prétendre au titre d'ami, et sa charge professionnelle lui conférait tout pouvoir sur ses affaires.

Si le contenu du bloc-notes était important, et même confidentiel, seul Paul Youngblood était habilité à en prendre connaissance.

Elle acheva l'inventaire du congélateur et se versa une seconde tasse du café. Puis elle s'assit à la table, et entreprit de rédiger une liste. Alimentation et produits ménagers. Demain matin, ils se rendraient au supermarché d'Eagle's Roost, pour acheter de quoi remplir le frigo, et surtout les étagères à moitié vides du cellier. S'ils devaient se retrouver bloqués par la tempête pendant plusieurs jours, elle avait l'intention de s'y préparer sérieusement.

Elle s'interrompit pour écrire quelques mots sur une autre feuille de papier, afin de rappeler à Jack qu'il devait prendre rendez-vous avec le garagiste, en vue d'équiper l'Explorer d'une lame chasse-neige.

En commençant à écrire la liste des courses, Heather s'était sentie encore très nerveuse, attentive au moindre son. Mais l'activité à laquelle elle se livrait était si banale qu'elle finit par l'apaiser. Au bout d'un moment, toute son inquiétude s'était dissipée.

Toby dormait. Et Toby gémissait faiblement.

Il disait : « Va-t'en... Va-t'en... »

Pendant une trentaine de secondes, il resta ensuite parfaitement silencieux. Puis, rejetant les couvertures, il sortit du lit. Dans la lumière rouge ambiante, son pyjama d'un jaune très pâle donnait l'impression d'être taché de sang.

Debout à côté de son lit, il se balançait d'un pied sur l'autre, au rythme d'une musique qu'il était le seul à entendre.

« Non », murmura-t-il, d'une voix neutre où ne perçait aucune émotion particulière.

« Non... non... non... »

Redevenu muet, il s'approcha de la fenêtre et regarda au-dehors.

Là-haut, à la lisière de la forêt, nichée sous les sapins, l'ancienne maison des gardiens était allumée. Une étrange lumière, d'un bleu aussi pur qu'une flamme de gaz, qui irradiait de chaque côté des carrés de contre-plaqué condamnant les fenêtres, par-dessous la porte d'entrée, et même de la cheminée sur le toit d'ardoises.

« Ah », dit seulement Toby.

L'intensité de la lumière était variable, et subissait des variations de puissance. Parfois, les rayons qui s'échappaient par toutes les fentes de la petite maison en pierre, même les plus petites, se mettaient à briller si violemment qu'il lui était douloureux de les regarder ; d'autres fois, la lueur était si faible qu'on aurait pu la croire prête à s'éteindre. Même au maximum de sa force, la lumière restait froide, sans jamais donner l'impression d'une quelconque chaleur.

Toby resta longtemps immobile, devant la fenêtre.

La lumière finit par disparaître. Et la petite maison en pierre retourna aux ténèbres.

Le petit garçon rejoignit son lit.

La nuit reprit son cours.

CHAPITRE SEIZE

La journée du samedi commença avec un soleil éclatant. Un vent froid soufflait du nord-ouest, et des vols d'oiseaux surgissaient régulièrement de la forêt, comme chassés des montagnes par un prédateur qui les forçait à migrer vers la vallée.

A la radio, la météo — que Jack et Heather écoutaient tout en se préparant — annonçait des chutes de neige au cours de la journée. On n'avait, depuis des années, selon le présentateur, connu de tempêtes aussi précoces, et la couche de neige risquait d'atteindre, par endroits, jusqu'à vingt-cinq centimètres.

A en juger par le ton du bulletin météorologique, vingt-cinq centimètres de neige, dans ces montagnes, étaient chose commune. Personne ne parlait de fermetures de routes anticipées, ni de zones courant des risques particuliers. Une deuxième tempête était annoncée après celle qui se préparait ; attendue dans la journée de dimanche, elle serait apparemment moins violente que la première, prévue pour le début de la soirée.

Assise au bord du lit, penchée en avant afin de nouer les lacets de ses *Nike*, Heather s'exclama : « Hé, il faut qu'on se trouve des luges ! »

Jack était en train d'enlever d'un cintre une chemise à carreaux rouges et noirs. « On dirait une petite fille.

— Tu sais bien que c'est la première fois que je vais voir tomber de la neige.

— C'est vrai, j'avais oublié. »

A Los Angeles, pendant l'hiver, quand le brouillard dû à

la pollution s'éclaircissait, on voyait apparaître les sommets blancs des montagnes. C'était tout ce qu'elle connaissait de la neige et de l'hiver en altitude. Ne skiant pas, elle n'était jamais allée à Arrowhead ni à Big Bear, sauf en été, et l'imminence de la tempête l'excitait comme une petite fille.

Ses lacets noués, elle dit : « Il faut prendre un rendez-vous avec le garagiste pour équiper l'Explorer avant que ce soit *vraiment* l'hiver.

— C'est fait, dit Jack. Dix heures, demain matin. » Tout en boutonnant sa chemise, il s'approcha de la fenêtre. A l'est, la forêt ; au sud, les courbes des vallées. « Cette vue m'hypnotise, tu sais. Par exemple, je suis en train de faire quelque chose qui réclame toute mon attention, et voilà que je regarde par la fenêtre, et *hop !*, je tombe en contemplation. »

Heather passa derrière lui et le prit dans ses bras, regardant par-dessus son épaule le panorama splendide qui s'offrait à leur vue. « Ça va bien se passer ? lui demanda-t-elle, au bout de quelques instants de silence.

— Ça va être grandiose. On est chez nous, ici. Ce n'est pas l'impression que tu as ?

— Si », répondit-elle, après une imperceptible hésitation. En plein jour, l'incident de la nuit précédente lui semblait infiniment moins inquiétant. Il s'agissait très probablement du produit de sa seule imagination. Tout compte fait, elle n'avait rien vu, et elle ne savait même plus ce qu'elle s'était attendue à voir. Un reste de stress urbain, que le cauchemar avait aggravé. Rien de plus. « Tu as raison, nous sommes chez nous. »

Il se retourna vers elle, la prit à son tour dans ses bras, et ils s'embrassèrent. Les mains de Heather caressaient paresseusement le dos de Jack, massant gentiment ses muscles fermes, auxquels les exercices de Moshe Bloom avaient redonné force et tonus. Il se sentait si bien, à présent. Epuisés par le déménagement et l'installation dans leur nouvelle maison, ils n'avaient même pas eu le temps de faire l'amour depuis leur dernière nuit à Los Angeles. Dès qu'ils auraient inauguré conjugalement leur nouvelle chambre, ils seraient *chez eux*, dans tous les sens du terme, et l'espèce de malaise dont Heather était victime disparaîtrait complètement.

Il fit glisser ses mains amoureuses sur la courbe des

hanches de Heather, et l'attira contre lui. Ponctuant ses mots de petits baisers dans le cou de la jeune femme, sur ses joues, ses paupières et la commissure de ses lèvres douces, il murmura : « Ce soir... quand la neige tombera... nous boirons du champagne... devant la cheminée... un slow à la radio... détendus... relax...

— Relax..., reprit-elle rêveusement.

— Alors, je m'approcherai de toi...

— Tu t'approcheras de moi...

— Et nous ferons une chose merveilleuse, la plus merveilleuse des choses que je puisse faire avec toi...

— Merveilleuse...

— Une bataille de boules... de neige. »

Elle plaqua sur sa joue un gros bisou sonore. « Espèce de brute. Je t'avertis, je mettrai des cailloux dans les miennes.

— A moins que nous ne passions la soirée à faire l'amour.

— Tu ne préfères pas jouer dehors avec ton bonhomme de neige ?

— Plus maintenant, j'ai réfléchi.

— Finis de t'habiller, gros malin. On a des courses à faire en ville. »

Heather trouva Toby dans le salon, prêt à entamer une nouvelle journée. Assis par terre devant la télé, le son coupé, il regardait l'émission en cours.

« Ils ont prévu une grosse tempête pour ce soir, lança-t-elle de la porte, prévoyant de sa part un débordement d'enthousiasme. Pour Toby aussi, qui n'avait jamais vu la neige, cette tempête serait la première de sa vie.

Aucune réaction.

« Quand nous serons en ville, nous achèterons des luges, histoire d'être prêts. »

D'une immobilité quasi minérale, Toby gardait les yeux fixés sur la télé.

De là où elle se trouvait, Heather ne voyait pas quel était le programme qui le captivait autant. « Toby ? » Elle avança vers lui. « Hé, Toby, c'est quoi, ce que tu regardes ? »

Il ne s'aperçut de sa présence que lorsqu'elle fut tout près. « Sais pas. » Le regard vague qu'il leva vers Heather lui donna l'impression qu'il ne la voyait pas vraiment. Puis l'attention de Toby se porta à nouveau sur la télé.

Un flux constant de formes amibiennes occupait la totalité de l'écran, rappelant tout de suite à Heather ces drôles de lampes psychédéliques, très à la mode dans les années soixante-dix. Mais ces dernières étaient bicolores, alors que l'écran se couvrait sans cesse de teintes infiniment variées, passant par toutes les couleurs primaires, alternativement claires et foncées. En permanente évolution, les couleurs et leurs contours se mélangeaient souplement, dilatés puis rétractés, jaillissant soudain en ruisseaux miniatures, pour constituer ensuite un semis de pointillés bientôt transformés en larges ondulations. L'exposition mouvante et continuelle de ce chaos informe évoluait suivant un rythme variable, allant de la frénésie la plus brouillonne à une apparente immobilité, qui n'excédait jamais quelques secondes.

« Qu'est-ce que c'est que ça ? » demanda Heather.

Toby se contenta de hausser les épaules.

Se recomposant sans cesse, les courbes abstraites et multicolores étaient intéressantes, et souvent d'une réelle beauté. Plus elle les regardait, pourtant, plus elle les trouvait troublantes, sans s'expliquer pourquoi. Rien dans les formes ni dans les couleurs n'était intrinsèquement angoissant ou menaçant. En fait, la fluidité rêveuse du spectacle se révélait plutôt apaisante.

« Pourquoi as-tu coupé le son ?

— J'ai pas coupé le son. »

Elle s'accroupit à côté de lui et tendit la main vers la télécommande. Elle pressa le bouton du volume, sans résultat. Le seul son audible, c'était le sifflement étouffé que produisaient les haut-parleurs.

Elle changea de chaîne au hasard. La voix tonitruante d'un présentateur sportif déchaîné leur éclata aux oreilles, et les cris d'une foule de supporters en délire envahirent le salon. Heather se hâta de régler le volume.

Elle voulut revenir sur la chaîne précédente, mais les images psychédéliques avaient disparu. C'était maintenant Daffy Duck qui occupait l'écran, et, à en juger par le rythme halluciné de l'action en cours, on n'était pas loin de la traditionnelle explosion finale.

« Bizarre, dit-elle.

— J'ai bien aimé, moi », répliqua Toby.

Les chaînes se succédèrent en vain sur l'écran, dans un

sens, puis dans l'autre. L'étrange ballet avait bel et bien déserté la télé. Elle pressa le bouton d'arrêt, et l'écran s'éteignit.

« Bah !... De toute façon, dit-elle, il est l'heure de prendre ton petit déjeuner. Et ne tarde pas trop, on a des tas de trucs à faire en ville. J'ai envie qu'on ait le temps d'acheter les luges.

— Acheter quoi ? lui demanda Toby en se relevant.

— Tu n'as pas entendu ce que je t'ai dit tout à l'heure ?

— Ben non.

— Quand j'ai parlé de tempête de neige ? »

Le visage du petit garçon s'éclaira soudain. « Il va neiger ?

— Je me demande parfois ce que tu mets dans tes oreilles, pour être sourd à ce point », dit-elle en retournant vers la cuisine.

Toby la suivit. « Quand ? Maman, c'est quand, qu'il va neiger ? Aujourd'hui ?

— À mon avis, il n'y a qu'une explication à ta surdité, mon fils. Tu ne te laves jamais les oreilles, et tu as tellement de cire accumulée au fond de tes conduits auditifs qu'on pourrait en faire une bougie. Peut-être même plusieurs.

— Il va tomber beaucoup de neige, maman ?

— Il y a sûrement des escargots morts, là-dedans.

— Des petits flocons ou une grande tempête ?

— Sans oublier une ou deux souris. Mortes également.

— *Maman ?* » lança Toby, exaspéré, en entrant à son tour dans la cuisine.

Faisant volte-face, elle se pencha vers lui et plaça la main à la hauteur du genou du petit garçon. « Jusque-là, peut-être plus haut.

— C'est vrai ?

— On ira faire de la luge.

— Super !

— On fera aussi un bonhomme, avec une carotte à la place du nez.

— Une bataille de boules de neige ! lança-t-il sur un ton de défi.

— Entendu. Papa et moi contre toi.

— C'est pas juste ! » Il courut vers la fenêtre et colla le front au carreau. « Mais le ciel est tout bleu !

— Attends un peu, tu verras. Tempête garantie, dit-elle en se dirigeant vers le garde-manger. Tu veux des corn-flakes ?

— Je veux des beignets et du lait avec plein de chocolat.

— Compte là-dessus, mon petit.

— Je peux essayer, pas vrai, ma petite maman ? Des corn-flakes, alors.

— C'est bien.

— Hé ! » s'exclama-t-il d'un ton surpris en reculant d'un pas. « Maman, viens voir !

— Quoi ?

— Regarde, vite, regarde l'oiseau, là. Il vient de se poser juste en face de moi. »

Heather le rejoignit devant la fenêtre, et elle aperçut alors un corbeau, perché sur le rebord extérieur, de l'autre côté de la vitre. Il avait la tête penchée sur le côté, et fixait sur eux un œil curieux.

« Il a foncé tout droit vers moi, poursuivit Toby. J'ai cru qu'il allait s'écraser sur la vitre. Qu'est-ce qu'il fait, maman ?

— Il est sûrement à la recherche de nourriture, comme des petits asticots, ou une petite limace bien tendre.

— J'aime pas les limaces.

— Il a peut-être repéré les escargots que tu as dans les oreilles », dit-elle en riant, avant de retourner dans le garde-manger.

Un instant plus tard, Toby aidait sa mère à mettre la table pour le petit déjeuner, tandis que le corbeau, qui n'avait pas bougé de la fenêtre, les fixait obstinément.

« Ce corbeau est sûrement très bête, dit Toby, s'il croit vraiment qu'il va trouver des limaces sur le rebord de notre fenêtre.

— On a peut-être affaire à un corbeau civilisé et raffiné, qui m'a entendu parler de corn-flakes. »

Toby fut chargé par Heather de remplir les bols de céréales, et l'œil noir du corbeau resta rivé sur lui, sauf pendant les rares instants où l'oiseau se lissa les ailes de son bec.

Jack descendit l'escalier en sifflotant, puis il fit irruption dans la cuisine. « Je me sens tellement affamé que je pourrais manger un pur-sang arabe. Serait-il possible d'avoir deux œufs au plat et un steak de cheval ?

— Tu ne préfère pas un steak de corbeau ? lui demanda Toby en montrant le volatile imperturbable.

— Bien nourri, le bougre », s'étonna Jack en s'approchant de la fenêtre, intrigué par la présence de l'oiseau.

« Maman, regarde, papa essaie de forcer le corbeau à regarder ailleurs ! s'écria Toby, que le défi amusait.

Le visage de Jack était à deux centimètres de la vitre, et l'oiseau le dévisageait de son œil d'encre. Heather prit quatre toasts et les fit tomber dans le grille-pain, puis elle régla la minuterie et abaissa la manette, avant de regarder Jack à nouveau. Lui et l'oiseau étaient toujours face à face.

Toby rigola. « Je crois bien que papa va perdre. »

A l'aide de son index replié, Jack frappa quelques coups contre la vitre, mais le corbeau ne flancha pas.

« Petit insolent », dit Jack.

A cet instant, plus rapide que l'éclair, le bec du corbeau vint cogner contre la vitre, si fort que Jack, qui était juste en face, recula, surpris, et manqua de perdre l'équilibre. L'oiseau s'envola alors en battant des ailes, et il se perdit dans les airs.

Toby éclata de rire. « C'est lui qui a gagné ! »

Jack s'approcha de lui. « Ah bon ? Tu trouves ça rigolo, on dirait ? Je vais te montrer ce qui est rigolo, moi. Tu vas avoir droit à la fameuse torture chinoise. »

Heather riait, elle aussi.

Toby se réfugia près de la porte et, constatant que Jack le suivait, il s'enfuit à toutes jambes dans une autre pièce, en poussant de petits gloussements de joie.

« Les garçons ? Ôtez-moi d'un doute : j'ai un fils, ou j'en ai deux ? » leur lança Heather après qu'ils eurent disparu dans le couloir.

« Deux ! », lui cria Jack en retour.

Le grille-pain sursauta soudain, et Heather en retira quatre toasts dorés qu'elle déposa sur une assiette, avant de recommencer l'opération avec quatre autres tranches.

Quelque part dans la grande maison, on entendait retentir des rires hystériques.

Heather s'approcha alors de la fenêtre. Le choc du bec du corbeau contre la vitre avait été si violent qu'elle s'attendait presque à trouver le verre fendu. Mais le carreau était intact. Dehors, une plume noire tremblait au gré du vent, sans se décider à quitter le rebord de la fenêtre.

Elle leva les yeux vers le ciel. Très haut, perdu dans l'immensité bleue, un oiseau solitaire tournait en rond, trop distant pour qu'elle puisse déterminer avec certitude s'il s'agissait vraiment d'un corbeau.

CHAPITRE DIX-SEPT

Ils se rendirent d'abord au magasin de sports, où ils firent l'acquisition de deux luges (des modèles larges à fond plat, en pin verni, ornés d'un splendide éclair rouge peint au milieu) et d'équipements de ski pour toute la famille (combinaisons matelassées, bottes fourrées et gants). Toby tomba en arrêt devant un grand Frisbee, qui représentait une soucoupe volante jaune, avec des hublots peints sur tout le bord et un dôme rouge, en relief, au milieu, et ils l'achetèrent également. Arrivés au supermarché, ils firent d'abord le plein de gazole à la station-service, puis ils se lancèrent dans une course effrénée à travers les rayons du magasin.

A leur retour dans le ranch Quartermass, vers une heure et quart de l'après-midi, il ne restait plus qu'un tiers de ciel bleu, à l'est. De gros nuages noirs avaient pris possession du reste, poussés au-dessus des montagnes par de violentes rafales. Au niveau du sol, pourtant, seul un petit vent capricieux agitait les branches des sapins et frissonnait dans l'herbe sèche. La température était tombée au-dessous de zéro, et les prédictions de la météo semblaient devoir se vérifier.

Toby se rendit immédiatement dans sa chambre, et revêtit sa nouvelle combinaison de ski rouge et noire, avant d'enfiler ses bottes et ses gants tout neufs. Puis, muni de son Frisbee, il rejoignit ses parents dans la cuisine, où il leur annonça qu'il avait l'intention d'aller s'amuser dehors, en attendant que la neige commence à tomber.

Heather et Jack étaient encore en train de répartir les provisions sur les étagères du garde-manger. S'adressant à son fils, elle dit : « Toby, mon chéri, tu n'as pas déjeuné.

— J'ai pas faim. Mais je peux prendre un cookie au chocolat, si tu veux. »

Elle s'approcha de lui et noua sous son menton le capuchon de son blouson. « Bon, d'accord, mais ne reste pas trop longtemps dehors. Si tu sens que tu commences à avoir froid, rentre à l'intérieur, réchauffe-toi un peu, et attends d'avoir chaud pour retourner t'amuser. Je n'ai pas envie de te voir avec le nez gelé et prêt à tomber. » Gentiment, elle lui pinça la joue. Vêtu comme ça, Toby était vraiment mignon. Un vrai petit lutin.

« Ne lance pas ton Frisbee en direction de la maison, le prévint Jack. Si tu casses une vitre, nous serons impitoyables. Nous appellerons la police, et tu iras tout droit dans l'un des cachots de la prison centrale du Montana. »

Tout en lui donnant deux cookies, Heather dit alors à Toby : « Et ne va pas dans la forêt.

— D'accord.

— Reste près de la maison.

— Oui, maman.

— Fais bien ce que je te dis. » La forêt ne lui inspirait pas confiance. Mais il ne s'agissait pas du tout d'une crise de paranoïa, au contraire. Il existait un tas de raisons qui justifiaient sa prudence. D'abord, la faune sauvage. Et puis, les gens comme eux, qui débarquaient de la ville, couraient dans la forêt plus de risques que les autochtones. « Et je te préviens, quand on est au cachot, pas question de réclamer la télé, et encore moins des cookies au chocolat.

— Ça va, j'ai compris. *Chuuut !*... Je ne suis plus un bébé, tu sais, Maman.

— C'est vrai, intervint Jack, qui continuait à vider les sacs qu'ils avaient rapportés du supermarché. Mais pour un ours, par exemple, tu ressembles vraiment à un excellent déjeuner.

— Dans la forêt, il y a des ours ? demanda alors Toby.

— Y a-t-il des oiseaux dans le ciel ? rétorqua Jack. Des poissons dans la mer ?

272

— Ne t'éloigne pas de la maison, c'est tout, répéta Heather. Reste en vue, que je sache où tu es. »

Toby posa la main sur la poignée de la porte, puis il se tourna vers son père. « Toi aussi, sois prudent.

— Moi ?

— L'oiseau noir risque de revenir, et tu vas encore perdre ton pari. »

Jack fit mine de lui jeter la boîte de petits pois qu'il avait à la main, et Toby s'enfuit en riant. La porte claqua derrière lui.

Plus tard, après avoir rangé tous leurs achats, Jack se rendit dans le bureau, afin de jeter un coup d'œil à la bibliothèque d'Eduardo Fernandez, et de se choisir un roman. Heather, elle, monta dans la chambre d'ami au premier étage, où elle avait commencé à installer son matériel informatique. Le lit, qu'ils avaient démonté, se trouvait à présent dans le grenier, en pièces détachées. Formant un L, les deux grandes tables pliantes, que l'entreprise de déménagement avait transportées avec le reste de leurs affaires, trônaient maintenant au milieu de la pièce. Elle avait déjà branché trois ordinateurs, deux imprimantes, un scanner, mais elle n'avait pas encore eu le temps de procéder à des essais.

Actuellement, tout cet équipement ultrasophistiqué n'était pas vraiment justifié, mais elle concevait des programmes informatiques et des logiciels depuis qu'elle était en âge de gagner sa vie, et sans son outil de travail, même sans contrat à honorer, elle se sentait comme déconnectée. Après avoir positionné les machines les unes par rapport aux autres, elle procéda au câblage des divers éléments, tout en sifflotant gaiement une vieille chanson d'Elton John.

Bientôt, Jack et elle se mettraient à étudier sérieusement les possibilités professionnelles qu'offraient les environs, et ils décideraient alors de l'orientation à donner à leur vie. D'ici là, une seconde ligne téléphonique aurait été installée, et le modem serait devenu opérationnel. Elle pourrait alors avoir accès à des banques de données qui lui fourniraient toutes sortes d'informations, leur permettant de se livrer à une solide étude du marché local. Il fallait qu'ils mettent toutes les chances de leur côté.

Les montagnes du Montana étaient aussi ouvertes à la communication que Los Angeles, Manhattan, ou la célèbre Oxford University. Tout ce qu'il lui fallait, c'était une ligne de téléphone, un modem, et un abonnement à deux ou trois bonnes banques de données.

Vers trois heures de l'après-midi, Heather travaillait depuis déjà une heure, quand elle éprouva l'envie subite de se lever de sa chaise et de s'étirer. Tout en faisant jouer les muscles de son dos, elle se dirigea vers la fenêtre, pour voir si les flocons avaient de l'avance sur l'horaire prévu par la météo.

Le ciel de novembre, couleur de plomb, était très bas, telle une immense feuille de plastique gris tendue devant un énorme néon fluorescent. Même si elle n'avait pas écouté le bulletin météo, Heather aurait su, simplement en le voyant, que ce genre de ciel annonçait des chutes de neige imminentes. Un vrai ciel d'hiver.

Dans cette lumière métallique, le vert profond de la forêt semblait plus sombre encore. L'herbe sèche et grise qui poussait derrière la maison et dans les prés, plus au sud, offrait une apparence désolée, faisant sérieusement douter de sa capacité à renaître au printemps suivant. Malgré ses allures de dessin au fusain, le paysage monochrome était pourtant d'une grande beauté. Une beauté différente de celle qu'il revêtait lorsque le soleil brillait, mais plus imposante, plus rigoureuse, plus majestueuse.

Légèrement au sud, sur le monticule herbeux où se trouvait le cimetière privé du ranch Quartermass, elle repéra soudain un point coloré. Un point rouge. C'était Toby dans sa combinaison de ski flambant neuve. Il se tenait à l'intérieur de l'enceinte délimitée par le petit mur en pierre.

J'aurais dû lui dire de ne pas aller là-bas, se dit Heather, un petit pincement au cœur.

Le malaise qu'elle ressentait ne s'expliquait pas. Pourquoi le cimetière aurait-il été plus dangereux que les prés qui l'entouraient ? Elle ne croyait pourtant ni aux fantômes ni aux revenants.

Debout devant les pierres tombales, le petit garçon ne

bougeait pas. Elle l'observa pendant toute une minute, peut-être deux, mais l'immobilité de Toby s'éternisait. Pour un enfant de huit ans, qui habituellement débordait d'énergie, cette apparente paralysie avait quelque chose d'incroyable.

Tandis qu'elle gardait les yeux braqués sur Toby, le ciel s'alourdit encore.

La luminosité ambiante, imperceptiblement, continuait à baisser.

Toby, lui, ne bougeait toujours pas.

La température polaire ne dérangeait pas vraiment Jack — au contraire, il la trouvait plutôt revigorante —, mais le froid réveillait les blessures qu'avait subies sa jambe gauche, dont les os et les muscles redevenaient douloureux. Pourtant, c'est sans boiter qu'il se rendit d'un bon pas au petit cimetière.

Il se glissa entre les deux piliers en pierre de l'entrée, hauts d'un mètre environ.

Toby se trouvait devant la dernière pierre tombale d'une rangée qui en comptait quatre. Les bras ballants, la tête penchée, il fixait la pierre gravée. Par terre, à ses pieds, gisait le Frisbee. Le petit garçon respirait si faiblement qu'une légère buée s'échappait à peine de sa bouche, s'évaporant et se reconstituant au rythme lent de sa respiration.

« Qu'est-ce qui se passe, Toby ? »

Il n'obtint aucune réponse.

Sur la pierre tombale, que Toby fixait obstinément, gravés dans le marbre, on lisait le nom de THOMAS FERNANDEZ, ainsi que les dates de sa naissance et de sa mort. Jack n'avait pas besoin qu'on lui rappelle la dernière, à jamais inscrite dans son esprit.

Depuis leur arrivée au ranch, après la nuit passée chez les Youngblood, Jack n'avait pas encore eu le temps d'inspecter le cimetière. Sans compter que la perspective de se retrouver devant la tombe de Tommy ne l'emplissait pas franchement d'allégresse. En effet, les souvenirs sanglants et les morts récentes qui endeuillaient sa mémoire ne demandaient qu'à le tourmenter, le harcelant dès qu'il songeait au passé.

A gauche de la tombe de Tommy, une grande plaque de granit portait simplement deux prénoms, ceux de ses parents. *Eduardo et Margarite.*

L'inhumation d'Eduardo Fernandez remontait à quelques mois seulement, celle de Tommy, à l'année précédente, et celle de Margarite datait de trois ans. Pourtant, les trois tombes donnaient l'impression d'être récentes. La terre n'était pas tassée, et aucun brin d'herbe ne pointait à travers les mottes, ce qui était plutôt étonnant, puisque le quatrième emplacement, parfaitement plat, était couvert d'une espèce de gazon desséché. Que les fossoyeurs aient été forcés d'ôter la terre au-dessus du cercueil de Margarite afin de placer celui de son époux dans la tombe conjugale, c'était une chose parfaitement concevable, mais qui n'expliquait pas pourquoi l'emplacement réservé à Tommy se trouvait dans un état identique.

La dernière des quatre pierres tombales, qui se dressait dans l'herbe sèche, appartenait à feu Stanley Quartermass, leur bienfaiteur à tous. L'épitaphe, dont l'or des lettres avait terni au fil des intempéries, était encore lisible, et Jack se surprit à sourire, au moment où il s'y attendait le moins. Elle disait : *Ici repose Stanley Quartermass, que la mort renvoya trop tôt vers les étoiles, après une vie passée à les attendre dans les studios de Hollywood.*

Toby n'avait pas remué un cil.

« Toby, tu joues à quoi ? » demanda Jack.

Pas de réaction.

Il posa la main sur l'épaule du petit garçon. « Fiston ? »

Sans quitter des yeux la pierre tombale, Toby répondit : « Qu'est-ce qu'ils fabriquent, là-dessous ?

— Qui ? Où ?

— Eux, sous la terre.

— Tu veux parler de Tommy et de ses parents, et de M. Quartermass, c'est bien ça ?

— Qu'est-ce qu'ils font sous la terre ? »

Il n'y avait rien d'étonnant à ce qu'un enfant de son âge cherche à comprendre ce qu'était la mort. Le mystère restait entier, pour les petites comme pour les grandes personnes. Ce qui était surprenant, c'était la façon dont Toby avait formulé sa question.

« Eh bien, commença Jack, Tommy, ses parents, M. Quartermass... Ils ne sont pas vraiment là-dessous.

— Si.

— Non, ce sont simplement leur corps qui sont enterrés », dit Jack en pressant affectueusement l'épaule de son fils.

« Pourquoi ?

— Parce qu'ils n'en ont plus besoin, désormais. »

Le petit garçon ne fit aucun commentaire. Etait-il en train de penser que son propre père avait failli subir le même sort cruel ? Il s'était peut-être écoulé suffisamment de temps depuis la fusillade de la station-service pour que Toby soit maintenant capable d'affronter les émotions qu'il avait réprimées.

Le vent soufflant du nord-ouest se fit plus violent, soudain.

Les mains de Jack étaient glacées. Les fourrant au fond de ses poches, il reprit : « Les corps enterrés ici n'étaient pas à eux, de toute façon. Ils n'en étaient pas propriétaires, tu comprends ? »

Leur conversation devint alors plus surprenante encore. « Tu veux dire que ce n'étaient pas leur corps d'origine ? Ils étaient comme des marionnettes, alors ? »

Les sourcils froncés, Jack se laissa tomber à genoux à coté de Toby. « Des marionnettes ? Quelle drôle d'idée... »

Comme s'il était en transe, écarquillant ses yeux gris-bleu, le petit garçon dévorait du regard la tombe de Tommy.

« Toby, ça va ? »

Sans le regarder, Toby daigna parler.

« Des substituts ? »

Sous le coup de la surprise, Jack cligna des yeux.

« Substituts ? répéta-t-il.

— Où sont-ils ?

— C'est un bien grand mot, pour un petit garçon. Où as-tu entendu ça ? »

Mais, au lieu de lui répondre, Toby poursuivit : « Pourquoi n'ont-ils plus besoin de ces corps ? »

Jack réfléchit quelques secondes, puis il haussa les épaules. « Eh bien, mon fils, tout simplement parce qu'ils avaient achevé ce qu'ils avaient à faire en ce monde.

— Ce monde-ci ?

— Ils nous ont quittés, quoi.

— Où sont-ils allés ?

— Tu es allé aux cours de catéchisme, le dimanche matin, pas vrai ? Alors, tu connais la réponse.

— Non.

— Mais si.

— Non.

— Ils sont montés au ciel.

— Dans le ciel ?

— Oui.

— Avec quels corps ? »

Otant une main de sa poche, Jack attrapa le menton de Toby et le força à tourner la tête vers lui. Le père et le fils se regardaient à présent dans les yeux. « Toby, que se passe-t-il ? »

Ils étaient face à face, à quelques centimètres l'un de l'autre, mais le regard de Toby était perdu dans le lointain, comme si Jack avait été totalement transparent.

« Toby ?

— Avec quels corps ? »

Lâchant le menton du petit garçon, Jack fit passer sa main devant les yeux gris-bleu. Aucune réaction. C'était comme s'il n'avait rien vu.

« Avec quels corps ? » répéta-t-il, de plus en plus impatient.

Quelque chose n'allait pas, de toute évidence. Un blocage psychologique subit, provoquant un syndrome catatonique.

« Avec quels corps ? »

Le cœur battant, Jack fixait les yeux de son fils, qui, n'exprimant rigoureusement rien, n'étaient plus du tout les fenêtres de son âme, mais au contraire deux miroirs impénétrables, tenant le monde extérieur à distance. S'il s'agissait d'un problème psychologique, la cause n'en faisait aucun doute. L'année traumatisante qu'ils venaient de passer aurait suffi à provoquer chez un homme adulte — et *a fortiori* chez un enfant — une sévère dépression nerveuse. Mais qu'est-ce qui avait pu servir de catalyseur, et quand, et pourquoi? Pourquoi Toby craquerait-il, au bout de tant de mois, alors qu'il avait toujours fait preuve d'une étonnante capacité d'adaptation aux nouvelles circonstances?

« Avec quels corps? » demanda le petit garçon, d'une voix coupante.

« Viens avec moi, dit Jack en le prenant par sa main gantée. Rentrons à la maison.

— Avec quels corps ont-ils quitté ce monde?

— Toby, arrête.

— Il faut que je sache. Réponds-moi tout de suite. Dis-le-moi. »

Mon Dieu, Faites que je me trompe...

« Ecoute, Toby, rentre avec moi à la maison, et nous... »

Toby arracha sa main de celle de son père, ne lui laissant qu'un gant vide entre les doigts.

« *Avec quels corps?* »

Il ne pouvait pas s'agir d'une dépression nerveuse. Un déséquilibre psychologique grave ne se déclarait pas aussi soudainement, et toute maladie mentale était généralement précédée de signes avant-coureurs.

« *Avec quels corps?* »

Ce n'était pas Toby. Il était impossible que ce soit Toby.

Ridicule. C'était bien son fils qu'il avait devant lui. Qui d'autre?

Quelqu'un, parlant par la bouche du petit garçon, et se servant de lui pour s'exprimer.

Idée absurde et dérangeante à la fois. Parlant *par* la bouche de Toby?

Pourtant, agenouillé dans le cimetière, les yeux fixés sur ceux de son fils, Jack n'y voyait plus deux miroirs insondables, malgré le visage inquiet — le sien — que reflétaient les prunelles jumelles. Il n'y lisait pas non plus l'innocence enfantine, ni aucune des qualités qui caractérisaient Toby. Mais il percevait — ou croyait y percevoir — comme une présence surhumaine, et pourtant dépourvue de toute humanité. Une étrangeté défiant

l'entendement, qui regardait Jack du fond des yeux de
Toby.

« *Avec quels corps ?* »

La bouche de Jack était horriblement sèche. La langue
collée au palais, il n'arrivait même plus à déglutir. Et il
était gelé, mais ce n'était pas à cause du vent qui soufflait ce jour-là. Glacé jusqu'aux os, il avait pourtant la
certitude qu'il pouvait encore refroidir davantage.

Il n'avait jamais rien ressenti de semblable. La partie
cynique de lui-même répétait qu'il se conduisait de façon
ridicule et complètement hystérique, se laissant balayer
par une superstition primitive — tout ça parce qu'il refusait d'admettre que Toby souffrait de troubles d'origine
psychotique, le conduisant inévitablement à une sorte de
chaos mental. D'un autre côté, c'était précisément la
nature primitive de ses perceptions qui l'avait convaincu
que son fils partageait son propre corps avec une présence étrangère. Il l'avait flairée instinctivement, comme
un animal, au niveau le plus primaire que ses sens aient
jamais atteint ; sa conviction était mieux établie que
n'importe quel raisonnement intellectuel, il en avait la
certitude intime, comme s'il avait identifié un ennemi
grâce à l'empreinte olfactive des phéromones de ce dernier. Sa peau vibrait encore des ondes émanant d'une
aura qui n'avait rien d'humain.

Ses entrailles se nouèrent. Une sueur glacée couvrit
son front, et un atroce frisson courut le long de sa nuque.

Il voulut bondir pour attraper Toby et l'emporter en
courant jusqu'à la maison, afin de le soustraire à
l'influence de la force qui le possédait. Spectre, démon,
vieil esprit indien ? Non, ridicule. Bon Dieu, c'était pourtant bien quelque chose ! Mais quoi ?... Il hésita, en partie
parce qu'il était figé sur place, bouleversé par ce qu'il
croyait avoir vu dans les yeux du petit garçon, et aussi
parce qu'il redoutait de rompre la connexion entre Toby
et ce qui s'était branché sur son esprit, quoi que ce fût.
Interrompre le processus risquait de mettre le garçon en
danger, et peut-être même de provoquer d'irrémédiables
lésions mentales.

Ce qui était parfaitement absurde. Ça ne voulait rien
dire, rien. Mais, dans ce cas, plus rien ne conservait la

moindre signification, et tout perdait son sens. D'ailleurs, l'heure et le lieu contribuaient à donner à la scène une dimension quasi onirique.

Certes, c'était bien la voix de Toby, mais sans son phrasé habituel, ni ses intonations.

« *Avec quel corps ont-ils quitté ce monde ?* »

Jack décida alors de lui répondre. Le petit gant vide à la main, il avait l'impression qu'il lui fallait jouer l'horrible jeu, s'il ne voulait pas se retrouver avec un fils aussi vide que son gant, un petit garçon creux, dont on avait aspiré la substance, une forme privée de son contenu, avec ce regard gris-bleu, qu'il aimait tant, éteint pour toujours.

Et *ça*, ça voulait dire quoi ? Une tornade folle lui traversa l'esprit. Il se sentait coincé, au bord de l'abîme, et sur le point de perdre l'équilibre. C'était peut-être sa propre santé mentale qui était en train de basculer.

« Ils... ils n'avaient plus besoin d'avoir un corps. Tu le sais. Au paradis, personne n'a besoin de corps.

— Ils sont des corps, lâcha la voix de Toby, cryptique. Leurs corps sont.

— Ne sont plus. Ce sont des esprits, maintenant.

— Je ne comprends pas.

— Mais si, tu comprends très bien. L'âme. Leur âme est allée au paradis.

— Les corps sont.

— Les âmes vont au paradis pour être avec Dieu.

— Les corps sont. »

Le regard de Toby allait bien au-delà de Jack, le transperçant littéralement. Au fond de ses yeux, telle une volute de fumée, quelque chose bougeait, et Jack sut aussitôt que ce *quelque chose* le regardait intensément. « Les corps sont. Les marionnettes sont. Quoi d'autre ? »

Jack ne savait pas comment répondre à ça.

Le vent était plus froid que s'il soufflait du cœur d'un glacier.

Le prétendu Toby revint à sa question de départ. « Que font-ils là-dessous ? »

Jack regarda les tombes, puis les yeux du petit garçon, et il décida d'être direct. De toute façon, ne s'adressant pas à un petit garçon, il n'avait plus besoin d'user de métaphores. Même s'il perdait la raison, même s'il avait imaginé toute la conversation, même si la soi-disant *présence inhumaine* n'était qu'une invention de sa part, tout ça n'avait aucune importance. Dans les deux cas, ce qu'il dirait ne compterait pas. « Ils sont morts.

— C'est quoi, mort ?

— Ils le sont. La femme et les deux hommes qui sont enterrés là.

— Qu'est-ce que *c'est*, mort ?

— Ce n'est pas vivant.

— Qu'est-ce que c'est, pas vivant ?

— Sans la vie.

— Qu'est-ce que c'est, la vie ?

— L'opposé de la mort.

— C'est quoi, la mort ? »

Désespéré, Jack lança : « C'est vide, c'est creux, ça pourrit.

— Les corps sont.

— Pas pour toujours.

— Les corps *sont*.

— Rien ne dure toujours.

— *Tout* dure.

— Rien.

— Tout *devient*.

— Devient quoi ? » demanda alors Jack. Il avait dépassé le stade de la réponse, et il débordait à présent de ses propres questions.

« Tout devient, répéta la voix.

— Devient quoi ?

— Moi. Tout devient moi. »

Jack se demanda à quoi il pouvait bien être en train de parler. Saisi d'un doute, il ne savait plus s'il était vraiment réveillé. Avait-il fait une petite sieste ? S'il n'était pas devenu fou, il était sans doute en train de dormir. En train de ronfler dans le fauteuil du bureau, un livre à la main. Heather n'était peut-être jamais venue lui dire que Toby était dans le cimetière, et, dans ce cas-là, il lui suffirait de se réveiller.

Pourtant, le vent était réel. D'habitude, ce genre de vent ne soufflait jamais dans les rêves. Froid, perçant, mordant, au sens presque littéral du terme, et assez puissant pour se faire entendre, à présent. Il chuchotait dans l'herbe sèche et soupirait à la lisière de la forêt, tantôt vif, tantôt doux.

La voix, à l'intérieur de Toby, dit : « Suspendu.

— Quoi ?

— Sommeil différent. »

Jack jeta un coup d'œil sur les tombes.

« Non.

— Attendre.

— Non.

— Marionnettes attendre.

— Non. Mortes.

— Dis-moi leur secret.

— Mortes.

— Le secret.

— Dis-moi.

— Il n'y a rien à dire. »

L'expression du petit garçon était encore calme, mais son visage s'était empourpré. Les artères pulsaient contre ses tempes, comme si la pression de son sang ne cessait d'augmenter.

« *Dis-moi !* »

Saisi d'un violent tremblement, Jack était incapable de se contrôler. Leur dialogue énigmatique lui paraissant de plus en plus inquiétant, il avait peur que la situation ne dépasse ses facultés de compréhension, et que son ignorance ne le conduise à commettre une erreur, risquant par là d'aggraver le danger encouru par Toby.

« *Dis-moi !* »

Submergé par un flot d'émotions diverses, Jack saisit Toby par les cheveux et le fixa au fond de ses yeux étranges. « Qui es-tu ? »

Pas de réponse.

« Qu'est-il arrivé à mon Toby ? »

Un long silence.

« Qu'est-ce que tu veux, p'pa ? »

Le cuir chevelu de Jack se hérissa instantanément. S'entendre appeler *p'pa* par cet usurpateur, cet envahisseur, c'était le pire des affronts qu'il avait eus à subir jusqu'à présent.

« P'pa ?

— Arrête.

— Papa, qu'est-ce qui ne va pas ? »

Ce n'était pas Toby qui parlait. Impossible de s'y tromper. La voix n'avait aucune des inflexions naturelles de Toby, le visage était mou, et ce n'était pas le *bon* regard.

« Mais... p'pa, qu'est-ce que tu fais ? »

Ce qui avait pris possession de Toby n'avait apparemment pas encore compris que la mascarade était terminée. Durant tout ce temps, pensant abuser Jack, ce parasite mental s'efforçait d'améliorer sa performance d'imitateur.

« P'pa, qu'est-ce que j'ai fait ? Tu es en colère contre moi ? Mais je n'ai rien fait de mal, p'pa, je n'ai rien fait.

— Dis-moi ce que tu es ! » ordonna Jack.

Des larmes jaillirent des yeux du petit garçon. Mais la trace nébuleuse se dissimulait toujours derrière les larmes, trahissant la présence arrogante du manipulateur, sûr de son art et de ses artifices.

« Où est Toby ? Ecoute-moi bien, fils de pute : d'où que tu sortes, et quoi que tu sois, tu as intérêt à me rendre mon fils ! »

Les cheveux de Jack, plaqués sur son front moite, lui tombaient sur les yeux, et quiconque se serait approché, à cet instant précis, aurait pris sa terreur pour une crise de démence. C'en était peut-être une, d'ailleurs. Il était soit en train de parler à l'esprit malfaisant qui possédait son fils, soit complètement cinglé. Des deux options, laquelle était la plus sensée, hein ?

« Rends-le-moi, je veux mon fils !

— P'pa, tu me fais peur, bredouilla une voix de petit garçon.

— Tu n'es pas mon fils.

— P'pa, *s'il te plaît* !

— Arrête ! Laisse tomber cette comédie, je ne suis pas dupe, bon Dieu ! »

Ça se débattit si fort que Jack lâcha prise, et ce qui prétendait être Toby se précipita sur la pierre tombale de Tommy, pour rester là, le dos contre le granit.

Projeté à terre avec force, Jack se retrouva à quatre pattes, et il s'écria férocement : « Lâche-le ! »

Avec un cri de surprise, le petit garçon recroquevillé au pied du granit sursauta et se retourna, face à Jack. « P'pa! Qu'est-ce que tu fais ici? » Cette fois c'était bien la voix de Toby. « Hé, tu m'as fait drôlement peur! Tu es venu dans le cimetière pour faire quoi, p'pa? Dis donc, c'est pas très rigolo! » Ils étaient moins complices que d'habitude, mais les yeux de l'enfant n'avaient plus ce regard étrangement habité; Toby paraissait maintenant tout à fait conscient de la présence de son père. « Toi, p'pa, à quatre pattes dans un *cimetière*? »

Le petit garçon était redevenu le Toby qui était le sien, Jack en était convaincu. Ce qui l'avait pris sous son contrôle, quoi que ce fût, ne jouait pas assez bien la comédie pour réussir à l'imiter.

Mais peut-être avait-il toujours eu affaire au vrai Toby. Folie ou délire, il n'y avait pas d'alternative possible, et Jack, que l'idée enrageait, savait qu'il devait faire face.

« Tu vas bien? » demanda-t-il, assis sur ses talons, avant de s'essuyer les mains sur son jeans.

« J'ai failli faire pipi dans mon pantalon », fit Toby en s'esclaffant.

Quel son merveilleux, ce rire d'enfant...

C'était une musique si douce aux oreilles d'un père.

Jack pressa les poings sur ses cuisses, le plus fort possible, mais le tremblement qui l'agitait ne se calma pas pour autant. « Qu'est-ce que tu... » Sa voix trahissait l'émotion qui l'étreignait. S'éclaircissant la gorge, il se reprit. « Que faisais-tu dans le cimetière? »

Le petit garçon lui montra le Frisbee, gisant dans l'herbe sèche. « Le vent a emporté la soucoupe volante. »

Restant à genoux, Jack dit à Toby : « Viens ici. »

Toby émit d'abord quelque réserve. « Pour quoi faire?

— Viens par ici, fiston. C'est tout ce que je te demande.

— Tu vas me mordre le cou?

— Quoi?

— Tu vas faire semblant de mordre mon cou, un truc comme ça, et je vais encore avoir peur, parce que tu vas te jeter sur moi en criant... »

De toute évidence, le garçon ne se souvenait pas de la

conversation qu'il avait eue avec son père pendant sa... possession. Il n'avait eu conscience de la présence de Jack dans le cimetière qu'à partir du cri qu'il avait poussé, au pied de la pierre tombale de Tommy Fernandez.

Tendant les bras vers Toby, Jack dit alors : « Non, rassure-toi, je ne vais rien faire de tout ça. Viens près de moi, c'est tout. »

Encore un peu sceptique, mais visiblement intrigué, Toby avança prudemment vers son père.

Jack agrippa le petit garçon par les épaules et observa ses yeux. Des yeux bleu-gris, clairs, au fond desquels n'ondoyait aucune vapeur maléfique.

« Ça ne va pas ? lui demanda Toby, soucieux.

— Tout va bien. Ça va. »

Avidement, il serra le petit garçon contre lui, très fort.

« P'pa ?

— Tu ne te souviens de rien, pas vrai ?

— Hein ?

— Très bien.

— Ton cœur bat vraiment très vite, tu sais, p'pa, lui dit Toby.

— Tout est normal. Je vais très bien, tout va très bien.

— Dis donc, p'pa, c'est *moi* qui ai eu peur, pas toi ! »

Jack libéra Toby de son étreinte et se redressa. La sueur froide qui lui couvrait le visage lui donnait l'impression de porter un masque de glace. Ramenant ses cheveux en arrière, il se frotta énergiquement le front, puis essuya longuement ses paumes sur son jeans. « Rentrons boire un chocolat chaud à la maison, d'accord ? »

Ramassant le Frisbee, Toby lança un défi à son père. « Et si on jouait un peu, toi et moi ? C'est plus rigolo quand on est deux, tu sais. »

Lancers de Frisbee et chocolats chauds. La normalité n'était pas simplement de retour, elle lui tombait dessus, carrément, l'écrasant de tout son poids. Jack doutait fort qu'il eût pu convaincre quiconque de sa toute récente plongée, en compagnie de Toby, dans les eaux boueuses du surnaturel.

La peur qu'il avait si intensément ressentie, ainsi que sa perception animale des forces négatives présentes dans le cimetière, s'évanouissaient si rapidement qu'il ne se rappelait l'intensité de ses sensations qu'avec beaucoup de difficulté. Un ciel gris et dur, le plus petit lambeau d'azur impitoyablement chassé par-delà l'horizon, les branches des sapins grelottant sous la bise, l'herbe sèche, le crépuscule violet, les parties de Frisbee, le chocolat chaud fumant dans les tasses : le monde tout entier attendait la chute molle du premier flocon de neige de l'année, et ce jour de novembre, de toute évidence, excluait de son programme toutes manifestations surnaturelles, fantômes, entités désincarnées, cas de possession satanique et phénomènes paranormaux compris.

« On joue, P'pa ? insista Toby en brandissant son Frisbee.

— Si tu veux, mais pas longtemps. Et pas ici. Pas dans ce... »

Il aurait été carrément stupide de dire : *Pas dans ce cimetière*. Autant se lancer dans une imitation grotesque des vieux films d'épouvante, où le héros roule de grands yeux ébahis en battant l'air de ses bras, hululant de frayeur.

« ... Pas aussi près de la forêt. Descendons vers l'écurie. »

Le Frisbee en forme de soucoupe volante à la main, Toby se précipita entre les deux piliers en pierre, et dévala la pente à toute vitesse. « Le dernier arrivé est un âne ! »

Jack ne releva pas le défi.

Rentrant le cou dans les épaules afin de se protéger du vent froid, les mains dans les poches, il regardait les quatre tombes, à nouveau troublé par le fait que seul l'emplacement de Quartermass était couvert d'herbe. Une série de visions monstrueuses lui traversa l'esprit. Des scènes de vieux films avec Boris Karloff. Des profanateurs de sépultures et des goules. Des blasphémateurs. Des rituels sataniques au milieu des tombeaux éclairés par la lune.

Même en tenant compte de l'expérience qu'il venait de partager avec Toby, ses pensées les plus graves étaient encore trop fantaisistes pour lui permettre d'expliquer pourquoi une tombe sur quatre seulement donnait l'impression d'être intacte ; mais il se dit que l'explication, s'il l'apprenait un jour, lui paraîtrait parfaitement logique, et pas du tout inquiétante.

Des fragments de la conversation qu'il avait eue avec Toby lui revinrent en mémoire, dans le désordre :

Que font-ils là-dessous ? Qu'est-ce que c'est, mort ? Qu'est-ce que c'est, vie ?

Rien ne dure toujours.

Tout dure.

Rien.

Tout devient.

Devient quoi ?

Moi. Tout devient moi.

Jack sentit qu'il possédait maintenant assez de pièces pour reconstituer le puzzle, du moins en partie. Ce qu'il ne comprenait pas encore, c'était la façon dont elles s'imbriquaient les unes dans les autres. En fait il ne *voulait* peut-être pas comprendre. Il refusait de les rassembler, parce que même les quelques pièces en sa possession auraient suffi à révéler un faciès ignoble, qu'il valait mieux ne jamais rencontrer. Il voulait comprendre, du moins le croyait-il, mais son subconscient lui imposait sa loi.

Quittant le rectangle de terre meuble, son regard s'attarda sur les trois pierres tombales, avant de repérer, soudain, une ombre furtive au pied de la pierre de granit dressée devant la tombe de Tommy. Coincée dans une fente dissimulée entre le granit du socle et celui de la dalle verticale, une plume noire, d'environ huit centimètres, se soulevait au gré du vent.

Levant le visage, il tenta de percer les nues pour y repérer le corbeau. Décidément, le ciel était bien bas. Gris comme de la cendre morte, inanimé, un vrai ciel de crémation. Vide, totalement vide. Rien ne bougeait.

Hormis les masses lourdes des nuages gonflés.

Ça sentait la grosse tempête.

Il se tourna vers l'unique sortie, signalée par les deux piliers en pierre, et quitta rapidement l'enceinte du cimetière, pour descendre d'un bon pas vers l'écurie.

Quant à Toby, il était presque arrivé à la hauteur du long bâtiment rectangulaire. Freinant brusquement sa course folle, il s'immobilisa après un bref dérapage, jeta un coup d'œil à son traînard de père, et le salua d'un geste de la main. Puis il envoya le Frisbee très haut dans le ciel.

La tranche du disque de plastique fila très haut, puis il redescendit vers Toby. A cet instant, un courant l'aspira violemment, et, comme un vaisseau spatial débarquant d'une autre galaxie, il tourbillonna dans le ciel sombre.

Par-delà les airs, plus haut qu'un Frisbee n'irait jamais, juste sous le ventre des nuages, un oiseau solitaire décrivait des cercles concentriques au-dessus de la tête du petit garçon, tel un aigle surveillant sa proie. Mais il s'agissait plus vraisemblablement d'un corbeau, qui volait en rond, inlassablement. Une pièce du puzzle, celle-ci sous la forme d'un volatile noir. Planant sur les courants ascendants. Plus silencieux le chasseur des rêves, patient et mystérieux.

CHAPITRE DIX-HUIT

Après avoir envoyé Jack auprès de Toby, afin de savoir ce que le petit garçon faisait dans le cimetière, Heather retourna dans la chambre d'ami, où elle travaillait sur ses ordinateurs. De la fenêtre, elle le suivit des yeux, tandis qu'il gravissait la pente menant vers le cimetière, en haut de la petite butte. Il se tint à côté du petit garçon pendant une minute environ, puis s'agenouilla près de lui. De loin, tout semblait normal, et Heather n'avait vraiment aucune raison de s'inquiéter.

Evidemment, elle s'était fait du souci pour rien. Ce qui lui arrivait fréquemment, ces derniers temps.

Assise dans son fauteuil de bureau, elle se dit qu'elle devait apprendre à modérer ses instincts protecteurs à l'égard de Toby. Poussant un profond soupir, elle se remit au travail. Elle entreprit de vérifier le bon état de marche des disques durs de chaque bécane, et procéda à des séries de tests, avant de s'assurer que tous les logiciels étaient correctement chargés, et qu'il n'y avait pas eu de casse pendant le déménagement.

Un peu plus tard, elle se sentit la gorge sèche et, avant de descendre dans la cuisine pour y prendre un Pepsi, elle s'arrêta à la fenêtre, jetant un coup d'œil sur Jack et Toby. Ils étaient presque hors de sa vue, du côté de l'écurie, et se renvoyaient le Frisbee.

A en juger par le ciel chargé et la vitre qui lui avait glacé les doigts, toutes les conditions pour que la neige tombe seraient bientôt réunies. Les premiers flocons n'allaient plus tarder. Elle jubilait intérieurement.

Le changement météorologique aurait peut-être une heureuse influence sur ses sautes d'humeur, et elle se déciderait enfin à abandonner les vieux réflexes paranoïaques qu'elle avait rapportés avec elle de Los Angeles. Se cramponner à la trouille qui lui serrait les tripes quand elle habitait en ville ne serait plus aussi aisé, dans un paysage de contes de fées comme celui qui se préparait, immaculé, étincelant discrètement comme sur les cartes de Noël.

Dans la cuisine, alors qu'elle se versait un verre de Pepsi, elle entendit un grondement de moteur qui approchait. Pensant qu'il pouvait s'agir d'une visite impromptu de Paul Youngblood, elle prit le bloc-notes qu'elle avait posé sur le réfrigérateur, et le mit en évidence sur le comptoir, afin de s'assurer qu'elle penserait à le lui remettre.

Le temps que Heather atteigne la porte d'entrée, qu'elle l'ouvre et qu'elle avance de quelques pas sous le porche, le véhicule dont elle avait entendu ronfler le moteur, se garait devant les portes du garage. Ce n'était pas la Bronco de Paul Youngblood, mais il s'agissait d'un 4 × 4 un peu similaire, bleu métallique, plus grand que la Bronco, mais moins que l'Explorer.

C'était à se demander qui conduisait une voiture dans ce pays. Bien sûr, elle en avait vue des voitures, garées sur le parking du supermarché, par exemple, ou en ville. Mais, même là, les pick-up et les 4 × 4 constituaient l'essentiel du parc automobile de la région.

Elle descendit les marches de l'escalier, et traversa la cour jusqu'à l'allée, afin d'accueillir le visiteur, tout en regrettant de ne pas avoir pris le temps d'enfiler une veste. L'air piquant transperçait même son épaisse chemise de flanelle.

Le type qui descendit du 4 × 4 avait une trentaine d'années, des cheveux bruns en broussaille, des traits grossiers, et de jolis yeux marron lui conféraient une gentillesse que son apparence bourrue ne laissait pas forcément deviner. Refermant la portière, il lui sourit.

« Comment allez-vous ? Vous êtes certainement Madame McGarvey.

— C'est exact, dit-elle en serrant la main qu'il lui tendait.

— Travis Potter. Très heureux de vous rencontrer. Je suis le vétérinaire d'Eagle's Roost, enfin, l'un des vétérinaires. Un homme pourrait aller jusqu'au bout du monde, il trouverait toujours de la concurrence. »

Un labrador se tenait à l'arrière du 4 × 4. Sa queue touffue, plus régulière qu'un métronome, se balançait énergiquement de droite à gauche, et le chien semblait leur sourire.

Suivant la direction du regard de Heather, Potter dit : « Il est beau, pas vrai ?

— Quel chien magnifique... Il a un pedigree ?

— Non moins magnifique. »

Jack et Toby firent leur apparition à l'angle de la maison. La vapeur de leurs respirations les entourait comme un nuage, prouvant assurément qu'après leur partie de Frisbee, ils étaient descendus de la butte en courant. Heather les présenta au vétérinaire. Jack lâcha le Frisbee et serra la main de Travis Potter. Mais la vue du chien eut un tel effet sur Toby qu'il en oublia les bonnes manières, et il se dirigea droit vers le 4 × 4, souriant béatement à l'occupant du coffre, le nez collé à la vitre.

Tremblant de froid, Heather dit : « Docteur Potter ?

— Je vous en prie, appelez-moi Travis.

— Travis, voulez-vous prendre un café à l'intérieur ?

— Non, désolé, répliqua Travis, mais merci quand même. J'ai quelques visites à effectuer dans des ranches des environs — deux étalons malades, et une vache dont le pis s'est infecté. Avec la tempête qui approche, je préférerais être de retour chez moi le plus tôt possible. » Il jeta un coup d'œil sur sa montre. « Presque 4 heures, déjà.

— J'ai entendu parler de vingt-cinq centimètres de neige, dit Jack.

— Alors, c'est que vous avez raté le dernier bulletin météo. La première tempête s'annonce plus importante que prévu, et la seconde ne la suit pas à un jour près, mais à quelques heures seulement. Il se pourrait bien qu'il y ait plus de soixante centimètres de neige, quand tout sera fini. »

Heather était ravie d'avoir passé la matinée à faire les courses, et soulagée de savoir que les étagères étaient chargées de provisions en tout genre.

« De toute façon, dit Travis en montrant le gros chien derrière la vitre, c'est pour ce bonhomme-là que je me suis arrêté chez vous. » Et il rejoignit Toby à côté du 4 × 4.

Passant un bras autour des épaules de Heather, afin de la réchauffer du mieux qu'il pouvait, Jack et la jeune femme vinrent discrètement se placer derrière Toby.

Travis Potter posa deux doigts sur la vitre, et le chien lécha l'autre côté de la paroi de verre avec un enthousiasme manifeste, grognant de contentement et agitant la queue plus frénétiquement encore. « C'est un chien vraiment très gentil, n'est-ce pas, Falstaff ? Ah oui, j'oubliais, il s'appelle Falstaff.

— Vraiment ? dit Heather.

— Ce n'est pas juste, je sais, mais il a deux ans maintenant, et il est habitué à son nom. J'ai entendu dire par Paul Youngblood que vous cherchiez justement un chien comme lui. »

Toby en resta bouche bée. Il se tourna vers Travis Potter, éberlué par la nouvelle.

« Si tu ne refermes pas la bouche, l'avertit le vétérinaire, un gros scarabée va venir s'installer dedans, tu verras. » Il sourit à Jack et à Heather. « C'est à un chien comme ça que vous pensiez ?

— A peu près pareil, dit Jack.

— Sauf que nous avions envisagé... un chiot, peut-être...

— Avec Falfstaff, vous aurez tous les avantages d'un chien gentil, sans aucun des inconvénients que présentent les chiots quand ils grandissent. Il a deux ans, il est adulte, habitué à vivre dans une maison, et très propre. Ce n'est pas lui qui vous tachera le tapis du salon, ou qui se fera les dents sur les meubles. Mais c'est encore un jeune chien, qui a de longues années devant lui. Ça vous tente ? »

Toby leva vers les grandes personnes un regard inquiet, comme s'il était largement au-delà de son entendement qu'une énorme boule de poils clairs, répondant au nom de Falstaff, puisse lui échoir, sans que ses parents s'y opposent ou que la terre s'ouvre devant lui pour l'engloutir.

Heather regarda Jack, qui dit : « Pourquoi pas ? »

Regardant Travis Potter, elle dit alors : « Pourquoi pas ?

— *Ouais !* » L'explosion de joie de Toby était à la mesure de son extase.

Ils contournèrent le 4 × 4, et Travis Potter ouvrit la porte du coffre.

Falstaff bondit hors de l'habitacle et se mit illico à renifler les chaussures de tout le monde, tournant en rond dans un sens, puis dans l'autre, battant de sa queue tous les mollets à sa portée, léchant les mains qui voulaient le caresser, les faisant toutes profiter de sa fourrure et de sa langue chaude, de sa truffe froide et de ses yeux marron débordants d'amour, dont l'éclat aurait fait fondre n'importe qui et n'importe quoi. Quand il fut un peu plus calme, il vint s'asseoir devant Toby, et offrit sa patte.

« Il veut me serrer la main », s'écria Toby en saisissant énergiquement la grosse patte du labrador, pour la secouer longuement.

« Il connaît beaucoup d'autres tours, tu verras, dit Travis Potter.

— D'où vient-il ? se renseigna Jack.

— Il appartenait à un couple d'Eagle's Roost, Leona et Harry Seaquist. Ils ont eu des labradors toute leur vie, et Falstaff a été le dernier.

— Il a pourtant l'air trop gentil pour être abandonné par ses maîtres. »

Travis Potter hocha la tête d'un air navré. « Triste histoire. Il y a un an, environ, Leona Seaquist a eu un cancer, dont elle est morte. Emportée en trois mois. Et voilà que Harry a été frappé par une attaque cardiaque, à la fin de l'été. Il a une paralysie du bras gauche, des difficultés à parler, et il perd la mémoire. Il a donc fallu qu'il parte à Denver, chez son fils, mais ils ne veulent pas entendre parler du chien. Lorsqu'il a dit au revoir à Falstaff, Harry s'est mis à chialer comme un bébé. Et je lui ai promis que je trouverais un bon maître à Falstaff, ainsi qu'une bonne maison. »

A genoux devant le labrador, Toby l'avait attrapé par le cou, et le chien lui donnait de grands coups de langue sur la joue. « Il aura la meilleure maison qu'on ait jamais vue, de mémoire de chien ! D'accord, p'pa, d'accord, m'man ? »

Heather dit alors à Travis Potter : « Comme c'est gentil, de la part de Paul Youngblood, d'avoir pensé à nous !

— Eh bien, je crois qu'il a entendu que votre fils avait envie d'un chien. Ici, vous verrez, ce n'est pas la mentalité des villes, où tout le monde court partout, tout le temps. Au contraire, les gens du coin ont toujours le temps de se mêler des affaires de leurs voisins. » Le vétérinaire avait un sourire engageant, et rudement sympathique.

Tandis qu'ils parlaient, le vent glacial s'était mis à souffler nettement plus fort et, soudain, une bourrasque aplatit violemment l'herbe sèche, fouettant les cheveux de Heather si violemment qu'elle se sentit transpercée de dizaines d'aiguilles de glace.

« Travis, dit-elle en lui serrant la main une seconde fois, quand pourrez-vous être notre invité ?

— Disons... dimanche en huit, si vous êtes d'accord.

— Dans huit jours, dimanche, entendu, dit-elle. A six heures. » S'adressant à Toby, elle lui dit : « Viens, moustique, on rentre.

— Je veux jouer avec Falstaff, maman.

— Vous ferez connaissance à l'intérieur, insista-t-elle. Il fait beaucoup trop froid pour rester dehors.

— Mais il a de la fourrure, protesta Toby.

— C'est pour toi que je me fais du souci, gros bêta. Le bout de ton nez va geler, et il deviendra tout noir, comme la truffe de Falstaff. »

A mi-chemin de la maison, trottinant entre Heather et Toby, le chien s'arrêta et lança un long regard à Travis Potter. Le vétérinaire lui adressa alors un geste de la main qui paraissait constituer l'autorisation attendue par Falstaff, et celui-ci accompagna le petit garçon et sa mère jusque dans le hall d'entrée de la grande maison.

Travis Potter avait apporté un sac de vingt-cinq kilos de granulés pour chien. Il retira le sac du coffre du Range Rover, et le déposa par terre, contre la roue arrière. « Je me suis dit que vous n'auriez pas forcément prévu de quoi nourrir un labrador, au fond de vos placards, au cas où quelqu'un s'amènerait avec l'animal. » Il expliqua à Jack quelles étaient les quantités à donner à Falstaff, et combien de fois par jour il fallait le nourrir.

« Combien je vous dois, pour tout ça ? demanda Jack.

— Zéro. Il ne m'a rien coûté non plus. Je suis simplement en train de rendre service à ce pauvre Harry.

— C'est très gentil, merci. Mais les granulés ?

— Ne vous en faites pas pour ça. Dans les années à venir, Falstaff va avoir régulièrement besoin de vaccins divers, et même parfois de soins, bénins, je vous rassure tout de suite. Quand vous me l'amènerez, je vous saignerai à blanc avec mes honoraires. » Souriant de toutes ses dents, Travis Potter claqua la porte du coffre du Range Rover.

La morsure du vent étant de plus en plus douloureuse, les deux hommes s'abritèrent derrière le flanc du 4 × 4. De la maison, il devait être difficile de les localiser.

Travis Potter reprit la parole. « Paul Youngblood vous a parlé en privé d'Eduardo et de ses ratons laveurs. Il ne voulait pas causer d'inquiétude à votre épouse.

— Elle ne s'inquiète pas facilement.

— Vous lui en avez parlé ?

— Non. Je ne sais pas vraiment pour quelles raisons, d'ailleurs, sauf que... On a déjà eu pas mal de problèmes, cette année. Une mauvaise année, c'est le moins qu'on puisse dire. Beaucoup de changements. De toute façon, Paul ne m'a pas dit grand-chose. Seulement que les ratons laveurs se comportaient de façon étrange, sortant en plein jour, par exemple, se mettant à courir en rond jusqu'à ce qu'ils tombent raides morts.

— Je ne crois pas que ce soit un bon résumé de la situation. » Travis Potter hésita. Tête baissée, dos rond, genoux repliés, il tentait de se protéger des bourrasques, se servant du Range Rover comme d'un coupe-vent. « Je crois qu'Eduardo ne me disait pas tout ce qu'il savait. Les ratons laveurs qu'il m'a apportés étaient plus bizarres qu'il ne voulait bien l'avouer.

— Mais pourquoi vous aurait-il caché quelque chose ?

— C'est difficile à expliquer. C'était un vieux bonhomme qui avait beaucoup de caractère. Je ne sais pas... Peut-être qu'il avait vu quelque chose dont il n'osait pas parler. Ou peut-être croyait-il que je le prendrais pour un fou. Il était très fier, cet homme. Il n'aurait jamais parlé de quelque chose qui aurait pu attirer sur lui l'hilarité générale.

— Aucune idée de ce que ça pourrait être ?

— Aucune. »

La tête de Jack était au-dessus du toit du 4 × 4, et le vent ne se contentait pas de lui anesthésier le visage ; la peau de ses pommettes lui donnait l'impression de se décoller, couche après couche. Imitant en tout point la position du vétérinaire, il s'appuya contre la carrosserie, plia les genoux et arrondit les épaules. Plutôt que de se regarder, les deux hommes avaient le regard fixé droit devant, sur les terres qui descendaient vers le sud. Ils continuèrent à parler.

« Vous croyez aussi, comme Paul, dit Jack, qu'Eduardo a vu quelque chose qui a déclenché chez lui une attaque cardiaque ? Quelque chose en rapport avec les ratons laveurs ?

— Quelque chose qui l'a poussé à charger son fusil, plutôt. Je n'en sais rien. Peut-être, oui. Ce n'est pas à exclure. Un peu plus de deux semaines avant sa mort, je lui ai téléphoné, et nous avons eu une conversation tout à fait intéressante. Je l'avais appelé pour lui communiquer les résultats des analyses. D'après les prélèvements, aucune maladie connue n'était en cause...

— Et l'œdème du cerveau ?

— Justement. Aucune raison apparente. Tout ce qu'il voulait savoir, c'était si j'avais pris de simples échantillons de tissus cervicaux pour les envoyer au labo, ou si j'avais procédé à une dissection totale.

— Une dissection du cerveau ?

— Tout juste. Il m'a demandé si je leur avais ouvert le crâne complètement. Au ton de sa question, j'ai eu l'impression qu'il s'attendait, dans l'affirmative, à ce que j'aie découvert autre chose que les causes de l'œdème. Mais je n'avais rien trouvé de particulier. Ensuite, il m'a demandé si j'avais examiné leur colonne vertébrale, et s'il n'y avait pas quelque chose qui aurait pu être attaché aux vertèbres.

— Attaché ?

— Bizarre, encore une fois, non ? Il m'a demandé si j'avais examiné les colonnes vertébrales sur toute leur longueur. Et si quelque chose était attaché aux vertèbres. Quand je lui ai demandé ce qu'il entendait par là, il m'a répondu que ça pouvait avoir l'apparence d'une tumeur.

— L'apparence d'une tumeur. »

Tournant la tête, le vétérinaire chercha la regard de Jack, mais celui-ci avait les yeux fixés sur le panorama grandiose du Montana. « Ce sont ses termes exacts. Drôle de formulation, n'est-ce pas ? Pas une tumeur, mais quelque chose qui ressemble à ça. » Le regard de Travis se perdit à nouveau dans la vallée. « Je lui ai demandé s'il me cachait une partie de l'affaire, mais il m'a juré le contraire. Je lui ai donc recommandé de m'appeler s'il lui arrivait de revoir un animal se comportant bizarrement, ratons laveurs, écureuils, lapins, n'importe quoi, mais il ne m'a jamais donné d'autres nouvelles. Moins de trois semaines plus tard, il était mort.

— C'est vous qui l'avez trouvé.

— Personne ne répondait au téléphone. Alors, je suis venu voir ce qui se passait, et je l'ai trouvé, mort. La porte était ouverte, et il gisait sur le seuil, avec son fusil dans les mains, cramponné à l'arme.

— Aucun coup n'avait été tiré.

— Non. Crise cardiaque. »

Les bourrasques de vent soulevaient l'herbe sèche, et les prés ondulaient comme une mer en furie.

Jack tergiversait. Il ne savait pas s'il devait raconter à Travis Potter ce qui venait de se passer au cimetière.

Décrire l'expérience n'était pas chose facile. Tout ce qu'il pouvait relater, c'étaient les faits, et l'étrange conversation qu'il avait eue avec l'occupant momentané de Toby. Mais le vocabulaire approprié — comment parler de l'indicible ? — lui manquait pour expliquer ce qu'il avait *ressenti*. Or c'était sa conviction personnelle qui étayait toute sa théorie. Il se sentait incapable de transmettre à un tiers la nature essentiellement surnaturelle de la rencontre.

Histoire de gagner un peu de temps, il demanda : « Une explication scientifique ?

— Je soupçonne une quelconque substance toxique. Oui, je sais, la région ne regorge pas de tonnes de déchets industriels susceptibles de polluer l'environnement, mais dans la nature aussi, il existe des toxines naturelles, qui peuvent causer chez les animaux de véritables crises de démence, exactement comme chez les humains, et ils se mettent alors à délirer. Et vous ? Depuis votre arrivée dans le ranch, vous n'avez pas vu quoi que ce soit qui ait retenu votre attention ?

— Si, en fait. » Du fait de la position dans laquelle se tenaient les deux hommes, Jack pouvait éviter le regard du vétérinaire sans éveiller la moindre suspicion. Il raconta à Travis Potter l'incident du corbeau à la fenêtre, le matin même — et comment, plus tard dans la journée, l'oiseau s'était mis à tournoyer au-dessus de leur tête, alors que Toby et lui jouaient au Frisbee.

« Curieux, fit Travis Potter. Effectivement, il est possible qu'il y ait un rapport. D'un autre côté, un tel comportement de la part d'un corbeau n'est pas non plus inhabituel, pas même le coup de bec contre la vitre. Les corbeaux savent se montrer très insolents, parfois. Vous croyez qu'il est toujours dans le coin ? »

S'écartant du Range Rover, les deux hommes se levèrent pour inspecter le ciel. Le corbeau n'était plus là.

« Avec ce vent, remarqua Travis Potter, les oiseaux cherchent à s'abriter. » Il se tourna vers Jack. « A part le corbeau, rien d'autre ? »

Cette histoire de substances toxiques avait convaincu Jack qu'il était préférable de ne pas confier à Travis Potter son expérience dans le cimetière. De toute évidence, ils parlaient de deux sortes de mystères totalement différents : empoisonnement contre ensorcellement, substances toxiques contre fantômes et esprits démoniaques. L'incident du cimetière était de nature strictement subjective, plus encore que celui dû à l'étrange comportement du corbeau ; il ne contribuait pas non plus à prouver que le ranch Quartermass était le cadre d'événements incroyablement inhabituels. Jack n'avait pas la moindre preuve de ce qu'il avançait. Ne se souvenant de rien, Toby ne pouvait pas confirmer ses dires. Si Eduardo Fernandez avait vu quelque chose de vraiment incroyable, Jack comprenait que le vieil homme ne s'en soit pas ouvert au vétérinaire. Ce dernier optait pour l'idée qu'il s'agissait de l'œuvre de produits chimiques particulièrement nocifs, à cause de l'œdème cervical qu'avaient présenté les ratons laveurs, mais il n'était pas disposé à prendre au sérieux les esprits malfaisants, ni les envoûtements psychiques, sans parler des bavardages surréalistes dans un cimetière avec une entité fraîchement surgie de l'au-delà.

Et à part le corbeau ? lui avait demandé Travis Potter.

Jack secoua lentement la tête. « C'est tout.

— Eh bien, quelle que soit la nature de ce qui s'est attaqué aux ratons laveurs, c'est peut-être terminé, à présent. Nous ne le saurons probablement jamais. La nature dispose d'innombrables secrets qu'elle ne nous dévoile pas. »

Afin d'éviter de croiser le regard du vétérinaire, Jack releva le poignet de sa veste et jeta un coup d'œil à sa montre. « Si vous avez encore des visites à faire avant qu'il commence à neiger, je ne voudrais pas vous retenir trop longtemps.

— Je n'en ai jamais espéré autant, dit Travis Potter, mais je vais quand même essayer de rentrer avant que le temps se gâte trop pour rouler, même en Range Rover. »

Ils se serrèrent la main. « Et n'oubliez pas, lui rappela Jack, dimanche prochain, six heures. Amenez votre amie, si vous voulez. »

Le visage de Travis Potter se fendit d'un large sourire. « En voyant cette trogne, on a du mal à le croire, mais vous avez raison, une charmante jeune femme accepte de supporter ma compagnie. Elle s'appelle Janet.

— Nous serons ravis de faire sa connaissance », lui assura Jack.

Il écarta du Range Rover le sac de vingt-cinq kilos de granulés déshydratés, et se tint au bord de l'allée pour regarder s'éloigner le vétérinaire.

Sans se retourner, Travis Potter agita la main.

Jack lui rendit son salut et attendit que le Range Rover ait disparu au bas de l'allée.

Il faisait encore plus gris que tout à l'heure, lorsque le vétérinaire était arrivé. Un gris ferreux, plutôt que cendré. Un gris de donjon médiéval. De plus en plus basse, la couche de nuages donnait l'impression de reposer directement au sommet des sapins, dont la masse sombre se dressait comme un formidable mur d'enceinte.

Un vent méchant soufflait du nord-ouest, chargé du parfum des résineux et des traces d'ozone prélevées à la neige éternelle des sommets. Le fleuve d'air qui s'engouf-

frait dans la vallée arrachait aux branches lourdes des
sapins une plainte sourde et languissante; l'herbe haute
des prés avait des murmures de conspirateur, et même les
avant-toits de la maison contribuaient au concert, hululant
discrètement à chaque nouvelle rafale.

Même comme ça, le paysage grandiose conservait la
sérénité dont il était revêtu lorsqu'ils l'avaient découvert
en arrivant de l'Utah. Mais aucun commentaire de guide
de voyages n'aurait pu transcrire fidèlement cette atmosphère annonciatrice de tempête. Un seul mot convenait.
Solitaire. Jack McGarvey n'avait jamais vu d'endroit plus
solitaire et plus isolé de tout.

Il chargea le sac de granulés sur son épaule.

La tempête serait bientôt là.

Il retourna dans la grande maison.

Il ferma la porte à clé.

Il entendit des rires dans la cuisine et alla voir ce qui se
passait. Assis sur ses pattes arrière, les pattes avant
levées, Falstaff regardait fixement le morceau de viande
que Toby lui présentait.

« P'pa, regarde, il attend que je le lui donne », dit Toby.

Le labrador passa sa grosse langue sur ses babines.

Toby lâcha le morceau.

Le chien l'attrapa au vol et l'avala instantanément, puis
il reprit la pose.

« Il est génial, pas vrai, p'pa ? dit Toby.

— Génial, convint Jack.

— Toby est encore plus affamé que Falfstaff », dit
Heather en prenant une grande casserole dans un placard.
« Il n'a pas déjeuné, et il n'a même pas mangé les cookies
que je lui avais donnés cet après-midi. Si nous dînions
plus tôt que d'habitude, aujourd'hui ?

— Ça me va », dit Jack en déposant le sac de granulés
dans un coin de la cuisine, avec l'intention de le ranger
plus tard.

« Au menu, des spaghettis.

— Parfait.

— Il y a une miche de pain de campagne toute fraîche.
Qui s'occupe de la salade ?

— Je m'en charge », dit Jack, tandis que Toby lançait à
Falstaff un autre morceau de viande.

Remplissant la casserole d'eau froide, Heather dit : « Ce Travis Potter a l'air très gentil.

— Oui, je l'aime bien, moi aussi. Dimanche prochain, il viendra en compagnie d'une amie, du nom de Janet. »

Heather sourit, d'un air heureux. « Nous sommes en train de nous faire de nouveaux amis.

— J'en ai bien l'impression », répondit Jack.

Tout en sortant du réfrigérateur quelques tomates, du céleri et une laitue, il fut soulagé de constater qu'aucune des fenêtres de la cuisine ne donnait sur le cimetière.

Le long crépuscule finissait par céder la place à la nuit lorsque Toby surgit dans la cuisine, Falstaff sur les talons, et annonça d'une voix perçante : « Il neige ! »

Heather, qui surveillait la cuisson des spaghettis, se tourna vers la fenêtre au-dessus de l'évier, et aperçut les premiers flocons qui tourbillonnaient, énormes et impalpables. Le vent s'était calmé, comme pour procéder au largage de milliers de gros confettis blancs, qui atterrissaient mollement sur le sol.

Toby se précipita à la fenêtre. Falstaff le suivit et, posant les pattes sur le rebord, contempla le miracle, immobile à côté du petit garçon.

Jack posa le couteau avec lequel il découpait les tomates, et s'approcha d'eux à son tour. Les mains sur les épaules de Toby, il dit : « Ta première neige, fiston.

— Mais pas la dernière ! » s'exclama le petit garçon, enthousiaste.

A l'aide d'une cuillère en bois, Heather remua la sauce qui mijotait dans une casserole plus petite, puis elle rejoignit le reste de sa petite famille. Passant un bras autour de Jack, elle se mit à caresser la tête de Falstaff de la main gauche.

Pour la première fois depuis bien des années, elle se sentait en paix avec le monde. Leurs soucis financiers étaient résolus, ils étaient installés dans leur nouvelle et grande maison depuis moins d'une semaine, Jack allait de mieux en mieux, et Toby était à l'abri des dangers de la violence urbaine. Pour Heather, le moment était enfin venu d'abandonner définitivement le pessimisme qu'elle avait cultivé à Los Angeles. Ils avaient un chien. Ils étaient en train de se faire de nouveaux amis. Sûre d'elle, elle sentait que les rares crises d'angoisse qu'elle avait connues depuis leur arrivée ici ne se reproduiraient plus.

Elle avait vécu si longtemps dans l'insécurité d'une grande ville comme L. A. qu'elle était devenue une véritable droguée de l'anxiété. Dans le Montana, elle n'avait plus à craindre les règlements de comptes entre bandes rivales ou les attaques surprises des pirates de la route, ni les braquages à main armée avec leurs victimes innocentes, ni les marchands de crack et leur petit commerce à tous les coins de rue, ni les silhouettes furtives à l'affût des femmes rentrant seules chez elles, le soir, ni même les ravisseurs d'enfants traquant leurs proies dans les banlieues résidentielles, avant de les emporter dans l'anonymat de la jungle urbaine. Par conséquent, le besoin d'avoir peur de *quelque chose* l'avait incitée, inconsciemment, à peupler le décor pacifique de leur nouvelle existence d'ennemis imaginaires et de menaces fictives.

Mais c'était fini. Ce chapitre était clos.

Des bataillons de flocons lourds d'humidité se ruaient en rangs serrés dans une conquête des montagnes et des vallées du Montana. De temps en temps, un flocon tombé du ciel en éclaireur venait fondre sur la vitre. Dans la cuisine, il faisait bon, et la sauce bolognaise embaumait. Quand l'hiver et ses rigueurs frappaient au carreau, rien n'était plus susceptible de créer un sentiment de prospérité et de contentement qu'une cuisine bien chauffée et confortable.

« Magnifique », dit-elle, séduite par la beauté du spectacle qu'offrait la tempête.

« Mégagénial, renchérit Toby. Ça, c'est de la vraie neige. »

Ils étaient en famille. Une femme, un mari, un enfant et un chien. Ensemble, et en sécurité, bien au chaud à la maison.

Dorénavant, elle serait digne du clan McGarvey. Elle opterait définitivement pour l'approche positive des choses et des gens, mettant au rebut le pessimisme, hérité de sa mère, qui avait caractérisé sa vie à Los Angeles.

Elle était libre, enfin.

Et la vie était merveilleuse.

Le dîner achevé, Heather décida de s'accorder les bienfaits d'un bain, et Toby s'installa dans le salon, en compagnie de Falstaff, devant une vidéo.

Jack, lui, se rendit dans le bureau, afin de faire l'inventaire des armes dont ils disposaient. Outre celles qu'ils avaient apportées de Californie — une collection que Heather avait substantiellement augmentée après la fusillade de la station-service —, il trouva, accrochés au râtelier fixé dans un coin, des carabines de chasse, un fusil à pompe, un pistolet.22, un Colt.45 et des munitions.

Dans leur armurerie personnelle, il choisit trois pièces : un magnifique Korth.38, un Mossberg.12 et un Micro-Uzi, comme celui d'Anson Oliver, mais entièrement automatique. L'acquisition de ce dernier ne s'était pas faite chez un marchand d'armes avec pignon sur rue, aussi étonnante que puisse paraître l'idée d'une épouse de flic se procurant une arme illégale au marché noir — et la facilité avec laquelle la transaction s'était conclue.

Fermant soigneusement la porte du bureau, il se hâta de charger les trois armes. Il ne voulait pas mettre Heather au courant, de peur qu'elle ne lui demande pour quelles raisons il prenait soudain toutes ces précautions.

Elle avait un air heureux qu'il ne lui avait pas vu depuis longtemps, et il ne voyait pas pourquoi il aurait gâché sa bonne humeur avant — et sans — que ce soit strictement nécessaire. L'incident du cimetière l'avait sérieusement troublé, mais, bien que Jack se soit senti menacé, aucun coup de poing n'avait été échangé, et aucun mal n'avait été fait, à personne. Il avait eu peur pour Toby, plus que pour lui-même, mais le petit garçon ne semblait pas avoir pâti de ce qui s'était passé.

D'abord, *que* s'était-il passé ? La perspective d'expliquer ce qu'il avait senti, plutôt que vu, ne l'enchantait que très moyennement. Il n'y avait rien à raconter, à part la sensation d'une présence immatérielle et énigmatique, plus abstraite qu'un courant d'air. Plus le temps passait, plus il avait l'impression d'avoir rêvé.

Il chargea le.38 et le posa sur le bureau.

Bien sûr, il aurait pu lui parler des ratons laveurs, bien qu'il ne les ait jamais vus lui-même, et que les petites bêtes n'aient jamais fait de mal à personne. Il aurait pu lui parler du fusil auquel Eduardo Fernandez s'était cramponné au moment de mourir. Mais sa mort n'était pas imputable à un quelconque ennemi en chair et en os, puisqu'il avait succombé à un arrêt du cœur. Un infarctus foudroyant était une cause de décès inquiétante, certes, mais il était difficile de s'en débarrasser à coups de fusil.

Il finit de charger le Mossberg, fit monter une cartouche dans la culasse, et en rajouta une autre dans le magasin. Une tournée gratuite, quoi. Juste avant de mourir, Eduardo Fernandez avait chargé son fusil de façon identique...

S'il tentait d'expliquer tout cela à Heather, il ne réussirait qu'à l'alarmer — sans raison. Il ne se passerait peut-être rien du tout. Peut-être ne serait-il plus jamais confronté à la présence, quelle qu'elle fût, dont il avait eu conscience dans le cimetière. Une expérience comme celle-ci représentait un contact avec le monde surnaturel que la majorité des gens n'avaient même pas expérimenté durant toute une vie. Il valait mieux attendre la suite des événements, en espérant qu'il n'y en ait pas. Dans le cas contraire, et s'il avait une preuve de danger concrète, Jack, *alors* — mais pas avant —, se verrait contraint de lui apprendre que leurs ennuis n'étaient pas complètement terminés.

Les deux chargeurs du Micro Uzi lui donnaient une capacité de tir de quarante coups, et son poids était rassurant. Deux kilos de mort, qui attendaient de recevoir leur attribution. Il n'existait rien au monde, ni hommes ni bêtes féroces, que le Micro Uzi ne pourrait liquider en moins de deux.

Il plaça ensuite le Korth au fond du tiroir du bureau, le premier en haut et à droite, puis il quitta la pièce, en emportant les deux autres armes.

Avant de passer devant la porte du salon, Jack entendit Toby qui éclatait de rire. Jetant un coup d'œil, il aperçut le petit garçon assis devant la télé, en compagnie de Falstaff. Jack en profita pour gagner la cuisine, à l'autre bout du couloir, afin de déposer le Uzi dans le garde-manger, caché derrière la réserve de corn-flakes, à laquelle personne ne toucherait avant quelques jours...

Au premier étage, dans la chambre à coucher conjugale,

derrière la porte de la salle de bains, la radio jouait un air plutôt entraînant. Allongée dans la mousse, Heather écoutait une station spécialisée dans les vieux tubes, et elle était en train d'écouter un titre déjà ancien de Johnny Burnette, dont elle reprenait le refrain, les yeux mi-clos.

Jack poussa le Mossberg sous le sommier, assez loin pour que Heather ne le remarque pas, mais suffisamment près pour qu'il puisse s'en saisir rapidement, en cas d'urgence.

Jack reconnut soudain une chanson de Johnny Tillotson. C'était la musique d'une époque innocente. Ce disque était sorti alors que Jack n'était même pas né.

Il s'assit au bord du lit et il écouta. Tout de même, il culpabilisait un peu de ne pas partager ses craintes avec Heather. Mais il n'avait aucune envie de l'inquiéter inutilement, c'était tout. Elle sortait d'une période plutôt rude. A maints égards, elle avait plus souffert que lui de son hospitalisation, parce qu'il avait fallu qu'elle assume seule les pressions de la vie quotidienne, pendant toute la durée de la convalescence de Jack. Elle avait besoin de se libérer de toutes les tensions qu'elle avait accumulées au cours des derniers mois.

Et puis, tout ça n'était certainement pas bien grave.

Quelques ratons laveurs mal en point, un corbeau un peu insolent, et une drôle d'expérience dans un cimetière. Même si c'était le sommaire idéal pour une émission de télé comme *Mystères inexpliqués*, c'était très loin de représenter une menace comparable à celles que subissait un flic au cours d'une journée de boulot normale.

Le fait de charger les armes en secret constituait une réaction excessive, comme la suite des événements le prouverait sans doute.

Bon sang, il avait fait ce qu'un flic devait faire. Se préparer à servir les autres, et à les protéger.

Derrière la porte de la salle de bains, Heather chantonnait toujours avec la radio...

Dehors, la neige tombait plus fort. Auparavant gonflés d'eau, les flocons étaient à présent plus petits, mais aussi beaucoup plus nombreux, et secs. Les rafales de vent étaient plus fortes que tout à l'heure. Tout autour de la grande maison, un rideau immaculé s'abaissait sans fin sur la nuit noire.

D'abord, sa mère lui déconseilla de laisser Falstaff dormir sur le lit, puis elle l'embrassa ; ensuite, son père lui recommanda de s'assurer que le chien était bien par terre, et il éteignit toutes les lumières, sauf la petite veilleuse rouge ; puis sa mère revint lui répéter ce qu'elle venait de lui dire, et elle ressortit de la chambre en entrebâillant la porte derrière elle ; enfin, quand un temps suffisamment long fut écoulé, autorisant Toby à être certain que ni son père ni sa mère n'allaient venir procéder à un ultime contrôle surprise, le petit garçon tapota d'une main la couverture à côté de lui, et il chuchota : « Viens, Falstaff, viens ici. »

Très occupé à renifler le bas de la porte de l'escalier en colimaçon, le chien se mit à gémir plaintivement.

« Falstaff, murmura un peu plus fort Toby, viens par ici, dépêche-toi. »

Le chien le regarda, puis il replaça sa truffe au même endroit, en poussant de petits sons rauques.

« Ici, Falstaff, s'impatienta Toby, on va jouer à l'attaque de la diligence ou au vaisseau spatial, ou à ce que tu voudras. »

Le chien avait dû capter une odeur qui lui déplaisait, car il éternua à deux reprises. Secouant la tête si fort que ses longues oreilles battirent l'air, il recula.

« *Falstaff !* », siffla Toby.

Le chien se décida à trottiner vers l'alcôve, baignée de lumière rouge — de cette lueur qu'on retrouve indifféremment dans la cabine de pilotage d'une navette spatiale, autour d'un feu de camp en pleine nature, quand le convoi s'arrête pour la nuit, ou dans un temple délirant, quelque part en Inde, alors qu'Indiana Jones est en train d'essayer de se débarrasser d'un gang d'adorateurs de Kali, la Déesse de la Mort. Quelques mots d'encouragement supplémentaires, et Falstaff se retrouva sur le lit de Toby.

« Gentil chien. » Toby se serra contre lui. Puis, à mi-voix, sur le ton de la conspiration, il dit : « Bon, alors, voilà : on serait à bord d'un vaisseau spatial, dans la Nébuleuse du Crabe, et on serait des rebelles. Moi, je serais le commandant, et je serais aussi un tireur d'élite. Toi, tu viendrais d'une autre planète, et tu aurais une intelligence *supérieure*. Et des pouvoirs psychiques, tu vois ? Tu pourrais lire dans les pensées des méchants extraterrestres qui nous tirent dessus, et eux, ils ne le sauraient même pas. Ils ressemblent à des sortes de gros crabes, avec des espèces de mains à la place des pinces, comme ça, tu vois, *shkrik, shkrik, shkrik, shkrik*, et ils sont horribles, vraiment, vraiment cruels et tout ça. Par exemple, quand leur mère accouche, elle a huit ou dix bébés à la fois, et ils se jettent sur elle pour *la dévorer vivante* ! Tu vois ce que je veux dire, quoi... Ils la bouffent. Pour se nourrir. Des vrais salauds, ces mecs. Tu me suis ? »

Falstaff n'avait pas perdu un seul mot de l'exposé de Toby, et, dès que le petit garçon se tut, le chien lui donna un grand coup de langue sur le nez.

« Tu as compris ! Bon, commençons par semer ces minables. Il suffit de passer dans l'hyperespace — un petit bond de l'autre côté de la galaxie, et *hop !* nous serons déjà loin. Procédons par ordre : d'abord, sortons les boucliers antiradiations cosmiques, si nous ne voulons pas nous retrouver avec plein de petits trous partout, à cause de toutes ces particules subatomiques que nous allons traverser et qui vont moins vite que nous. »

Il alluma la petite lampe fixée au-dessus de la tête du lit, tendit la main vers le cordon — « Mise en place des boucliers antiradiations cosmiques ! » — et referma complètement les rideaux. Instantanément, l'alcôve se transforma en une sorte de capsule hermétique, suggérant n'importe quel type de véhicule, à la fois ancien et futuriste, voyageant à la vitesse d'une chaise à porteur, ou à celle de la lumière, au choix.

« Lieutenant Falstaff, prêt ? », demanda Toby.

Avant même d'avoir commencé à jouer, le labrador bondit hors du lit et se faufila entre les rideaux, qui se refermèrent sur lui.

Toby saisit le cordon et tira dessus, dégageant l'alcôve. « Qu'est-ce qui se passe ? »

Le chien avait à nouveau collé sa truffe au pied de la porte de l'escalier.

« Dites donc, vous, le cabot, vous savez qu'un conseil de guerre pourrait qualifier votre acte de mutinerie ? »

Le chien jeta un coup d'œil en direction du petit garçon,

puis se remit à flairer le sol, comme pour identifier l'odeur.

« Falstaff, il y a des *crabulons* qui essaient de nous tuer, et toi, tu joues au chien. » Toby quitta son lit et vint rejoindre le labrador. « Je sais que tu n'as pas besoin de sortir. P'pa t'a déjà emmené dehors, et je t'ai vu faire pipi dans la neige. »

Le chien gémit un peu, puis il émit un son dégoûté, avant de retourner à la porte en grognant doucement.

« C'est un escalier qui tourne, c'est tout. »

Falstaff découvrit les crocs, et baissa la tête, comme pour se préparer à accueillir une armée de *crabulons*, *shkrik, shkrik, shkrik, shkrik*, remontant l'escalier, leurs yeux télescopiques s'agitant à trente centimètres au-dessus de leur tête.

« Chien stupide. Je vais te montrer. »

Il tira le verrou et tourna la poignée.

Le chien recula en gémissant.

Toby ouvrit la porte. La cage d'escalier était obscure. Il fit jouer l'interrupteur, et avança d'un pas.

Hésitant, Falstaff tourna la tête vers la porte de la chambre, à demi ouverte, comme s'il projetait de bondir dans le couloir sans crier gare.

« C'est toi qui étais intéressé, pas moi, lui rappela Toby. Viens, je vais te montrer l'escalier. »

Comme piqué dans son honneur de chien, Falstaff rejoignit Toby en haut des marches. Il avait la queue si basse qu'elle s'enroulait presque autour de sa patte arrière droite.

Toby descendit trois marches. La première avait craqué, et la troisième aussi, arrachant une grimace au petit garçon. Si, par malheur, sa mère ou son père se trouvaient dans la cuisine, il était fichu, et ils croiraient qu'il projetait d'aller chercher de la neige — *pieds nus !* — pour la ramener dans sa chambre et la regarder fondre.

Ce qui n'était pas une si mauvaise idée, d'ailleurs, en y réfléchissant mieux. Il se demanda si la neige valait le coup qu'on essaie d'en manger. Trois marches, deux craquements, puis il s'immobilisa, lançant un regard à Falstaff, encore en haut de l'escalier.

« Alors ? »

A contrecœur, le chien le rejoignit.

Une à une, ils descendirent chacune des marches de l'étroit colimaçon, en essayant de faire le moins de bruit possible. Enfin, l'un d'entre eux au moins tentait d'être discret, posant le pied sur la droite, là où le bois craquait le moins, mais les griffes des pattes du second étaient loin d'être silencieuses.

Toby murmura : « Escalier. Marches. Tu saisis ? On peut descendre, et on peut remonter, voilà. C'est nul. Tu croyais qu'il y avait quoi, derrière la porte ? L'enfer des gros toutous ?

Chaque marche descendue permettait d'apercevoir la suivante. La courbure des murs rendait toute visibilité impossible, ni devant ni derrière, et on ne distinguait vraiment pas grand-chose, à part les nombreuses ombres que les deux seules ampoules de la cage d'escalier n'arrivaient pas à dissiper. Ainsi, on ne savait plus si le palier se trouvait deux marches plus bas, ou cent, ou cinq cents. Et si on continuait à descendre en tournant tout le temps, à descendre et à tourner en colimaçon, au bout de quatre-vingt-dix *mille* marches, eh bien, on arrivait en bas ? C'est-à-dire au centre de la Terre, avec les dinosaures et les cités englouties ?

« Dans l'enfer des toutous, dit Toby, le diable, c'est un chat, tu savais ça ? Un chat énorme, très gros, qui se tient debout sur ses pattes arrière, et qui a des griffes longues comme des rasoirs.

En bas et en rond, lentement, pas à pas, une marche après l'autre.

« ... Ce grand diable de chat, il porte un manteau en fourrure de chien, et un collier de canines... »

En bas, et en rond.

« ... et quand il joue aux billes... »

Le bois craque sous un pied nu.

« ... il prend des yeux de chien ! Ouais, c'est vrai... »

Falstaff gémit.

« ... c'est un vilain chat, un gros chat très vilain, un vrai salaud. »

Ils étaient arrivés en bas. Dans le petit vestibule. Avec les deux portes.

« Ça, c'est la cuisine », chuchota Toby en montrant

l'une des portes. Se tournant vers la seconde, il annonça :
« Le porche arrière. »

Après tout, il pouvait très bien tourner le verrou, se glisser sous le porche, prendre une poignée de neige dans chaque main — même s'il devait aller jusqu'au fond de la cour — et revenir se coucher dans sa chambre sans que ses parents s'en aperçoivent. Une *vraie* boule de neige, sa première. Pour voir l'effet que ça fait. Quand elle commencerait à fondre, il la poserait dans un coin, et, le lendemain matin, elle aurait disparu. Aucune preuve, à part un peu d'eau, que personne ne remarquerait. Et qu'il pourrait mettre sur le compte de Falstaff, le cas échéant.

Toby posa la main droite sur la poignée, et la gauche, sur le verrou.

Le labrador bondit, posa les pattes avant sur le mur à côté de la porte, et referma la mâchoire sur le poignet de Toby.

Toby laissa échapper un petit cri de surprise.

Falstaff tenait fermement le petit garçon, mais il ne le mordait pas. Ce n'était pas douloureux du tout, et le chien tenait bon, roulant de grands yeux, comme pour dire à Toby : *Non, tu n'ouvriras pas cette porte, sortie interdite, laisse tomber, c'est non.*

« Mais qu'est-ce que tu fais ? chuchotait Toby. Laisse-moi, tu entends ? »

Falstaff faisait le sourd.

« Tu me baves dessus », se plaignit Toby, dont le poignet s'ornait d'un épais filet de bave, qui avait commencé à glisser sous la manche de sa veste de pyjama.

Le labrador resserra légèrement les dents, sans faire aucun mal à son maître, tout en lui signifiant clairement qu'il ne tenait qu'à lui de mordre plus fort, si la situation l'exigeait.

« C'est ma mère qui te *paye*, ou quoi ? »

Toby lâcha la poignée.

Le chien, à son tour, relâcha un peu la pression de ses mâchoires, mais il ne libéra le poignet de Toby que lorsque ce dernier consentit à ôter son autre main du verrou. Falstaff retomba alors à quatre pattes.

Toby fixait la porte, en se demandant s'il était assez rapide pour l'ouvrir avant que le chien ait le temps de lui sauter dessus.

Falstaff ne le quittait pas des yeux.

Puis le petit garçon se demanda pourquoi le chien ne voulait pas qu'il sorte. Les chiens flairaient le danger. Un ours était peut-être en train de rôder autour de la maison, l'un des ours qui vivaient dans la forêt, dont son père avait justement parlé l'autre jour. Les ours étaient capables d'étriper quelqu'un en moins de temps qu'il n'en faut pour hurler, de lui arracher la tête d'un coup de croc et de le dévorer tout cru, en se servant ensuite du cubitus de leur victime comme d'un cure-dents. Tout ce qu'on retrouvait le lendemain, c'étaient des restes de pyjama sanguinolents, et peut-être un orteil, qui avait échappé à la voracité de l'ours, par hasard.

Mais c'est qu'il était en train de se flanquer la trouille pour de bon !

Par la fente séparant le battant et l'encadrement, il vérifia que le verrou était correctement engagé. Oui, il en voyait luire le cuivre. Bon. Ouf...

D'accord, Falstaff avait eu peur de franchir la porte de l'escalier, là-haut, curieux et peureux à la fois. Il ne voulait pas qu'elle s'ouvre. D'ailleurs, il ne voulait pas non plus descendre jusqu'ici. Mais personne ne les avait guettés au détour d'une marche. En tout cas, sûrement pas un ours.

Falstaff était peut-être un peu trouillard.

« Mon père, c'est un héros », chuchota Toby.

Falstaff pencha la tête sur le côté.

« C'est un flic-héros, tu me suis ? Il n'a peur de rien, et moi non plus, comme lui. »

Le chien le dévisageait, comme pour dire : *Ah oui ? Et alors ?*

Toby regarda la porte à nouveau. Et s'il l'ouvrait un tout petit peu ? Histoire de jeter un bref coup d'œil par la fente. Et s'il y avait un ours sous le porche, il refermerait la porte illico.

« Si j'avais envie de sortir pour caresser un ours, je le ferais, tu me suis ? »

Falstaff attendait.

« Mais il est tard, et je suis fatigué. L'ours attendra jusqu'à demain. »

Falstaff et Toby reprirent le chemin de la chambre du

petit garçon. Un peu de terre était éparpillée sur les marches. Il l'avait déjà sentie en descendant, et voilà que ses pieds nus se posaient à nouveau dessus. Arrivé en haut de l'escalier, il épousseta soigneusement la plante de ses deux pieds. Puis il franchit le seuil de la porte, referma le battant, tira le verrou et éteignit la lumière.

Falstaff était à la fenêtre, et Toby le rejoignit.

La neige tombait si dru que la couche atteindrait probablement trois mètres, peut-être cinq. Au-dessous d'eux, le toit du porche était déjà blanc, comme tout le reste du paysage, d'une blancheur absolue. Enfin, d'après ce que Toby voyait de la fenêtre, car la neige tombait *vraiment* à présent. Il ne distinguait même plus la forêt. La maisonnette des gardiens avait littéralement été avalée par de gros *nuages* de neige. Incroyable.

Le chien retomba à quatre pattes et s'éloigna, mais Toby observa le spectacle un peu plus longtemps. Lorsque ses paupières se firent lourdes, il se retourna enfin vers l'alcôve, et aperçut Falstaff, assis sur le lit, qui l'attendait.

Laissant le chien sur les couvertures, Toby se glissa sous le drap. Prendre Falstaff avec lui *dans* le lit, c'était aller trop loin, son instinct infaillible de petit garçon de huit ans le lui assurait. Si ses parents les trouvaient ainsi — la tête de Toby sur un oreiller, et celle du chien sur l'autre —, il aurait de gros ennuis.

Il tira le cordon et les rideaux se refermèrent sur l'alcôve. Falstaff et lui embarquèrent ainsi à bord d'un train traversant l'Alaska en plein hiver. C'était la ruée vers l'or, ils rejoignaient la mine dont Falstaff était propriétaire, munis d'une concession à son nom et...

Mais dès que les rideaux furent clos, ce dernier se dressa sur ses pattes, prêt à bondir.

« D'accord, c'est bon », dit Toby en tirant à nouveau le cordon pour dégager l'alcôve.

Le labrador s'installa à côté de lui, face à la porte de l'escalier en colimaçon.

« Idiot, murmura Toby en s'endormant. Les ours n'ont pas de clés... »

Dans la chambre obscure, Heather se serra contre Jack. La peau de la jeune femme avait conservé le parfum du bain moussant, mais il savait qu'il allait la décevoir. Il la désirait ardemment, mais l'expérience du cimetière l'obsédait. Les souvenirs qu'il en gardait perdaient rapidement de leur netteté, et il avait de plus en plus de difficulté à se rappeler la nature exacte et l'intensité des émotions ressenties lors de l'étrange entretien. Il avait beau tourner et retourner le problème dans sa tête, l'examinant sous tous les angles sans parvenir à une solution, sa mémoire se troublait inexorablement, et l'événement perdait de sa précision. Avec la chose qui s'exprimait par la voix de Toby, ils avaient parlé de la mort — une conversation cryptique, et même incompréhensible, mais dont le thème principal était la mort, il en était certain.

Pour éteindre le désir amoureux, il n'existait guère de recettes moins aphrodisiaques qu'une sombre méditation au sujet de la mort, des cimetières, et d'anciens amis à présent putréfiés.

C'était du moins ce qu'il pensait quand elle commença à le caresser et à l'embrasser, tout en lui chuchotant tendrement à l'oreille des petits mots doux. Mais, à sa grande surprise, il découvrit qu'il était non seulement prêt, mais carrément bouillant de désir, plus vigoureux qu'il ne l'avait été depuis bien longtemps. Alternativement soumise et agressive, Heather se montrait à la fois généreuse et exigeante. Timide, et pourtant impudique, elle se donna à lui avec l'enthousiasme et la candeur d'une jeune mariée, afin qu'il jouisse de la vie qu'elle incarnait si merveilleusement.

Plus tard, tandis qu'il était étendu sur le côté, Heather tout contre lui, imbriqués l'un dans l'autre à la façon de deux cuillères, il comprit qu'en faisant l'amour avec elle, il avait cherché à oublier la présence dont il avait subi la dangereuse attraction dans le cimetière. La journée qu'il avait passée à ruminer de morbides pensées avait finalement agi sur lui à la manière de la mystérieuse poudre de cantharides, perverse et excitante.

Du lit, il pouvait regarder à l'extérieur, les rideaux étant encore ouverts. De l'autre côté des vitres, des fantômes blafards tourbillonnaient au gré des bourrasques, suivant une chorégraphie orchestrée par le vent. Surgissant de la neige, les esprits pâles valsaient interminablement...

... tournant dans les ténèbres oppressantes, cherchant aveuglément le chemin qui menait au Passeur, les mains tendues vers son offrande de paix, d'amour, de plaisir et de joie, qui mettait fin à ses peurs et lui promettait l'ultime libération. A condition qu'il suive la voie, et qu'il trouve la vérité. La porte. Jack savait qu'il lui suffisait d'ouvrir la porte pour accéder enfin aux merveilles qui l'attendaient de l'autre côté. Et il comprit enfin que la porte en question se cachait à l'intérieur de son être, et qu'il n'avait pas besoin d'errer à sa recherche dans d'obscurs tréfonds. Ce fut une révélation : il portait en lui le paradis et la joie éternelle, et il n'avait qu'à pousser la porte de son cœur pour s'en emplir, tout simplement. Il avait envie de céder et de se rendre, parce que la dureté de la vie terrestre ne se justifiait pas. Mais une fraction de lui-même s'entêtait à résister, et la frustration du Passeur se faisait plus perceptible, la porte ne contenant plus sa rage inhumaine. Jack dit alors : *Je ne peux pas, non, je ne peux pas, non, je ne céderai pas.* Brutalement, les ténèbres acquirent un poids nouveau, et elles s'intensifièrent autour de lui, quasi minérales, le fossilisant inexorablement, tandis que le Passeur, furieux, affirmait son credo : *Tout se transforme, tout devient moi, tout, tout, tout...* Il fallait se soumettre... Toute résistance était inutile... Qu'il entre... Le paradis, éternellement... Qu'il vienne... Et les même mots, pilonnant son esprit : *Tout devient moi.* Les structures mentales de Jack étaient ébranlées, et les fondations les plus profondes de son existence, prêtes à s'effondrer. *Qu'il entre, QU'IL ENTRE...*

Un grésillement lui traversa le cerveau, comme sous le coup d'une décharge électrique, et Jack se réveilla en sursaut. Les yeux écarquillés, il ne fit aucun geste, pétrifié d'horreur.

Les corps sont.

Tout devient moi.

Des pantins.

Des substituts.

De toute sa vie, Jack ne s'était jamais réveillé aussi brutalement. Plongé dans son rêve, un instant auparavant, il était à présent pleinement conscient, et son cerveau s'activait furieusement.

A en juger d'après les battements de son cœur, il n'avait pas vraiment rêvé, du moins pas au sens habituel du terme, mais... Un tel rêve était une intrusion. Une communication. Un contact. Une tentative visant à détourner sa volonté en profitant de son sommeil.

Tout devient moi.

A présent, ces trois mots ne nécessitaient plus le même travail de décryptage, mais leur arrogance témoignait de la supériorité de celui qui clamait ainsi sa volonté de dominer. L'invisible Passeur s'était adressé à lui par l'intermédiaire d'un rêve, tout comme, la veille, dans le cimetière, l'entité haïssable avait communiqué avec lui à travers Toby. Dans les deux cas, qu'il ait été endormi ou parfaitement réveillé, Jack avait senti une présence inhumaine, impérieuse, hostile et violente à la fois, capable d'anéantir sans remords un innocent, mais préférant le soumettre à sa domination.

Saisi de nausées, Jack réprima un violent haut-le-cœur. Il avait froid et se sentait souillé, comme corrompu, malgré l'échec du Passeur, par la tentative de celui-ci pour s'emparer de lui et le contrôler corps et âme.

Il savait qu'il était confronté à un ennemi tout à fait réel, qui n'était ni un fantôme ni un démon, ni même le produit d'un délire parano-schizophrénique, mais une créature de chair et de sang. D'une chair infiniment étrange, certes, et d'un sang que la science n'aurait sans doute pas identifié comme tel, mais physiquement tangibles tous les deux.

Il ignorait ce que c'était, et quelles en étaient la provenance et l'origine, mais il était sûr de son existence. Et de sa présence dans le ranch Quartermass.

Jack était toujours allongé dans la même position, mais Heather n'était plus collée contre lui. Tout en dormant, elle s'était tournée de l'autre côté.

En atterrissant contre les vitres, les cristaux de neige gelée égrenaient les centièmes de seconde, à la façon d'une horloge astronomique d'une extrême précision. Le vent qui charriait les flocons avait des feulements de bête féroce, et Jack eut l'impression d'entendre fonctionner les rouages secrets de la grande machine cosmique, qui dévidait à l'infini les cycles de l'Univers.

Tremblant, il repoussa le drap et les couvertures et se leva.

Heather continua à dormir paisiblement.

Il faisait encore nuit, mais une vague lueur grise, à l'est, annonçait l'avènement imminent d'un jour nouveau.

Encore nauséeux, Jack resta debout, immobile, jusqu'à ce que ses tremblements de froid deviennent plus pénibles à supporter que son envie de vomir. Pourtant, dans la chambre, il faisait chaud. L'origine de ses frissons était interne. Il se dirigea vers un placard, dont il fit glisser la porte, et en retira une paire de jeans, qu'il enfila, ainsi qu'une chemise.

Maintenant qu'il était réveillé, le sentiment de terreur qui l'avait arraché à son rêve n'était plus aussi oppressant, mais toutes ses craintes n'avaient pas disparu. C'était pour Toby, à présent, qu'il avait peur, et il décida d'aller jeter un coup d'œil dans la chambre de son fils.

Au premier étage, dans le couloir obscur, Falstaff fixait intensément une porte ouverte, celle de la chambre inoccupée où Heather avait installé ses ordinateurs. Les poils de l'animal reflétaient faiblement une lueur qui semblait provenir du fond de la pièce. Figé dans une immobilité de statue, le chien était tendu. Même sa grosse queue ne bougeait pas d'un poil.

Jack s'approcha, et le labrador, levant les yeux vers lui, poussa un gémissement plaintif.

Le cliquetis caractéristique d'un clavier d'ordinateur retentit soudain. Bruit de frappe rapide. Silence. Puis, à nouveau, le son des touches enfoncées à toute vitesse.

Dans le bureau improvisé de Heather, Toby était assis devant l'une des bécanes. Jack n'en distinguait que l'arrière, mais l'écran surdimensionné constituait l'unique source lumineuse de la pièce, beaucoup plus brillante que le reflet aperçu dans le couloir ne le laissait soupçonner. Le petit garçon baignait dans un flot continu de vert, de bleu et de violet, qu'interrompaient brièvement de violents éclats rouges et orange.

Dehors, c'était encore la nuit noire, l'aurore n'ayant pas percé les ténèbres de ce côté-ci de la maison. Les flocons, qui s'abattaient sur les carreaux, étincelaient sous l'effet du rayonnement bleu et vert émanant du moniteur.

Avançant d'un pas, Jack lança : « Toby ? »

Ce dernier ne leva pas le nez de l'écran. Ses petites mains volaient sur le clavier, qui cliquetait éperdument. A part ce bruit, l'ordinateur était inhabituellement silencieux.

Toby savait frapper à la machine ? Non. En tout cas, pas avec cette aisance, ni avec cette rapidité.

Les yeux du petit garçon reflétaient les couleurs qui illuminaient l'écran, passant successivement du violet à l'émeraude, du rouge au vert.

« Hé, fiston, qu'est-ce que tu fais ? »

La question de Jack resta sans réponse.

Jaune, doré, jaune, orange, doré, jaune — les fluctuations lumineuses ne semblaient pas provenir d'un écran d'ordinateur, mais plutôt d'un étang scintillant sous le soleil d'été, qui parait d'un camaïeu doré le visage de l'enfant.

A la fenêtre, les tourbillons de neige alternaient entre l'or et la braise.

Jack traversa la pièce à grandes enjambées. La fin du cauchemar n'avait donc pas signifié pour autant le retour à la normalité. Derrière lui, le chien trottinait, et ils contournèrent ensemble le plan de travail en forme de L.

Sur l'écran de l'ordinateur, des flots multicolores se succédaient, défilant de gauche à droite en se mélangeant les uns aux autres, tantôt clairs, tantôt sombres, s'enroulant et se déroulant pour former un kaléidoscope électronique de formes aux contours imprécis.

C'était un moniteur couleurs, mais Jack ne l'avait encore jamais vu afficher de telles images.

Il posa la main sur l'épaule de son fils.

Toby frémit. Il ne prononça pas un mot, il ne leva pas les yeux vers son père, mais un subtil changement dans son attitude indiquait qu'il n'était plus sous l'emprise directe du spectacle se déroulant sur l'écran du moniteur.

Les doigts de Toby parcoururent à nouveau le clavier.

« Qu'est-ce que tu fabriques, bon sang ? lui demanda Jack.

— Je discute. »

CHAPITRE DIX-NEUF

Des vagues de rose et de jaune, des spirales de vert, des rubans de mauve et de bleu.

Les formes, les dessins, et le rythme auquel ils changeaient, étaient fascinants, lorsqu'ils se combinaient gracieusement entre eux — mais aussi lorsque le mélange donnait un résultat à la fois laid et chaotique. Bien qu'ayant senti bouger quelque chose, Jack fut contraint de faire un effort pour détacher son regard des images protoplasmiques qui avaient envahi l'écran.

Dans sa robe de chambre rouge matelassée, Heather se tenait sur le pas de la porte, les cheveux ébouriffés. Elle ne demanda même pas ce qui se passait, comme si elle était déjà au courant. Elle ne regardait ni Jack ni Toby, mais la fenêtre, derrière eux.

Jack se retourna et aperçut alors une pluie de flocons dont la couleur changeait constamment, en fonction des métamorphoses que suivait l'évolution fluide et rapide déployée sur le moniteur.

« Tu discutes avec qui ? » demanda-t-il à Toby.

Le petit garçon hésita, puis répondit : « Pas de nom. » La voix de Toby n'était pas aussi atone et désincarnée que dans le cimetière, mais ce n'était pas celle qu'il avait d'habitude.

« Où est-il ? interrogea Jack.

— Pas *lui*.

— Où est-elle, alors ?

— Pas *elle*. »

Jack fronça les sourcils. « Alors, qui ? »

Sans rien dire, le petit garçon gardait les yeux fixés sur l'écran.

« Ça? proposa Jack.

— D'accord », dit Toby.

S'approchant d'eux, Heather lança un regard bizarre à Jack. « Ça? »

S'adressant à Toby, Jack dit : « C'est quoi?

— Ce que ça a envie d'être.

— Où est-ce?

— Là où ça veut, répondit le garçon, énigmatique.

— Qu'est-ce que ça fait ici?

— Ça devient. »

Heather fit le tour de la table en forme de L, s'arrêta en face de Toby, de l'autre côté du plan de travail, et observa ce qui se passait sur l'écran. « J'ai déjà vu ces images quelque part. »

Jack fut soulagé d'apprendre que l'insolite spectacle s'était déjà produit, et qu'il n'était donc pas forcément lié à l'incident du cimetière, mais Heather ne tarda pas à le détromper. « Tu as vu ça quand?

— Hier matin, avant d'aller faire les courses à Eagle's Roost. Toby était en train de regarder le même genre de truc à la télé, dans le salon. Et il était totalement captivé par ce qu'il voyait. C'est étrange, tu ne trouves pas? » Elle réprima un frisson et s'apprêta à débrancher l'ordinateur.

« Non, dit Jack en tendant le bras pour empêcher son geste. Attends un peu. Voyons d'abord ce qui va se passer.

— Chéri, dit-elle en s'adressant à Toby, que se passe-t-il? A quoi joues-tu?

— C'est pas un jeu. J'ai rêvé, et dans le rêve, je venais ici. Et puis je me suis réveillé, et *j'étais* ici. Alors, on s'est mis à parler.

— Tu comprends quelque chose? demanda-t-elle à Jack.

— Oui. A peu près.

— Jack, que se passe-t-il?

— Je te dirai ça plus tard.

— Tu me mets sur la touche, ou quoi? » Comme il ne répondait pas, elle ajouta : « Cette histoire ne me plaît pas du tout.

« — Moi non plus, dit Jack. Mais voyons plutôt où tout ça nous mène, et essayons de comprendre ce qui se passe ici.

— Comprendre *quoi* ? »

Les doigts du petit garçon s'activaient sur les touches du clavier. Aucune lettre n'apparaissait sur l'écran, mais les couleurs et les formes nouvelles semblaient suivre un rythme qui s'accordait avec celui de sa frappe.

« Hier, quand j'ai vu ces images à la télé, j'ai demandé à Toby ce que c'était, dit Heather. Il n'en savait rien, mais il m'a dit qu'il aimait beaucoup. »

Toby s'immobilisa.

Les couleurs s'estompèrent, puis elles s'intensifièrent à nouveau et repartirent à l'assaut de dessins et de teintes encore inédites.

« Non, dit Toby.

— Non, quoi ? demanda Jack.

— J'te parle pas, je parle avec... ça. » S'adressant à l'écran, il ajouta : « Non. Va-t'en. »

Des vagues vertes. Des tâches rouge sang fleurirent sur l'écran, avant de virer au noir, puis de repasser au rouge. Soudain, l'ensemble prit une détestable couleur de pus, d'un jaune visqueux.

A force de la contempler, la mutation infinie des couleurs avait donné à Jack un début de migraine, et il comprenait parfaitement que l'esprit immature d'un enfant de huit ans puisse être complètement hypnotisé.

Toby recommença à taper sur le clavier, et les couleurs s'estompèrent — puis, brusquement, elles se ravivèrent, dans d'autres teintes, et sous des formes plus variées et plus fluides.

« C'est un langage », s'exclama Heather à voix basse.

Jack la regarda sans comprendre.

« Les couleurs, les formes... Tout ça constitue un langage. »

Il jeta un coup d'œil sur l'écran. « Comment est-ce possible ?

— C'en est un, je t'assure, insista-t-elle.

— Mais ce ne sont jamais les mêmes formes... Il n'y a rien là-dedans qui soit susceptible de former des lettres, et encore moins des mots.

— Je discute », confirma Toby. Il tapait de bon cœur sur les touches du clavier. Comme précédemment, les motifs et les teintes suivaient le rythme auquel il tapait sa partie du dialogue en cours.

« Il s'agit même d'un langage incroyablement compliqué, et très précis, dit Heather. A côté, le français ou l'anglais, ou même le chinois, sont des langues presque primitives. »

Toby cessa de pianoter sur le clavier, et la réponse que lui fit parvenir son interlocuteur, de couleur plutôt sombre, formait de gros bouillons bilieux, noirs et verts, entachés d'écarlate.

« Non », dit le garçon en s'adressant à l'écran.

Les couleurs se firent plus austères, les rythmes plus véhéments.

« Non », répéta Toby.

Toute une gamme de rouge occupa l'écran.

Pour la troisième fois, Toby dit : « Non. »

Jack lui demanda : « A quoi dis-tu *non* ?

— Je ne veux pas le faire.

— Faire quoi ?

— Le faire entrer. Ça veut entrer, c'est tout.

— Seigneur... » dit Heather en tendant la main vers le bouton d'arrêt de l'ordinateur.

A nouveau, Jack l'en empêcha. Les mains de Heather étaient glacées. « Qu'est-ce qui ne va pas ? » lui demandat-il, tout en connaissant déjà sa réponse. L'impact des mots *le faire entrer* avait été presque plus fort que les balles d'Anson Oliver.

« La nuit dernière », dit Heather, horrifiée, en fixant l'écran. « Dans un rêve que j'ai fait. » La main de Jack se glaça peut-être en entendant les paroles de Heather. A moins qu'elle ne l'ait senti trembler. Elle cligna des yeux. « Toi aussi, tu as fait ce rêve !

— Oui, cette nuit même. Ça m'a réveillé.

— La porte, dit-elle. Il faut trouver la porte à l'intérieur de soi-même, et l'ouvrir, afin que ça puisse entrer. Bon sang, Jack, que se passe-t-il ? Nom de Dieu, c'est quoi, ça ? »

Il aurait aimé pouvoir lui répondre. A moins que ce ne soit le contraire. Ce truc lui foutait plus la trouille que tout ce qu'il avait vu au cours de sa carrière de flic. Il avait *tué* Anson Oliver, mais il ne savait pas s'il pourrait atteindre cet ennemi-là, et si ce dernier était seulement visible.

« Non », dit à nouveau Toby en s'adressant à l'écran.

En gémissant, Falstaff battit en retraite dans un coin, où il se tint sans bouger, tendu et attentif.

« Non. non. »

Jack s'approcha de son fils. « Toby, tu entends ce que ça dit, et tu m'entends aussi, c'est ça ?

— Oui.

— Tu n'es donc pas complètement sous son influence ?

— Un peu, c'est tout.

— Tu es... entre les deux, pas vrai ?

— Entre les deux, confirma le petit garçon.

— Tu te souviens de ce qui s'est passé, dans le cimetière ?

— Oui.

— Tu te souviens de cette chose... qui parlait à ta place ?

— Oui.

— De quoi parlez-vous ? fit Heather, surprise. Que s'est-il passé, dans le cimetière ? »

Sur l'écran, à cet instant précis, défilaient des ondulations noires, des geysers jaunes et des rangées de pois rouges, dont certains clignotaient.

« Jack, dit Heather, en colère, tu m'as dit que tout s'était bien passé. Quand tu es revenu du cimetière, tu m'as dit que Toby était seulement en train de rêvasser. »

S'adressant à Toby, Jack poursuivit : « Mais tu ne te souvenais de rien, hier.

— Non.

— Il se souvenait de quoi ? demanda Heather. Bon sang, de *quoi* ne se souvenait-il pas ?

— Toby, reprit Jack, tu t'en souviens maintenant parce que... tu es à moitié sous son contrôle, mais pas complètement... ou ni l'un ni l'autre ?

— Entre les deux, reconnut le petit garçon.

— Raconte-moi ce que tu sais à propos de *ce* qui est en train de discuter avec toi, dit Jack.

— Jack, ne fais pas ça », dit Heather.

Elle était hagarde. Il savait très bien dans quel état elle

325

se trouvait, mais il continua pourtant. « Il faut que nous sachions ce que c'est.

— Pourquoi ?

— Pour survivre, peut-être. »

Nul besoin d'expliquer à Heather ce qu'il venait de dire. Elle savait ce que cela signifiait, puisqu'elle avait été contactée, elle aussi, pendant son sommeil. Elle connaissait déjà l'hostilité de la chose. Sa rage inhumaine.

Jack demanda à Toby : « Raconte-moi.

— Que veux-tu savoir, exactement ? »

Sur l'écran, toutes les nuances de bleu s'étalaient, tels des éventails japonais, un bleu se diluant dans le suivant, et ainsi de suite.

« D'où ça vient, Toby ?

— De dehors.

— Que veux-tu dire ?

— De l'au-delà.

— Au-delà de quoi ?

— De ce monde.

— C'est... d'origine extraterrestre ? »

Heather protesta. « Non, mon Dieu, non.

— Oui, dit Toby. Non.

— Lequel des deux, Toby ?

— C'est pas aussi simple que... *E.T.*

— Comment ça ?

— C'est oui, et c'est non.

— Qu'est-ce que ça fout chez nous ?

— Ça devient.

— Ça devient quoi ?

— Tout. »

Jack secoua la tête. « Je ne comprends pas.

— Moi non plus », dit le petit garçon, le regard rivé à l'écran.

Serrant les bras contre sa poitrine, Heather ne prononçait pas un mot.

« Toby, fit Jack, hier, dans le cimetière, tu n'étais pas comme maintenant, entre les deux, n'est-ce pas ?

— Parti.

— Oui, tu étais parti, complètement parti.

— Parti.

— Je ne pouvais plus te joindre.

— Merde ! », s'écria Heather, furieuse. Sachant qu'elle était en train de l'incendier du regard, Jack se garda de lever les yeux sur elle. « *Que* s'est-il passé, hier, Jack ? Nom de Dieu, pourquoi ne m'as-tu rien dit ? Il se passe un truc fou, et tu ne m'en parles même pas ? »

Evitant de croiser le regard de la jeune femme, Jack lui répondit : « Je vais te le dire, mais, d'abord, laisse-moi en finir avec Toby.

— Qu'est-ce que tu me caches encore, Jack ? lui demanda-t-elle. Au nom du ciel, Jack, que se passe-t-il ? »

Parlant à Toby, Jack demanda : « Quand tu es parti, hier, où étais-tu ?

— Parti.

— Parti où ?

— Sous.

— Sous ? Sous quoi ?

— Dessous.

— Dessous...

— Contrôle.

— Sous le contrôle de cette chose ? De son esprit ?

— Oui. Dans un endroit tout noir. » La voix de Toby se troubla à l'évocation du souvenir. « Tout noir, et très froid, et il n'y avait pas de place, et j'étouffais.

— Arrête l'ordinateur, arrête-le tout de suite ! » ordonna soudain Heather.

Jack la regarda. Les yeux étincelants d'émotion, elle était aussi furieuse contre Jack qu'effrayée par la scène qui se déroulait sous ses yeux.

Priant pour qu'elle fasse preuve de patience, il précisa : « On peut éteindre l'ordinateur, mais on ne peut pas se débarrasser de ce truc de la même façon. Réfléchis, Heather. Ça peut venir à nous de différentes façons, que ce soit par les rêves ou par la télé, et, apparemment, même quand on est tout à fait réveillés. Hier, quand c'est arrivé, Toby ne dormait pas.

— Je l'ai fait entrer », dit le petit garçon.

Jack hésita à poser la question qui était, peut-être, la plus critique de toutes. « Toby, écoute... Quand tu es sous son contrôle, est-ce que c'est vraiment à l'intérieur de toi que ça se passe ? Physiquement ? Tu le sens quelque part dans ton corps ? »

S'il y avait eu quoi que ce soit dans le cerveau, une dissection aurait permis de s'en rendre compte. Idem pour une excroissance sur une vertèbre. C'était exactement ce qu'Eduardo Fernandez avait demandé à Travis Potter de chercher.

« Non, dit Toby.

— Pas de grains, pas d'œufs, pas de larve...

— Non. »

Tant mieux. Parce que, si quelque chose s'introduisait dans l'organisme, comment faire pour l'en déloger, comment faire pour libérer l'enfant d'une telle emprise ? Jack se voyait mal trépaner son fils.

Toby reprit la parole. « C'est... des pensées, c'est tout. Rien d'autre que des pensées.

— Tu veux dire qu'il s'agit d'un contrôle télépathique ?

— Ouais. »

Soudain, l'impossible devint inévitable. Contrôle télépathique. Une chose venue d'ailleurs, hostile et étrange, capable de s'imposer aux autres espèces, animales ou humaines, par la seule force de son psychisme. On se serait cru dans un film de science-fiction, pourtant, c'était la réalité.

« Et maintenant, c'est en train de revenir ? demanda Heather à Toby.

— Oui.

— Mais tu ne vas pas le laisser s'approcher de toi ? fit-elle.

— Non. »

Jack intervint. « Tu peux l'empêcher d'entrer en toi ?

— Oui. »

Un espoir. Ils n'étaient pas encore foutus.

Jack ajouta : « Pourquoi est-il parti, hier ?

— Parce que je l'ai poussé.

— Tu l'as repoussé hors de ton esprit ?

— Ouais. C'est la haine, maintenant.

— Envers toi ?

— Oui. Parce que je l'ai repoussé. » La voix de Toby n'était plus qu'un murmure. « Mais... ça déteste tout le monde.

— Pourquoi ? »

A ce moment-là, des ombres furieusement écarlates et orangées éclairèrent le visage de Toby, et le petit garçon chuchota tout bas : « Parce que... c'est comme ça. C'est de la haine.

— La chose, c'est de la haine ?

— C'est ce que ça *fait*.

— Mais pourquoi ?

— C'est ce que *c'est*.

— Pourquoi ? répéta Jack, patiemment.

— Parce que c'est comme ça.

— Comme quoi ?

— Rien n'a d'importance.

— Rien du tout ?

— Oui.

— Qu'est-ce que ça signifie ?

— Ça signifie rien. Rien ne veut rien dire. Rien, ça veut dire rien. »

Quelque peu étourdi par l'incohérence du dialogue, Jack répondit : « Je ne comprends pas. »

La voix de Toby fut presque inaudible. « On peut tout comprendre, mais rien ne peut être *compris*.

— Moi, je *veux* comprendre.

— On peut tout comprendre, mais rien ne peut être compris. »

Serrant toujours les poings, Heather plaça les mains devant ses yeux, car elle ne supportait plus la demi-transe dans laquelle était plongé son fils.

« Rien ne peut être compris », murmura à nouveau Toby.

Frustré, Jack insista. « Mais ça *nous* comprend, pourtant.

— Non.

— Qu'est-ce que ça ne comprend pas ?

— Beaucoup de choses. Et surtout... on résiste.

— On résiste ?

— On lui résiste.

— Et c'est nouveau, pour lui ?

— Ouais... Avant, jamais.

— Tout le reste le laisse entrer », dit Heather.

Toby hocha la tête en signe d'assentiment. « Sauf les gens. »

Levons nos verres à la santé des humains, se dit Jack. On pouvait compter sur ce bon vieil Homo Sapiens, têtu comme une mule. C'est que les gens d'ici n'ont pas assez bon caractère pour se laisser manipuler dans tous les sens par n'importe qui... Ils sont trop orgueilleux, trop obstinés, pour accepter de servir d'esclaves.

« Oh... », fit Toby, plus pour lui que pour ses parents ou l'entité qui contrôlait l'ordinateur. « Je vois.

— Que vois-tu, Toby ?

— Intéressant.

— Qu'est-ce qui est intéressant ?

— Le *comment*. »

Jack coula un regard vers Heather, mais elle paraissait avoir autant de mal que lui à suivre l'énigmatique conversation.

« Ça pressent, dit Toby.

— Toby ?

— N'en parlons plus », répondit le petit garçon, quittant l'écran des yeux pour lancer à Jack un regard implorant.

« Parler de quoi ?

— Laisse tomber, dit Toby en reportant son attention sur le moniteur.

— Laisser tomber *quoi* ?

— J'ai intérêt à être sage. Ecoutez, ça veut savoir. » Puis, d'une voix étouffée, forçant Jack à se pencher vers lui, Toby changea de sujet de conversation : « Que font-ils là-dessous ?

— Tu veux parler du cimetière ? lui demanda jack.

— Ouais.

— Tu le sais.

— Mais ça, non. Ça veut savoir.

— Ça ne comprend pas la mort, dit Jack.

— Non.

— Comment est-ce possible ?

— Il y a la vie. Seule, la vie est », poursuivit Toby, interprétant de toute évidence le point de vue de la créature avec qui il était en contact. « Pas de sens. Pas de commencement. Pas de fin. Rien n'importe. C'*est*.

— Notre monde n'est certainement pas le seul dont les habitants soient mortels », dit Heather.

Tremblant, Toby reprit la parole, d'une voix à peine plus audible. « Ils résistent aussi, ceux qui sont sous la terre. Ça se sert d'eux, tout en ignorant ce qu'ils sont vraiment. »

Ça se sert d'eux, tout en ignorant ce qu'ils sont vraiment.

Soudain, quelques pièces du puzzle se mirent en place, révélant une infime partie de la vérité. Infime, mais aussi monstrueuse et insupportable.

Stupéfait, Jack ne songeait pas à se redresser. Penché au-dessus de Toby, il répéta, d'une voix blanche : « S'en servir ?

— Mais ça ne sait pas ce qu'ils sont.

— Comment ça se sert d'eux ?

— Des pantins. »

Heather fut interloquée. « L'odeur... Oh, mon Dieu. L'odeur dans l'escalier, l'autre jour. »

Bien que Jack n'ait pas été tout à fait certain de comprendre de quoi elle parlait, il sut à cet instant précis qu'elle était au courant de ce qui se passait dans le ranch Quartermass. Il ne s'agissait pas *seulement* de cette chose venant de l'au-delà et capable d'influencer leurs rêves, de cette chose *étrangère* à leur monde, dont l'existence se justifiait uniquement par la haine et la destruction.

« Mais ça ne peut pas les connaître, chuchota Toby. Pas même comme ça nous connaît, nous. Ça se sert d'eux, bien mieux que de nous. Mais ça veut les connaître. Ça veut devenir eux. Et ils résistent. »

Jack en avait assez entendu. Beaucoup trop. Salement secoué, il se redressa. Puis il posa le doigt sur l'interrupteur de l'ordinateur, et l'écran s'éteignit.

« Ça va venir nous chercher », dit Toby, avant d'émerger lentement de sa transe.

Dehors, la tempête hurlait, mais, même si les fenêtres avaient cédé sous la pression du vent, Jack n'aurait pu se sentir plus glacé.

Toujours assis dans le fauteuil, face à l'ordinateur, Toby se tordit le cou pour lancer un long regard perplexe à sa mère, puis à son père.

Le chien sortit du coin où il s'était réfugié.

Bien que personne ne l'ait touché, l'interrupteur de l'ordinateur passa brusquement de *Arrêt* à *Marche*.

Tout le monde sursauta, y compris Falstaff.

Et l'écran se couvrit à nouveau d'un flot ininterrompu de teintes verdâtres.

Heather fonça sur le câble d'alimentation, qu'elle arracha de la prise.

L'ordinateur s'éteignit.

« Ça ne va pas s'arrêter », fit Toby en quittant le fauteuil.

Jack se tourna vers la fenêtre et constata qu'il faisait jour. Révélée par l'aube grise, la tempête battait son plein, et le blizzard s'était déchaîné. Au cours des douze dernières heures, cinquante centimètres de neige étaient tombés dans la région, et des congères d'un mètre s'étaient formées sous l'action du vent violent. Deux explications étaient envisageables : l'une, c'était que la première tempête ne s'était toujours pas déplacée vers l'est ; l'autre, que la deuxième, annoncée par la météo, avait commencé plus tôt que prévu, renforçant ainsi l'impact de la précédente.

« Ça ne va pas s'arrêter », répéta solennellement Toby. Et ce n'était pas de la neige qu'il parlait.

Heather le prit dans ses bras et le souleva du sol, le serrant très fort contre elle, comme pour consoler un bébé.

Tout devient moi.

Jack ignorait ce que ces mots signifiaient et les horreurs qu'ils impliquaient, mais il savait que Toby avait raison. Ça ne s'arrêterait jamais, du moins pas avant que ça soit devenu eux, et eux, une partie de ça.

A l'intérieur des fenêtres, sur les carreaux du bas, la buée avait gelé. Jack fit glisser son doigt sur la vitre, mais la peur le frigorifiait au point qu'il ne sentit même pas le froid mordre sa peau.

Par-delà les fenêtres de la cuisine, on découvrait un monde immaculé, sur lequel la neige tombait sans relâche.

Impatiente, Heather allait nerveusement de l'une à l'autre, guettant l'apparition du monstre qui troublerait l'inertie du paysage.

Ayant revêtu, tous les trois, les combinaisons de ski qu'ils s'étaient procurées la veille, ils étaient, au moins, prêts à quitter la maison, si leur position devenait indéfendable.

Le Mossberg était posé sur la table. Jack pouvait ainsi lâcher le bloc-notes et saisir immédiatement l'arme, au cas où quelque chose — il préférait ne pas *penser* à ce que ce serait — passerait à l'attaque. Le Micro Uzi et le Korth.38, eux, étaient sur le comptoir, près de l'évier.

Toby était en train de boire une grande tasse de chocolat chaud, le chien couché à ses pieds. Le petit garçon n'était plus en transe, et ne paraissait plus du tout connecté au mystérieux envahisseur. Pourtant, il faisait preuve d'un calme tout à fait inhabituel.

Bien que Toby se soit porté à merveille pendant le reste de la journée, après l'assaut apparemment plus sérieux qu'il avait subi, la veille, dans le cimetière, Heather s'inquiétait. Il était sorti de la première expérience sans en garder aucun souvenir conscient, mais le traumatisme que représentait un tel asservissement mental avait indubitablement laissé des traces profondes dans l'esprit du petit garçon. Les séquelles pouvaient n'apparaître que dans quelques semaines, voire quelques mois. Et il se souvenait très bien de la deuxième tentative de prise de contrôle, parce que le manipulateur n'avait réussi ni à le dominer ni à réprimer chez lui le souvenir de l'invasion télépathique. La créature avait établi avec Heather, au cours de son rêve de la nuit précédente, un contact si répugnant qu'elle en avait été physiquement malade. Mais les deux expériences que Toby avait vécues, beaucoup plus intimes, avaient dû être incommensurablement plus terrifiantes que la sienne.

Entre deux aller-retour d'une fenêtre à l'autre, Heather s'arrêta derrière la chaise de Toby et posa les mains sur les épaules frêles du petit garçon, puis elle déposa un baiser sur ses cheveux. Il était inconcevable que quiconque puisse faire du mal à son fils. Elle ne supportait pas l'idée que cette chose, quoi qu'elle fût, soit en contact avec Toby, jouant avec lui comme un pantin. Intolérable. Elle était capable de faire n'importe quoi pour empêcher ça. N'importe quoi. Y compris mourir.

Au bout de trois ou quatre pages, Jack releva la tête, pâle comme un linge. « Pourquoi ne m'en as-tu pas parlé quand tu l'as trouvé ?

— Etant donné la façon dont il était dissimulé dans le congélateur, j'ai pensé qu'il s'agissait de notes personnelles, privées, qui ne nous regardaient pas. J'ai eu l'impression que, seul, Paul Youngblood était autorisé à les lire.

— Tu aurais dû me montrer ce bloc-notes.

— Hé! Tu n'es pas venu *me* raconter ce qui s'était passé dans le cimetière, s'écria-t-elle, et c'était pourtant beaucoup plus grave!

— Excuse-moi.

— Et tu ne m'as pas parlé non plus de ce que t'avaient dit Paul et Travis.

— J'ai eu tort. Mais... Tu sais tout, à présent.

— Maintenant, oui, *enfin.* »

Qu'il lui ait caché des faits aussi sérieux l'avait rendue furieuse, mais sa colère n'avait pas duré. Elle était coupable, elle aussi. Elle ne l'avait jamais entretenu du malaise qu'elle avait ressenti, pendant le tour du ranch en compagnie de Paul Youngblood. Ni de ses prémonitions de violence et de mort. Ni de l'intensité sans précédent de son cauchemar. Ni de sa certitude concernant une présence dans l'escalier en colimaçon, lorsqu'elle s'était rendue dans la chambre de Toby, deux nuits auparavant.

Depuis qu'ils étaient mariés, leurs rapports n'avaient jamais été aussi peu complices qu'actuellement. Ils voulaient que leur nouvelle vie, qui démarrait avec leur installation dans le ranch, soit parfaite, et ils s'étaient retenus d'émettre le moindre doute, la moindre réserve. Tout en ayant les meilleures intentions du monde, chacun d'entre eux avait omis de signaler à l'autre certains éléments qui risquaient, aujourd'hui, de leur coûter la vie.

Montrant le bloc-notes, elle demanda : « Qu'est-ce que ça raconte ?

— Tout. En tout cas, c'est un bon début. Le vieux Fernandez a consigné par écrit tout ce qu'il avait vu. »

Jack lut à voix haute les passages concernant les vagues sonores qui avaient réveillé le vieil homme au milieu de la nuit, et la lumière spectrale aperçue dans la forêt.

« J'aurais cru que ça viendrait du ciel, comme une soucoupe volante, dit Heather. Avec tous les films et tous les romans qui ont été réalisés ou écrits sur le sujet, on s'attendrait plutôt à ce qu'ils débarquent à bord d'immenses vaisseaux spatiaux.

— Quand on parle de créatures extraterrestres, dit Jack, on évoque en fait des formes de vie fondamentalement différentes, et profondément *étrangères* à la nôtre. Eduardo Fernandez en fait état dès la première page. Une forme de vie profondément étrangère à la nôtre. Un défi à l'intelligence. Au-delà de tout ce que nous sommes capables d'imaginer, soucoupes volantes comprises.

— J'ai peur de ce qui va se passer. J'ai peur de ce que j'aurai à faire », dit soudain Toby.

Une bourrasque de vent s'engouffra sous le toit du porche, en émettant une plainte qui tenait à la fois du synthétiseur et de la bête blessée.

Heather se pencha vers Toby. « Tout va bien se passer, chéri. Maintenant que nous savons à peu près ce qui nous menace, nous en viendrons à bout. » Elle aurait payé cher pour éprouver *réellement* un quart de l'assurance dont elle faisait preuve.

« Mais il ne faut pas que j'aie peur. »

Levant les yeux vers Toby, Jack déclara : « Il n'y a aucune honte à avoir peur, fiston.

— Toi, tu n'as jamais peur de rien, dit le petit garçon.

— Faux. En ce moment, par exemple, je crève de trouille. »

Cette nouvelle stupéfia Toby. « C'est vrai ? Mais toi, tu es un héros.

— Oui et non, fiston. Tu sais, ça n'a rien d'extraordinaire, dit Jack. La plupart des gens sont des héros. Ta mère, par exemple, et toi aussi.

— Moi ?

— Bien sûr. A cause de la façon dont tu as pris les choses en main, au cours des derniers mois. C'est qu'il t'a fallu un drôle de courage pour faire face à tous les problèmes qui se sont posés.

— Je n'ai pas eu l'impression d'être très courageux.

— Ceux qui commettent de véritables actes de bravoure n'ont jamais cette impression. »

Heather intervint. « Beaucoup de gens sont des héros, sans pour autant agir héroïquement.

— Tous ceux qui vont travailler tous les matins, qui font des sacrifices pour subvenir aux besoins de leur famille, et qui vivent leur vie sans faire de mal aux autres, dans la mesure du possible, ce sont eux, les vrais héros, dit Jack. Des gens comme ça, il y en a plein. Et il leur arrive à tous, de temps en temps, d'avoir peur.

— Alors, même si j'ai peur, ça va quand même ? demanda Toby.

— C'est même mieux, dit Jack. Si tu n'avais jamais peur de rien, cela voudrait dire que tu es complètement idiot, ou complètement fou. Je sais que tu ne peux pas être idiot, puisque tu es *mon* fils. Quant à la folie, eh bien... je ne peux pas vraiment me prononcer, dans la mesure où, du côté de ta mère, c'est héréditaire. »

Un sourire narquois éclaira le visage de Jack.

« Je peux peut-être m'en sortir, dit Toby.

— C'est exactement ce que nous allons tous faire », lui assura Jack.

Le regard de Heather croisa celui de Jack, et elle lui sourit, comme pour dire : *Tu as fait exactement ce qu'il fallait faire, et on devrait te décerner le prix du Meilleur Père de l'année.* Il lui adressa un clin d'œil. Mon Dieu, comme elle l'aimait.

« Alors, c'est fou », lança le petit garçon.

Fronçant les sourcils, Heather dit : « Quoi ?

— Le truc. C'est pas bête, puisque c'est plus malin que nous et que ça fait des choses qu'on connaît même pas. Donc, ça veut dire que ce truc est complètement dingue. Ça n'a *jamais* peur. »

Heather et Jack échangèrent un regard. Cette fois, pas question de sourire.

« Jamais », répéta Toby, les deux mains autour de sa tasse de chocolat.

Heather s'en retourna vers les fenêtres, allant de l'une à l'autre, inlassablement.

Feuilletant les pages qu'il n'avait pas encore lues, Jack tomba sur le passage concernant la porte, et lut à voix haute ce qu'avait écrit Eduardo Fernandez. *Posé sur la tranche, telle une pièce de monnaie géante, plus fine qu'une feuille de papier. Mais assez grande pour laisser passer une locomotive. Une obscurité d'une pureté exceptionnelle.* Le vieil homme passant le bras au travers. L'impression que quelque chose était en train de surgir de toute cette noirceur.

Posant le bloc-notes sur la table, Jack se leva.

« Pour l'instant, ça suffit, dit-il. Nous lirons le reste plus tard. Les notes d'Eduardo Fernandez correspondent à ce que nous savons déjà, et c'est tout ce qui compte. Tout le monde le prenait pour un vieux fou sénile, et tout le monde pense peut-être de nous que nous sommes des citadins stressés, incapables de s'habituer au grand air des montagnes. Mais il est impossible que personne ne tienne compte de ce qu'ont vu Eduardo Fernandez et la famille McGarvey. »

Heather réfléchit. « Qui allons-nous appeler à l'aide ? La police locale ?

— On va téléphoner à Paul Youngblood, et à Travis Potter. Ils savent déjà qu'il se passe des choses bizarres dans ce ranch, même si aucun des deux ne se doute vraiment de la gravité de la situation. Si nous avons deux personnes du coin pour témoins, nous aurons plus de chances que le shérif nous prenne au sérieux. »

Emportant le fusil à pompe, Jack se dirigea vers le téléphone mural. Il décrocha le combiné, le posa contre son oreille, puis raccrocha, avant de recommencer la même opération. Reposant le combiné, il déclara : « Il n'y a pas de tonalité. »

C'était bien ce qu'elle craignait. Avant même qu'il s'approche du téléphone, Heather s'était douté que la ligne serait coupée. Depuis l'incident de l'ordinateur, elle savait qu'il ne serait pas facile d'appeler leur amis à l'aide, mais elle se refusait à croire qu'ils étaient tous les trois prisonniers.

« Les poteaux ont peut-être été abattus par la tempête, avança Jack.

— Les lignes téléphoniques suivent le parcours du réseau électrique, non ?

— Tu as raison, et comme nous avons toujours l'électricité, il ne peut pas s'agir de la tempête. »

Il prit la clé de contact de l'Explorer, et celle de la Cherokee d'Eduardo. « D'accord. Tirons-nous d'ici en vitesse. Nous allons nous rendre tout de suite chez Paul et Carolyn, et nous préviendrons Travis depuis leur maison. »

Heather glissa le bloc-notes dans la poche ventrale de

sa combinaison et remonta la fermeture Eclair de sa veste matelassée. Puis elle saisit le Micro Uzi et le Korth.38. Un dans chaque main.

Pendant que Toby descendait de sa chaise, Falstaff sortit de dessous la table, et se dirigea en trottinant à la porte qui séparait la cuisine du garage. Le chien semblait comprendre qu'ils s'apprêtaient à sortir et, de toute évidence, il approuvait totalement cette décision.

Jack tira le verrou et poussa le battant, d'un geste précis mais mesuré, tenant le fusil à pompe devant lui, comme s'il s'attendait à trouver leur ennemi invisible dans le garage. Il fit jouer l'interrupteur, jeta un coup d'œil à droite, puis à gauche : « C'est bon. »

Accompagné de Falstaff, Toby suivit son père.

Heather fut la dernière à quitter la cuisine, après un ultime regard par la fenêtre. Dehors, la neige se déversait en véritables cascades de flocons.

Même avec la lumière allumée, le garage restait sombre. On se serait cru dans une chambre froide. Le grand portail vibrait de toutes ses lattes métalliques sous les rafales du vent, mais Heather n'appuya pas sur le bouton qui en actionnait l'ouverture ; il était plus prudent d'attendre d'être en sécurité dans l'Explorer pour se servir de la télécommande.

Pendant que Jack s'assurait que Toby était bien installé sur la banquette arrière, sa ceinture de sécurité bouclée, le chien à ses côtés, Heather se dirigea vers la portière du côté du passager. Tout en marchant, elle gardait les yeux baissés vers le sol, persuadée que quelque chose allait surgir de sous l'Explorer, pour lui attraper les chevilles.

Elle se souvenait très bien de la présence brièvement aperçue l'autre nuit, lorsque, dans son rêve, elle avait entrebâillé la porte. Une présence qui luisait dans l'obscurité, prête à fondre sur elle. Elle n'en avait pas distingué les contours précis, mais se rappelait une masse indistincte, vaguement munie de tentacules.

Et elle n'avait rien oublié de son sifflement de triomphe, juste avant qu'elle claque la porte, mettant ainsi un terme à l'atroce cauchemar.

Mais aucun tentacule ne surgit pour s'emparer d'elle, et elle parvint sans encombre jusqu'à l'avant de l'Explorer.

Déposant le Micro Uzi au pied de son siège, elle garda le revolver à la main.

« Il est possible que la couche de neige soit trop épaisse », dit-elle à Jack, tandis qu'il lui tendait le Mossberg. Elle le coinça entre ses genoux, le canon dressé vers le ciel. « La tempête est pire que ce qu'ils avaient prévu. »

Jack s'installa derrière le volant et claqua la portière. « Ça va aller, dit-il. Il va peut-être falloir qu'on pousse la neige avec le pare-chocs avant, mais je ne crois pas que la couche soit assez épaisse pour poser de réels problèmes.

— Si seulement l'Explorer était équipé pour ce genre de conditions météorologiques... »

Jack tourna la clé de contact et tira vers lui le starter, mais le moteur resta muet. Il essaya à nouveau. Rien. Il vérifia qu'aucune vitesse n'était enclenchée, et se livra à une troisième tentative, sans le moindre succès.

Heather ne s'en étonna pas. Après le téléphone qui ne marchait plus, c'était le tour de l'Explorer. Bien que Jack n'ait pas prononcé un mot, il s'était bien gardé de croiser le regard de Heather, et elle sut qu'il s'était également attendu à ce que la voiture ne démarre pas. C'était même la raison pour laquelle il avait emporté la clé de la Cherokee.

Tandis que Heather, Toby et Falstaff s'extirpaient de leur siège, Jack se glissa derrière le volant de l'autre véhicule. Qui refusa à son tour de démarrer.

Il se décida alors à soulever le capot de l'un, puis de l'autre. Ni l'Explorer ni la Cherokee ne semblaient souffrir d'une panne quelconque.

Ils retournèrent dans la cuisine.

Heather ferma la porte à clé. Elle doutait que les verrous leur soient d'une quelconque utilité dans leur lutte contre la chose qui avait élu domicile au ranch Quartermass. Pour ce qu'ils en savaient, elle était parfaitement capable de traverser les murs, mais Heather ferma quand même la porte à clé.

Jack était sombre. « Préparons-nous au pire. »

CHAPITRE VINGT

Dans le bureau du rez-de-chaussée, les vitres crépitaient sous l'action des flocons gelés que le vent jetait par rafales.

Bien que le monde extérieur soit devenu blanc à perte de vue, très peu de lumière filtrait par les fenêtres, et les abat-jour des lampes diffusaient une douce lueur ambrée.

Passant en revue le reste des armes dont ils disposaient, auxquelles s'ajoutaient celles de Stanley Quartermass, Jack décida d'en charger une autre seulement : le Colt.45.

« Je prendrai le Mossberg et le Colt, dit-il à Heather. Toi, tu auras le Micro Uzi et le.38. Sers-toi de l'Uzi en priorité.

— C'est-à-dire ? » s'étonna-t-elle.

Il la regarda froidement. « Avec tout ce que nous avons déjà, si nous ne réussissons pas à nous défendre, une arme supplémentaire ne nous servira pas à grand-chose. »

Dans l'un des deux tiroirs qui se trouvaient dans le bas du râtelier, parmi d'autres accessoires de chasse, il trouva trois cartouchières, destinées à être portées autour de la taille. L'une était en nylon, ou dans une matière synthétique quelconque, et les deux autres étaient en cuir. Exposé à une température au-dessous de zéro pendant un certain temps, le nylon restait flexible plus longtemps que le cuir, qui, dans de telles conditions, se raidissait ; on avait déjà vu des canons de revolvers se tordre sous l'effet d'un cuir contracté par le froid. Comme il avait l'intention de rester à l'extérieur et de laisser Heather dans la maison, il lui remit la plus souple des deux cartouchières en cuir, et garda celle en nylon.

Leurs vestes présentaient quantité de poches qu'ils remplirent de munitions, bien que le fait de croire qu'ils puissent avoir le temps de recharger leurs armes ait représenté, de leur part, un acte de foi tout à fait méritoire.

Car Jack ne doutait pas de l'imminence de l'attaque, quelle que soit la forme qu'elle prendrait. Il ignorait s'il s'agirait d'un assaut purement physique ou d'une agression à la fois matérielle et mentale, et si cette fichue chose comptait intervenir en personne, ou si elle avait décidé d'envoyer à sa place un quelconque substitut. Impossible de prévoir d'où viendrait l'adversaire, mais il *savait* que ça n'allait plus tarder. L'entité était impatiente de tester leur résistance, et languissait de prendre leur place. Très peu d'imagination était requise pour comprendre qu'elle voudrait ensuite les étudier de plus près, les disséquer soigneusement et examiner leur cerveau, ainsi que leur système nerveux, afin d'apprendre quel était le secret de leur capacité à endurer ses attaques sans lui céder.

Quant à leur mort éventuelle, ou à une hypothétique anesthésie pratiquée sur eux avant tout acte barbare de chirurgie, il ne se faisait pas la moindre illusion.

Jack reposa le fusil à pompe sur la table de la cuisine. De l'un des placards, il retira une boîte ronde en métal, dont il dévissa le couvercle, avant de prendre à l'intérieur une pochette d'allumettes, qu'il plaça devant lui, sur la table.

Tandis que Heather montait la garde à l'une des fenêtres, Toby et Falstaff étant postés devant l'autre, Jack descendit au sous-sol. Dans la seconde pièce, à côté du générateur électrique, il y avait huit jerrycans, contenant chacun vingt litres d'essence. C'était la réserve que Paul Youngblood leur avait suggérée. Il transporta deux jerricane dans la cuisine, et les déposa à côté de la table.

« Si les armes ne lui font aucun effet, dit-il, et que vous prenez soin de vous mettre à l'abri, je crois qu'on peut courir le risque de l'épreuve du feu.

— Et brûler toute la maison avec ? fit Heather, incrédule.

— Ce n'est qu'une maison. On pourra toujours la reconstruire. Si nous n'avons pas d'autre solution, peu importe que nous réduisions en cendres tout le ranch. Et si les balles ne l'arrêtent pas... » Il vit briller dans les yeux de Heather une lueur de terreur. « Je suis certain que ça suffira, surtout l'Uzi. Mais si par hasard je me trompais, les flammes, elles, auraient raison de notre ennemi. Du moins le tiendraient-elles à distance. Un incendie peut constituer une excellente diversion, tout en vous donnant le temps de sortir de la maison. »

Elle le dévisagea, d'un air soudain suspicieux. « Jack, pourquoi dis-tu *vous*, au lieu de *nous* ? »

Il marqua une légère hésitation. Heather n'allait pas apprécier la nouvelle. Lui-même n'était pas fou d'enthousiasme, mais il n'avait pas le choix. « Toi, tu resteras dans la maison, avec Toby et le chien, pendant que...

— Pas question !

— ... pendant que, de mon côté, j'irai chercher du secours au ranch des Mélèzes.

— Non. Nous ne devons pas nous séparer.

— Heather, on n'a pas le choix.

— Chacun de notre côté, nous serons moins forts.

— A mon avis, ça ne change rien.

— Je ne suis pas d'accord avec toi.

— On ne gagnerait pas grand-chose à utiliser à la fois le fusil à pompe et l'Uzi. » Il fit un geste de la main en direction de la fenêtre. « De toute façon, il est impensable de sortir tous les trois par ce temps. »

Morose, elle regarda la neige qui tombait si serrée qu'on aurait cru voir un mur compact et impénétrable. Que pouvait-elle ajouter aux paroles de Jack ?

« Je peux y arriver », dit alors Toby, conscient du fait qu'il représentait une faille dans le plan d'action de son père. « J'en suis sûr. » Le chien, qui avait senti l'angoisse de son jeune maître, vint se frotter contre lui. « P'pa, je t'en prie, laisse-moi essayer. »

Par une belle journée de printemps, deux ou trois kilomètres à travers la campagne n'étaient pas une très longue distance, en effet, mais il leur faudrait affronter un froid féroce, contre lequel leurs combinaison de ski ne les protégeraient qu'à moitié. En outre, le vent violent jouerait

343

contre eux de trois façons différentes : il réduirait la température objective de l'air d'au moins dix degrés ; il les conduirait tout droit à l'épuisement, à cause des efforts qu'ils seraient contraints de faire pour progresser contre le vent ; et il diminuerait la visibilité, dissimulant sous les rafales de neige tous les repères naturels dont ils avaient besoin pour ne pas s'égarer dans cet enfer blanc.

Dans de telles conditions, Jack estimait que Heather et lui avaient la force et l'énergie suffisante pour couvrir deux kilomètres, avec de la poudreuse jusqu'aux genoux, mais il était certain que Toby ne tiendrait pas le quart du trajet, même en profitant des traces creusées dans la neige par les deux adultes. Et il leur faudrait alors porter à tour de rôle le petit garçon épuisé. Ce qui aurait pour résultat de les fatiguer tous les deux et, indirectement, de causer la mort des trois membres de la famille McGarvey.

« Je ne veux pas rester ici, dit Toby. Je ne veux pas faire ce qu'il faudra forcément que je fasse en restant dans cette maison.

— Et je n'ai pas l'intention de t'abandonner, dit Jack en s'accroupissant devant son fils. Tu m'entends, Toby ? Je ne te laisserai jamais tomber, et tu le sais. »

D'un air sombre, Toby acquiesça.

« Et tu peux compter sur ta mère. Elle est forte, et elle saura veiller sur toi. Il ne peut rien t'arriver tant que tu es avec elle.

— Je sais », répondit Toby, en bon petit soldat qu'il était.

« Parfait. Bon... Maintenant, j'ai quelques recommandations à vous faire, puis je prendrai la route. Bien sûr, je reviendrai ici aussi vite que possible — je fonce chez les Youngblood, je trouve du secours, et je reviens vous sauver. Vous voyez ce que je veux dire ? Comme dans les vieux films, la cavalerie arrive toujours quand il faut. Tout ira bien. On va tous s'en sortir. »

Le petit garçon regarda son père droit dans les yeux.

Jack affronta son fils avec un sourire faussement rassurant, et l'impression d'être le pire des salauds. Il était loin de ressentir l'assurance dont il tentait de faire preuve devant Toby et Heather. Très loin. Et il sentait bien que, quelque part, il leur faussait compagnie. Que se passerait-il si, ayant réussi à rameuter des secours, il revenait au ranch pour les retrouver morts tous les deux ?

Il ne lui resterait plus qu'à se flinguer. Sans sa femme et son fils, la vie n'aurait plus aucun sens.

En fait, les choses ne se dérouleraient probablement pas de cette façon, avec eux, morts, et lui, vivant. Il avait cinquante pour cent de chances, au mieux, d'arriver chez Paul et Carolyn Youngblood. Si la tempête n'était pas trop méchante... eh bien, un autre danger risquait de lui coûter la vie. Il ne savait pas si leur adversaire, qui les espionnait peut-être continuellement, s'apercevrait de son départ. Si c'était le cas, Jack n'aurait que peu de chances d'aller très loin.

Alors, Heather et Toby se retrouveraient seuls.

Mais il n'y avait rien d'autre qu'il puisse faire. C'était le seul plan d'action possible. Pas d'autres options. Et il leur restait de moins en moins de temps...

Des coups de marteau retentissaient dans toute la maison. Des coups de marteau vigoureux et résolus.

Les clous longs de dix centimètres dont se servait Jack étaient les plus grands qu'il ait trouvés dans le garage. Se tenant dans le vestibule au bas de l'escalier qui desservait l'arrière de la maison, il était en train de les planter en diagonale dans le battant de la porte donnant sur l'extérieur, de façon à le fixer solidement à l'encadrement. Deux grands clous au-dessus de la poignée, et deux au-dessous. Comme la porte était en chêne massif, les coups de marteau que lui assenait Jack étaient carrément violents.

Les gonds se trouvaient placés à l'intérieur. Impossible de les forcer.

Pourtant, il décida de bloquer la porte de l'autre côté aussi, mais à l'aide de deux clous seulement. Et, bon poids bonne mesure, il en planta deux dans le haut du battant, et deux autres dans le bas.

Quiconque pénétrant dans la maison par là avait le choix, sitôt qu'il avait franchi le pas de la porte, entre deux possibilités, alors qu'une seule s'ouvrait à lui par les autres entrées. Il pouvait en effet, au choix, entrer dans la cuisine et y trouver Heather, ou monter tout droit dans la chambre de Toby. Jack voulait à tout prix éviter cela, parce que, une fois au premier étage, il était possible de passer dans plusieurs pièces différentes, évitant ainsi toute possibilité d'assaut frontal, et forçant Heather à courir le risque de se faire attaquer par-derrière.

Après avoir planté un ultime clou, il fit jouer le verrou et essaya d'ouvrir la porte. En dépit de tous ses efforts, le battant ne bougea pas d'un millimètre. Personne ne pourrait passer par là sans attirer l'attention. Pour entrer, il fallait à présent défoncer le tout, et Heather ne manquerait pas d'entendre le vacarme, où qu'elle soit dans la maison.

Il tourna le verrou. Celui-ci se referma avec un claquement sec.

En sécurité, enfin.

Tandis que Jack clouait le battant en chêne donnant sur le porche arrière, Toby aidait Heather à empiler casseroles, poêles, plats et verres devant la porte de la cuisine. Si l'on poussait celle-ci, même doucement, le tas d'ustensiles placés en équilibre précaire ne manquerait pas de s'effondrer bruyamment, alertant Heather et Toby, où qu'ils se trouvent dans la maison.

Falstaff se tenait à une distance respectueuse, comme s'il comprenait que le moindre faux pas lui vaudrait de gros ennuis.

« Et la porte de la cave ? dit Toby.

— De ce côté-là, ça va, le rassura Heather. Il est impossible de rentrer dans la cave en passant par l'extérieur. »

Tandis que Falstaff suivait la scène avec le plus grand intérêt, ils entreprirent d'échafauder une pile identique devant la porte séparant la cuisine du garage, que Toby couronna d'un verre rempli de petites cuillères, lui-même posé sur un bol en inox, retourné à l'envers.

Ils transportèrent assiettes, moules à gâteaux, saladiers et couverts jusque dans l'entrée. Après le départ de Jack, ils recommenceraient l'opération, cette fois devant la porte d'entrée.

Heather ne pouvait pas s'empêcher de penser que ce système d'alarme était complètement inadéquat. Ou, du moins, pathétique.

Il leur était impossible de clouer les portes du premier

étage, parce qu'ils avaient besoin de conserver une issue par laquelle s'enfuir — dans ce cas, il leur suffirait de pousser les piles de vaisselle, d'ouvrir la porte et de s'enfuir. Et ils n'avaient matériellement pas le temps de transformer la maison en forteresse.

D'ailleurs, toute forteresse, pour ses occupants, était une prison en puissance.

Même si Jack avait senti qu'il avait le temps de renforcer toutes les ouvertures de la maison, il ne l'aurait peut-être pas fait. Quelles que soient les mesures prises, le grand nombre de fenêtres rendait l'endroit difficile à défendre.

Tout ce qu'il pouvait faire, c'était courir de l'une à l'autre — pendant que Heather vérifiait toutes celles du rez-de-chaussée — afin de s'assurer qu'elles étaient bien fermées. La plupart d'entre elles, soudées par les couches de peinture successives, étaient impossibles à ouvrir.

Dehors, la neige et le vent. A part ça, Jack n'aperçut rien de suspect.

Dans le placard de Heather, Jack passa en revue ses écharpes, et il en sélectionna une, en laine, dont les mailles étaient assez lâches.

Il prit dans un tiroir ses lunettes de soleil. Il faudrait qu'il s'en contente. Pas question de parcourir les trois kilomètres qui le séparaient du ranch des Youngblood sans protéger ses yeux de la luminosité ambiante. Ce n'était pas le moment de risquer la cécité des neiges.

Lorsqu'il revint dans la cuisine, où Heather s'affairait à vérifier que les fenêtres étaient bien fermées, il se dirigea vers le téléphone et souleva le combiné, dans l'espoir d'entendre la tonalité. Espoir insensé, évidemment. La ligne était bel et bien coupée.

« Il faut que j'y aille », dit-il.

Peut-être leur restait-il encore quelques heures avant l'attaque — ou seulement une poignée de minutes. Jack était incapable de deviner si la chose s'approcherait d'eux lentement, ou si elle leur fondrait dessus sans crier gare ; il n'avait aucun moyen d'évaluer son fonctionnement mental, ou de déterminer sa conception du temps.

Etranger à ce monde. Eduardo Fernandez avait raison. Totalement étranger. Mystérieux, et infiniment étrange.

Heather et Toby accompagnèrent Jack jusqu'à la porte. Là, il la serra dans ses bras, durant une brève étreinte. Il l'embrassa. Puis il dit au revoir à Toby, tout aussi rapidement.

Il ne voulait pas s'attarder, de peur de revenir sur sa décision. Le ranch des Youngblood était leur seul espoir, et ne pas y aller revenait à admettre que leur destin était scellé. Pourtant, laisser son épouse et son fils seuls ici était l'acte le plus difficile qu'il ait jamais accompli — c'était plus dur encore que de voir s'écrouler à ses côtés Tommy Fernandez et Luther Bryson, plus éprouvant que d'affronter Anson Oliver dans la station-service en flammes, plus pénible que de se remettre d'une fracture de la colonne vertébrale. Partir lui demandait autant de courage qu'il en fallait à Heather et à Toby pour rester, et ce n'était pas à cause du calvaire que la tempête allait lui faire subir, ni parce qu'il risquait de rencontrer une créature innommable en route, mais parce que, s'ils mouraient et qu'il en réchappait, le chagrin et la culpabilité qu'il éprouverait ferait de sa vie un véritable enfer.

Il se noua l'écharpe autour du bas du visage, couvrant son nez et sa bouche. Il fit deux tours, mais la maille était assez lâche pour qu'il puisse respirer librement. Tirant le capuchon de sa veste par-dessus sa tête, il l'attacha sous son menton, afin de maintenir l'écharpe en place. Ainsi harnaché, il avait l'impression d'être un preux chevalier sur le point d'entrer en lice.

Mordant nerveusement sa lèvre inférieure, Toby observait les préparatifs auxquels se livrait son père. Des larmes brillaient dans ses yeux, mais il luttait pour les retenir. Brave petit héros.

Jack enfila les lunettes de soleil, afin que l'émoi de son fils ne sape pas davantage sa détermination. S'il voyait pleurer son fils, il ne partirait jamais.

Après avoir mis ses gants, il prit le Mossberg. Le Colt.45 était déjà dans l'étui qui lui battait la hanche droite.

Le moment était venu de quitter Heather et Toby. Et Falstaff.

Visiblement, Heather était bouleversée.

La regarder lui était insupportable.

Elle ouvrit la porte, et une rafale de vent déposa sur le seuil sa cargaison de neige.

Jack avança de quelques pas sous le porche, s'éloignant à regret de ceux qu'il aimait, et il balança un grand coup de pied dans la couche de poudreuse.

Une dernière fois, elle murmura quelques mots — *Je t'aime* — aussitôt emportés par le vent. Mais il avait saisi le message.

Au moment de descendre les marches du porche, il hésita et se tourna vers elle. « Je t'aime, Heather », lui dit-il, puis il s'enfonça dans la tempête, sans savoir si elle l'avait entendu. La reverrait-il ? La prendrait-il dans ses bras à nouveau ? Lirait-il à nouveau sur le visage de la jeune femme l'amour qu'elle lui vouait, et qui comptait plus pour lui que le salut de son âme et une éventuelle place au paradis ?

Devant la maison, la couche de neige lui arrivait aux genoux.

Il ne fallait pas qu'il regarde en arrière.

Mais il fallait qu'il les quitte. Sa décision était courageuse. C'était la plus sage, la plus prudente, et leur seul espoir de survie.

Pourtant, il ressentait autre chose. Il avait l'impression de les abandonner.

CHAPITRE VINGT ET UN

Sifflant aux fenêtres comme s'il était conscient et les guettait, le vent secouait la porte de la cuisine, testant la solidité du verrou, et il flairait bruyamment toute la maison, à la recherche d'une faille par laquelle s'introduire.

Malgré son poids, Heather hésitait à poser l'Uzi, et elle se tint pendant un long moment postée à la fenêtre de la cuisine orientée au nord, avant de se placer devant l'évier, face à l'ouest. La tête penchée sur le côté, elle écoutait attentivement tous les bruits provenant de l'extérieur, et dont la tempête n'était pas la seule responsable.

Assis à la table de la cuisine, écouteurs sur les oreilles, Toby jouait avec son Game Boy, mais son attitude n'était pas celle qu'il adoptait d'habitude lorsqu'il était plongé dans un quelconque jeu électronique — il ne se tortillait pas sur son siège, il ne se balançait pas d'un côté à l'autre, il ne sautait pas sur place. Sa seule motivation, c'était simplement de passer le temps.

Dans le coin de la cuisine le plus éloigné des fenêtres, Falstaff dormait, bien au chaud. A l'occasion, il dressait sa noble tête, flairant l'atmosphère, mais il passait la plupart de son temps à observer ce qui se passait dans la pièce, couché sur le flanc, l'œil à ras du sol.

Les minutes passaient lentement. A intervalles réguliers, Heather regardait la pendule fixée au mur, certaine que dix minutes au moins s'étaient écoulées, pour découvrir qu'une soixantaine de secondes seulement séparaient les deux coups d'œil.

Les trois kilomètres du trajet jusqu'au ranch des

Mélèzes prenaient vingt-cinq minutes, par temps clair. Etant donné la tempête, il se pouvait que Jack les parcoure en une heure et demie, compte tenu de l'épaisseur de la couche de neige, des détours imposés par les congères et des coups de vent qui freinaient sa progression. Une fois chez les Youngblood, une demi-heure lui serait nécessaire pour expliquer ce qu'il se passait, et mettre au point un plan d'attaque. Le trajet du retour ne leur prendrait guère plus d'un quart d'heure, même s'il leur fallait dégager certains tronçons de route bloqués par la neige. Au pis, il serait de retour deux heures et quart après son départ, au grand maximum.

Le chien se mit à bâiller.

Toby était si calme qu'on aurait pu le croire endormi.

Heather avait baissé le thermostat, afin qu'ils puissent porter leur ensemble de ski et se tenir prêts à s'enfuir dès que le besoin s'en ferait sentir, mais la maison était encore chaude. Les mains et le visage de Heather étaient glacés, mais ses aisselles étaient trempées de sueur, et elle défit la fermeture Eclair de sa veste.

Au bout d'un quart d'heure, elle commença à se dire que leur ennemi imprévisible ne les attaquerait pas. Celui-ci, de toute évidence, ne s'était pas encore rendu compte de la vulnérabilité qui était la leur depuis le départ de Jack, ou bien il s'en moquait carrément. D'après ce qu'avait dit Toby, il correspondait exactement à la définition même de l'arrogance — n'étant jamais effrayé par rien — et il fonctionnait toujours suivant le même rythme, d'après ses propres plans et ses propres désirs.

Elle reprenait un peu confiance, quand Toby se mit à parler. Il ne s'adressait d'ailleurs pas seulement à elle.

« Non, je ne crois pas. »

Heather s'écarta de la fenêtre.

« Eh bien... peut-être, murmura Toby.

— Toby ? », dit-elle.

Apparemment oublieux de sa présence, il fixait l'écran de son Game Boy. Ses doigts étaient immobiles. Aucune partie n'était en cours : l'écran miniature montrait des formes et des couleurs qu'elle avait déjà observées à deux reprises.

« Pourquoi ? » dit-il.

Elle posa la main sur l'épaule de son fils.

« Peut-être », répondit-il, s'adressant aux tourbillons de couleurs qui se déployaient sous ses yeux.

Jusque-là, lorsqu'il réagissait aux injonctions de l'entité, il avait toujours dit *non*. Le *peut-être* alarma soudain Heather.

« Possible, si ça se trouve », dit-il.

Elle ôta les écouteurs des oreilles de Toby, et il consentit enfin à lever les yeux vers elle. « Toby, que fais-tu ?

— Je discute », dit-il, d'une voix qu'on aurait pu croire altérée par la drogue.

« A qui disais-tu *peut-être* ?

— Au Passeur », lui expliqua-t-il.

Elle se souvenait de ce nom, pour l'avoir entendu au cours de son rêve, alors que la détestable créature se prétendait être l'unique source de paix et de plaisir.

« Il prétend vouloir donner, mais il ment. Au contraire, il prend. Et tu persistes à te refuser. »

Toby avait les yeux fixés sur elle.

Tremblante, elle dit : « Tu me comprends, chéri ? »

Il hocha la tête.

Elle n'était pas certaine qu'il l'écoutait vraiment.

« Tu te refuses constamment, tu ne cesses de lui dire *non*.

— D'accord. »

Elle jeta le Game Boy à la poubelle. Elle hésita une seconde, puis se ravisa et posa l'objet sur le sol, l'écrasant à coups de talon, rageusement. Bien que le jeu électronique n'ait pas résisté aux premiers chocs, elle s'acharna. Jusqu'à ce qu'elle se rende compte qu'elle ne se maîtrisait plus, et qu'elle exerçait sur le Game Boy une vengeance que, seul, le Passeur méritait. C'était lui qu'elle aurait aimé écraser à grands coups de botte.

Durant quelques secondes, elle se tint immobile, haletante, le regard fixé sur les débris du boîtier en plastique. Elle commença à les rassembler, puis elle changea d'avis. Au diable le Game Boy ! Et elle envoya valdinguer ce qui en restait.

L'incident avait suffisamment intéressé Falstaff pour le convaincre de se lever. Quand Heather retourna se poster derrière la fenêtre au-dessus de l'évier, le labrador la suivit des yeux, étonné, avant de se diriger vers l'ex-Game Boy, le flairant comme pour élucider les motifs de la furie soudaine de Heather.

Dehors, c'était toujours pareil. L'avalanche de neige bouchait la vue, comme le brouillard du Pacifique dans les rues d'une station balnéaire californienne.

Fixant le regard sur Toby, elle lui dit : « Tu te sens bien ?

— Ouais, ça va.

— Ne le laisse pas approcher de toi.

— Je ne veux pas qu'il vienne.

— Alors, qu'il n'entre pas. Sois dur, je sais que tu peux y arriver. »

Sur le comptoir, à côté du four à micro-ondes, la radio diffusait de la musique, imperturbable, comme programmée pour émettre encore quelques minutes avant de sonner l'heure fatale. C'était un gros récepteur, de la taille de deux grandes boîtes de corn-flakes, qui captait six types de fréquence, ondes courtes et FM comprises. Toutefois, il ne donnait pas l'heure, et n'était pas programmable non plus. Pourtant, il brillait de toutes ses diodes, et ses haut-parleurs diffusaient une étrange musique.

L'enchaînement des notes et des rythmes n'avait pas grand-chose de musical, en fait, et l'ensemble faisait plutôt penser aux pièces détachées d'un moteur étalées sur l'établi d'un mécanicien. Certes, Heather identifiait les instruments — flûtes, hautbois, clarinettes, cors de toutes sortes, violons, triangles, cymbales —, mais il n'y avait aucune mélodie, aucune structure cohérente et identifiable. A peine existait-il une *idée* de structure, trop subtile pour être vraiment perceptible, et des sons, qui déferlaient en vagues, parfois agréables, parfois discordantes, et alternativement bruyantes et silencieuses.

« Peut-être », dit Toby.

Concentrée sur la radio, Heather se retourna vers son fils, surprise.

Toby s'était levé. Debout près de la table, le regard rivé sur le poste, il vacillait au gré d'une brise qu'il était le seul à sentir. Ses yeux brillaient d'un éclat particulier. « Eh bien... ouais, peut-être... Peut-être... »

Les sons qui sortaient de la radio étaient l'équivalent

auditif de la masse de couleurs qui parcourait indifféremment l'écran de la télé, de l'ordinateur et du Game Boy. De toute évidence, il s'agissait d'un langage qui s'adressait directement au subconscient. Heather en percevait le pouvoir hypnotique, tout en ne subissant qu'une petite fraction de ce que subissait Toby.

Toby, lui, était vulnérable. Les enfants étaient toujours la proie la plus facile, victimes naturelles de ce monde cruel.

« ... J'aimerais bien... super... génial... » dit le petit garçon, d'un ton rêveur, avant de lâcher un profond soupir.

S'il disait *oui*, s'il ouvrait sa porte intérieure, il ne serait peut-être pas capable, cette fois, de repousser la chose, se perdant alors à jamais.

« Non ! », s'écria Heather.

Saisissant le câble de la radio, elle arracha la prise de son logement dans le mur, si violemment qu'elle la tordit, provoquant une gerbe d'étincelles qui arrosa les carreaux en faïence blanche du comptoir.

Même débranchée, la radio continua à produire les mêmes vagues de sons hypnotiques.

Stupéfaite, hagarde, Heather fixa l'appareil.

En transe, Toby continuait à parler à un compagnon imaginaire, s'adressant à une présence qu'il était le seul à percevoir. « Je peux ? Hmmm ? Je peux.... Et vous... Vraiment ? »

La foutue présence se faisait plus pressante que n'importe quel dealer au coin d'une rue de Los Angeles, de ceux qui s'attaquaient aux gamins à la sortie des classes, devant les cinémas, dans les salles de jeux, partout où ils réussissaient à s'introduire, infatigables, plus difficiles à éliminer que de la vermine.

Les piles. Bien sûr. La radio fonctionnait sur secteur, et sur piles.

« ... peut-être... peut-être... »

Elle posa l'Uzi sur le comptoir, se saisit de la radio, fit jaillir le petit rabat en plastique situé à l'arrière de l'appareil, et ôta les piles à l'intérieur du compartiment, d'un geste vif. Puis elle les balança dans l'évier, où elles produisirent un bruit de dés roulant sur une piste de backgammon. La radio avait interrompu son chant de sirènes avant que Toby ait dit oui, et Heather pouvait considérer qu'elle venait de remporter une bataille. La liberté mentale de Toby était en jeu, mais, dans cette partie de dés qui l'opposait à l'invisible joueur, elle venait de sortir un sept, remportant ainsi la mise. Pour l'instant, il était à l'abri du danger.

« Toby ? Toby, regarde-moi. »

Il obéit. Le regard vif, il ne vacillait plus de droite à gauche, et paraissait parfaitement en prise avec la réalité.

Falstaff aboya soudain, et Heather crut d'abord que c'était à cause de l'agitation autour de lui, et même de la panique qu'il reconnaissait instinctivement en elle, mais elle s'aperçut très vite que l'attention du chien était dirigée vers la fenêtre au-dessus de l'évier. Il émit une série de jappements secs, dans le but évident d'effrayer un adversaire.

Elle pivota sur elle-même, juste à temps pour voir quelque chose, sous le porche, disparaître du cadre de la fenêtre. Une ombre de haute taille. Elle l'avait aperçue du coin de l'œil, sans avoir le temps de l'identifier.

La poignée de la porte se mit subitement à bouger.

Le coup de la radio n'avait été qu'une simple diversion.

Alors que Heather attrapait l'Uzi, Falstaff fonça derrière elle et se positionna face au tas de casseroles et de plats qui défendait la porte. Férocement, il se mit à aboyer en direction de la poignée en cuivre. Celle-ci tournait d'avant en arrière, mue par une main invisible.

Heather agrippa l'épaule de Toby et le poussa vers le couloir. « Sors, vite, mais reste près de moi — dépêche-toi ! »

Les allumettes se trouvaient déjà dans la poche de sa veste. Elle prit le jerrycan d'essence le plus proche d'elle, saisissant la poignée d'une main, tandis que, de l'autre, elle tenait l'Uzi.

Falstaff, comme fou, grognait si sauvagement qu'il en bavait. La fourrure hérissée, la queue dressée, il se tenait arc-bouté en avant, prêt à bondir, donnant vraiment l'impression qu'il se jetterait sur la porte avant que la chose ait le temps de faire quoi que ce soit.

Le verrou s'ouvrit soudain, avec un claquement sec.

L'intrus avait la clé. A moins qu'il n'en ait même pas

besoin. La radio ne s'était-elle pas mise en marche toute seule ?

Elle battit en retraite vers le couloir, s'arrêtant sur le pas de la porte de la cuisine.

La lumière du plafond se reflétait sur le cuivre de la poignée, qui bougeait en silence.

Elle posa le jerrycan d'essence devant elle, et saisit l'Uzi à deux mains. « Falstaff, sors d'ici ! *Falstaff !* »

La porte s'ouvrit, et la tour de vaisselle se mit à vaciller sur sa base.

Le chien recula.

Remplissant son office, le dispositif de sécurité s'écroula dans un grand vacarme. Les casseroles et les poêles rebondirent dans tous les sens, les fourchettes et les couteaux s'entrechoquèrent avec un bruit de cloche, et tous les verres se brisèrent, sans exception.

Les yeux étincelants, le chien rejoignit Heather, sans cesser d'aboyer férocement en montrant les crocs.

Elle avait l'Uzi bien en main, le doigt posé sur la détente. Et si l'arme s'enrayait ? Mais non, l'Uzi ne la laisserait pas tomber. Il fonctionnait à merveille lorsqu'elle l'avait essayé quelques mois auparavant, au fond d'un canyon désert, au-dessus de Malibu. Les rafales de l'arme automatique résonnant le long des parois étroites du défilé, les douilles s'étaient éparpillées aux pieds de Heather, tandis que, plus loin devant elle, les buissons avaient été littéralement pulvérisés. Dans une odeur caractéristique de cuivre chaud et de poudre, les balles avaient jailli l'une après l'autre du canon comme d'un robinet ouvert, tel un flot dévastateur. L'Uzi n'avait aucune raison de s'enrayer. Mais si elle se trompait, qu'adviendrait-il d'elle et de Toby ?

Le battant en chêne massif bougea, s'entrebâillant d'abord de quelques millimètres, puis de quelques centimètres.

Au-dessus de la poignée, quelque chose se faufila par l'ouverture étroite. A cet instant, Heather eut la confirmation de ses pires prémonitions. Le cauchemar était bien réel. L'impossible venait de s'incarner sous ses yeux : un tentacule noir, irrégulièrement taché de rouge, plus lisse que de la soie, épais de cinq bons centimètres à sa base, et dont l'extrémité était fine comme un ver de terre. Dans un mouvement fluide, il dardait de toute sa longueur à l'intérieur de la cuisine, en ondulant de façon presque obscène.

Heather en avait assez vu. Nul besoin d'attendre davantage. Elle ouvrit le feu. *Tchak-tchak-tchak-tchak.* A peine avait-elle appuyé sur la détente qu'une salve de six ou sept coups retentit, arrachant au battant en chêne de longs éclats de bois. Le bruit assourdissant rebondit de mur en mur, et la pièce tout entière vibra sous l'écho de l'explosion.

Telle la lanière d'un fouet, le tentacule se rétracta en un éclair.

Heather n'avait pas entendu le moindre hurlement, et elle ne savait donc pas si la chose était blessée, ou indemne.

Pas question d'aller vérifier dans quel état elle se trouvait. Et la jeune femme n'avait pas non plus l'intention d'attendre une seconde apparition de l'atroce membre luisant, qui se montrerait peut-être plus agressif, cette fois. Comme elle ne savait pas avec quelle rapidité la créature se déplaçait, il fallait absolument qu'elle s'éloigne de la porte.

Elle saisit le jerrycan d'essence, et, l'Uzi à la main, battit en retraite dans le couloir, manquant de trébucher sur le chien qui s'était collé à ses talons. Toby l'attendait au bas de l'escalier.

« Maman ? » dit-il d'une voix étranglée par la peur.

Depuis l'endroit où ils se tenaient, il était possible d'apercevoir, dans l'alignement de la porte de la cuisine, le battant en chêne. Il était toujours entrouvert, et, pour l'instant, rien ne bougeait. Mais elle savait que l'intrus était encore sous le porche, agrippé à la poignée. Sinon, la porte se serait ouverte sous la pression des rafales de vent.

Pourquoi la chose attendait-elle ? Avait-elle peur ? Non. Toby avait dit qu'elle n'avait jamais peur.

Une autre pensée lui traversa l'esprit. Si la présence tapie sous le porche ne comprenait pas le concept de la mort, cela signifiait qu'elle ne pouvait pas mourir, et qu'on ne pouvait pas la tuer. Auquel cas les armes étaient parfaitement inutiles.

Pourtant, la chose hésitait. Peut-être que Toby s'était

trompé, et qu'elle était tout aussi vulnérable qu'eux, voire plus fragile. Cet espoir fou était tout ce qui restait à Heather.

Elle n'avait pas encore atteint le milieu du couloir. Deux pas plus loin, elle se retrouvait entre l'entrée de la salle à manger et celle du salon. Mais elle était suffisamment loin de la porte donnant sous le porche pour avoir une chance d'exterminer la créature, si celle-ci décidait de faire irruption dans la maison plus vite que prévu. Heather s'immobilisa et posa le jerrycan à côté d'elle. Puis, des deux mains, elle brandit l'Uzi devant elle.

« Maman ?
— Chut.
— Qu'est-ce qu'on va faire ? l'implora-t-il.
— *Chuuut.* Laisse-moi réfléchir. »

L'intrus possédait visiblement un appendice rétractable, mais il était impossible d'en conclure qu'il avait l'aspect général d'un serpent. Ces derniers, d'ailleurs, étaient dotés de réflexes très rapides, qui les rendaient capables de dérouler leurs anneaux à la vitesse de l'éclair, et leurs jets de venin avaient une précision implacable.

La porte en chêne était toujours entrebâillée, et parfaitement immobile. Quelques flocons poussés par le vent avaient réussi à s'introduire par l'étroite ouverture, fondant rapidement sur le carrelage.

Rapide ou pas, la créature était de grande taille, indéniablement. Elle en avait deviné la masse considérable lorsqu'elle avait entraperçu son ombre à la fenêtre. Une ombre plus haute que la jeune femme.

« Amène-toi », murmura Heather, les yeux rivés sur le battant de chêne. « Amène-toi vite, toi qui n'as jamais peur de rien. »

Soudain, dans le salon, la télé s'alluma, le volume à fond, arrachant un cri de surprise à Toby et Heather.

Un flot de musique envahit leurs oreilles. Une musique de dessin animé, entraînante et joyeuse. Des crissements de freins, suivis par un bruit de tôle froissée, le tout au rythme guilleret d'une flûte. Puis la voix d'un Elmer Fudd en colère éclata dans toute la maison. « OH, JE *hais* ce satané lapin ! »

L'attention de Heather était rivée à la porte au fond de la cuisine, distante d'à peu près une quinzaine de mètres.

La réponse de Bugs Bunny retentit si fort que les vitres en vibrèrent. « QUOI DE NEUF, DOCTEUR ? » Puis quelque chose rebondit bruyamment : BOIING BOIING BOIING BOIING.

« ARRÊTE TOUT DE SUITE, SATANÉ LAPIN ! »

Falstaff se précipita vers la télé en aboyant férocement, puis revint à toute vitesse dans le couloir, fixant de son regard sombre la porte entrouverte derrière laquelle leur véritable ennemi se dissimulait toujours.

Les flocons continuaient à s'engouffrer par l'étroite ouverture.

Dans le salon, la bande son du dessin animé se tut au milieu d'un long glissando de trombone, évoquant instantanément, malgré les circonstances dramatiques, l'image drolatique d'Elmer Fudd glissant inexorablement vers une quelconque catastrophe. Le silence revint, seulement troublé par le souffle du vent autour de la maison.

Une seconde. Deux. Trois.

Puis la télé se remit à hurler, mais sans Bugs et Elmer. Des haut-parleurs se déversaient à présent le même flot de sons que celui qu'avait émis la radio, dans la cuisine.

S'adressant à Toby, elle lui dit, d'un ton sans réplique : « Résiste ! »

Inlassablement, la neige s'engouffrait par l'ouverture de la porte.

Amène-toi, amène-toi.

Le regard rivé sur la porte au fond de la cuisine, elle dit : « N'écoute pas, chéri. Dis-lui de s'en aller, ne le laisse pas approcher de toi. Dis *non*. »

Alternativement irritant et apaisant, le flot ininterrompu de musique produisait sur Heather un effet presque physique, et elle se mit à vaciller au rythme des variations sonores, jusqu'à ce qu'elle se rende compte qu'elle était en train de se balancer, exactement comme Toby sous l'influence de la radio, tout à l'heure, dans la cuisine.

Le son entrant dans une phase plus calme, Heather entendit soudain que Toby était en train de murmurer quelque chose, sans comprendre le sens de ses paroles.

Elle tourna le regard vers lui. L'expression de son visage avait changé, et il paraissait transporté ailleurs. Ses lèvres remuaient doucement, mais Heather était incapable de saisir ce qu'il disait.

La porte en chêne. Elle était toujours ouverte de quelques centimètres. Sous le porche, quelque chose guettait.

Elle le *savait*.

Le petit garçon chuchotait, s'adressant à son suborneur, prononçant doucement des mots dont le ton semblait indiquer soit qu'il était sur le point de lui céder, soit que l'autre l'avait déjà gagné à sa cause infernale.

« Et merde ! » s'écria-t-elle.

Elle recula de deux pas, se retourna vers l'entrée du salon et ouvrit le feu sur la télé. Une brève rafale fit instantanément exploser le récepteur, pulvérisant l'écran, et la pièce se joncha d'une multitude de débris fumants. Et le chant hypnotique de l'invisible sirène se tut, brutalement couvert par le feu de l'Uzi.

Un courant d'air glacé s'engouffra alors dans le couloir, et Heather fit volte-face. La porte au fond de la cuisine n'était plus entrouverte, mais béait au contraire largement, ouvrant à présent sur le porche couvert de neige, et la tempête.

Le Passeur était d'abord sorti d'un rêve. Voilà qu'il surgissait à présent de l'enfer blanc pour pénétrer dans la maison. Il se trouvait maintenant quelque part dans la cuisine, à droite ou à gauche de la porte de communication donnant dans le couloir, et elle venait de rater l'occasion de l'abattre tandis qu'il franchissait le seuil.

S'il se tenait de l'autre côté de la cloison séparant la cuisine du couloir, il n'était plus qu'à sept ou huit mètres d'elle et s'était dangereusement rapproché.

Sur la première marche de l'escalier, le regard clair à nouveau, Toby tremblait de tous ses membres, pâle de terreur. A côté de lui, Falstaff haletait, flairant l'atmosphère d'un air belliqueux.

Derrière elle, un bruit de vaisselle brisée et de chocs métalliques retentit soudain. Toby se mit à hurler, Falstaff à aboyer sauvagement, et Heather pivota sur elle-même, le cœur battant. L'Uzi faillit lui échapper des mains, mais elle se ressaisit immédiatement. La porte d'entrée du rez-de-chaussée était prête à jaillir hors de ses gonds, et des tentacules noirs surgirent alors entre le battant et l'enca-drement, en se tortillant frénétiquement. Ainsi ils étaient *deux*, l'un devant la maison, l'autre, derrière. L'Uzi lâcha six ou sept coups, en rafale. La porte reprit sa place, la mystérieuse forme sombre qui se dressait derrière, en partie visible à travers le verre bisauté en haut du battant.

Sans prendre le temps de vérifier si elle l'avait touchée, elle se tourna en direction de la cuisine, déchargeant son arme dans le couloir vide.

Rien.

Elle avait cru que la première créature l'attaquerait parderrière, mais elle s'était trompée. Il restait environ vingt coups dans le double chargeur de l'Uzi. Quinze, peut-être.

Avec un adversaire dans la cuisine, et l'autre devant la porte d'entrée, pas question de s'éterniser ici.

Pourquoi avait-elle pensé qu'il n'y en avait qu'un seul ? Parce qu'elle n'en avait vu qu'un dans son rêve ? Parce que Toby n'avait jamais parlé que d'un unique agresseur ? Ils étaient peut-être plus de deux. Des centaines.

D'un côté, le salon. De l'autre, la salle à manger. A la réflexion, les deux pièces représentaient un égal danger.

Soudain, toutes les fenêtres du rez-de-chaussée éclatèrent simultanément.

La pluie d'éclats de verre qui s'abattit alors, jointe aux miaulements du vent s'engouffrant par chaque vitre brisée, mit un terme aux hésitations de Heather. Le premier étage. Il fallait que Toby et elle se réfugient là-haut. Un endroit surélevé était toujours plus facile à défendre.

Elle saisit le jerrycan d'essence.

La porte d'entrée s'ouvrit à toute volée, faisant voler les divers ustensiles de cuisine qui encombraient le passage. Ce n'était certainement pas à cause du vent, mais elle s'abstint de se retourner. Derrière elle, le Passeur émit un sifflement prolongé. Exactement comme dans le rêve.

Elle bondit vers l'escalier en hurlant à Toby : « Monte, monte ! »

Le chien et le petit garçon se précipitèrent en haut des marches.

« Attends-moi là-haut ! » lança-t-elle tandis qu'ils disparaissaient hors de sa vue.

Parvenue à mi-hauteur, elle s'immobilisa et jeta un coup d'œil en bas, en direction de la porte d'entrée. Dans le hall, il y avait un mort, qui marchait vers elle. Eduardo Fernandez. Elle le reconnut immédiatement, pour l'avoir déjà vu sur des photographies qu'ils avaient trouvées en mettant de l'ordre dans les affaires du vieil homme. Bien que décédé et enterré depuis plus de quatre mois, il était debout sur ses deux jambes, avançant d'un pas raide parmi les casseroles et les débris d'assiettes qui jonchaient le hall. Il s'approcha de l'escalier, poursuivi par des flocons de neige qui voletaient autour de lui, comme les cendres froides du feu des enfers.

Le cadavre ambulant qui se dressait sous les yeux de Heather n'avait pas conscience d'exister, et l'âme d'Eduardo Fernandez l'avait quitté depuis longtemps, ayant rejoint le royaume des cieux bien avant que le Passeur ait réquisitionné son corps. Couvert de terre, celui-ci était de toute évidence contrôlé par le même pouvoir qui avait commandé à distance le déclenchement de la télé et de la radio, qui avait ouvert les serrures sans avoir besoin de clé et qui avait fait exploser toutes les fenêtres du rez-de-chaussée. Télékinésie, pouvoir de l'esprit sur le matière, peu importait. En l'occurrence, il s'agissait de la victoire d'une force mentale inconnue sur la matière terrestre. Et, dans le cas présent, de la matière organique en décomposition ayant un semblant d'apparence humaine.

Parvenu au bas de l'escalier, le cadavre s'immobilisa et leva vers elle un visage boursouflé, couvert de taches brunes et d'abcès purulents, dont le nez n'était plus qu'une masse verdâtre prête à se détacher. Il lui manquait un œil. L'une des paupières, pourtant dûment cousue avant l'inhumation du corps, s'était rouverte, laissant apparaître un globe oculaire visqueux et décoloré.

Heather sentit soudain qu'un flot de mots s'échappaient machinalement de ses lèvres entrouvertes. Elle comprit alors qu'elle était en train de réciter fiévreusement une longue prière qu'elle avait apprise lorsqu'elle était petite fille, vingt ans plus tôt. En d'autres circonstances, si elle avait cherché à s'en souvenir, fournissant pour cela un effort conscient, elle n'y serait vraisemblablement pas arrivée, mais voilà que les mots affluaient maintenant à ses lèvres comme à l'époque où, petite fille, elle s'agenouillait à l'église.

Le cadavre d'Eduardo Fernandez n'expliquait qu'une partie de la peur qu'elle ressentait, et moins encore le dégoût amer qui lui nouait l'estomac et l'empêchait de respirer librement, la secouant d'une irrésistible envie de vomir. Le cadavre était répugnant, mais, le processus de décomposition n'étant pas trop avancé, la chair exsangue collait encore aux os. L'homme mort sentait plus le liquide d'embaumement que la putréfaction, et l'odeur puissante qui envahit l'escalier rappela instantanément à Heather ses cours de sciences naturelles, au lycée, et les grenouilles visqueuses qu'il fallait tirer du formol.

Ce qui la dégoûtait le plus, c'était la présence, à cheval sur le cadavre, du Passeur, qui l'avait enfourché comme une vieille carne. Le couloir était suffisamment éclairé pour que l'inconnu apparaisse clairement à la vue d'Heather, et bien qu'elle eût préféré en voir moins, elle était toutefois incapable d'en définir précisément la forme globale. La chose semblait être accrochée au dos du cadavre, soutenue par ses longs tentacules — certains fins comme un stylo, d'autres plus épais que l'avant-bras de la jeune femme — qui s'enroulaient fermement autour des cuisses de sa monture, et jusqu'à son cou. Le Passeur était presque complètement noir, d'un noir si profond, malgré les taches rouge sang qui le parsemaient, que Heather en eut mal aux yeux.

Sans Toby à protéger, elle n'aurait peut-être pas été capable d'affronter cette chose. Elle était trop étrange, trop incompréhensible, trop impossible. Trop. La regarder équivalait à respirer une bouffée de gaz hilarant, et Heather fut soudain sur le point d'éclater de rire, d'un rire désespérément dépourvu d'humour, plus proche de la folie que de la bonne humeur.

Sans oser détacher son regard du cadavre et de son hideux cavalier, de peur qu'ils n'en profitent pour approcher, Heather posa lentement le jerrycan sur le palier.

Dans le dos du cadavre, au cœur de la masse grouillante de tentacules, se dissimulait peut-être la partie centrale du corps de la chose, telle une pieuvre, avec des yeux étincelants de méchanceté et une bouche veule. Mais, si tel était le cas, elle restait invisible. Heather avait l'impression qu'elle n'était qu'une foule d'extrémités flexibles, qui se tordaient continuellement, s'enroulant et se déroulant dans tous les sens. D'apparence pourtant gélatineuse, le

Passeur se hérissait parfois de pointes et de piques, qui rappelaient à Heather la carapace d'une langouste ou d'un crabe — l'espace d'une seconde seulement, puis il retrouvait sa sinuosité ondulante.

Au lycée, une des amies de Heather — Wendi Felzer — avait contracté un cancer du foie, et elle avait alors décidé d'optimiser le traitement médical qu'elle suivait en s'autosoignant, suivant une thérapie basée sur la production d'images mentales. Wendi s'était représenté les cellules blanches du sang comme autant de chevaliers en armure, leur épée magique à la main, la tumeur cancéreuse, comme le dragon, et elle avait passé deux heures par jour à méditer, jusqu'à se représenter clairement, dans son esprit, les chevaliers en train d'exterminer la bête. Le Passeur était l'archétype de toutes les images symbolisant le cancer, l'essence même de la malignité, le Malin lui-même. Dans le cas de Wendi, le dragon avait fini par gagner. Une conclusion que Heather devait écarter de son esprit, absolument.

Ça commença à gravir les premières marches.

Elle leva le canon de l'Uzi.

L'aspect le plus répugnant du spectacle offert par l'enchevêtrement des tentacules dans le cadavre, c'était son degré d'intimité. Les boutons de la chemise blanche dans laquelle avait été enterré feu Eduardo Fernandez avaient sauté, et l'on apercevait entre les deux pans quelques tentacules qui gigotaient, ayant agrandi l'incision au thorax due à un coup de scalpel, lors de l'autopsie ; d'un seul coup, les appendices luisants disparurent à l'intérieur du cadavre, s'enfonçant loin au fond de ses entrailles glacées. Cette étreinte qui liait ainsi la créature à la chair morte la rendait aussi obscène qu'incompréhensible.

Le fait même qu'elle puisse exister constituait un véritable blasphème. Sa seule existence semblait prouver que l'Univers était l'équivalent cosmique d'un asile d'aliénés, abritant des mondes insensés et des galaxies absurdes.

L'horrible équipage gravit une marche, puis une autre.

Une troisième. Une quatrième.

Heather attendit la suivante.

La cinquième marche.

Une masse vibrante de tentacules apparut entre les

lèvres décharnées du cadavre, telle une gerbe de langues noires tachées de sang.

Heather ouvrit le feu, et son doigt resta trop longtemps sur la détente. Gâchant ses munitions, elle avait tiré une douzaine, peut-être une quinzaine de fois. Il était d'ailleurs surprenant — étant donné son état d'esprit — qu'elle n'ait pas complètement vidé le chargeur. Les balles de neuf millimètres tracèrent une diagonale sur le torse du cadavre, transperçant également les tentacules ondulantes.

L'énorme parasite et son support bipède reculèrent jusqu'en bas, abandonnant sur les marches deux tronçons de tentacules, longs d'une cinquantaine de centimètres. Aucun des deux ne saignait. On aurait dit des serpents à qui l'on venait de trancher la tête.

Heather était fascinée par la vision d'horreur. Presque immédiatement, le mouvement qui animait les bouts de tentacules cessa d'être le résultat des contractions spasmodiques des muscles et des nerfs, pour paraître servir un but précis. Chaque morceau de l'organisme initial, apparemment conscient de la présence de l'autre, avait décidé de se rapprocher. L'un se laissa glisser au bord de la marche, tandis que le second se dressait à sa rencontre comme un serpent sous la flûte du charmeur. Lorsqu'ils se rencontrèrent, la transformation qui se produisit alors relevait de la pure magie noire, et dépassait de très loin la compréhension de Heather, bien que celle-ci n'ait rien raté du processus. Les deux morceaux ne firent plus qu'un, se fondant littéralement l'un dans l'autre, s'absorbant réciproquement, comme si leur épiderme d'un noir presque soyeux n'était guère qu'une enveloppe contenant le processus protoplasmique. Dès que les deux tronçons furent combinés, huit bourgeons de tentacules jaillirent de la masse ainsi formée ; parcouru d'un chatoiement presque liquide, le nouvel organisme ressemblait vaguement à un crabe — totalement dépourvu d'yeux —, aussi souple et flexible que les morceaux qui l'avaient généré. Tremblant, comme si le fait de rester à l'état solide exigeait de lui un effort monumental, il entreprit de descendre l'escalier, par saccades, en direction de la matrice dont il n'avait été que momentanément séparé.

Moins d'une demi-minute s'était écoulée depuis que les

deux sections de tentacules s'étaient attirées réciproquement.

Les corps sont.

D'après ce que Jack lui avait dit, ces mots étaient de ceux que le Passeur avait prononcés par la bouche de Toby, dans le cimetière.

Les corps sont.

Une affirmation qui lui avait semblé très énigmatique. Tout n'était que trop clair, à présent. Les corps sont — sacrifiables si nécessaire, transformables à volonté, mutilables sans le moindre dommage, et disponibles à l'infini.

La noirceur de la vision qui venait de s'imposer à son esprit, renforcée par la certitude qu'ils ne pouvaient pas remporter un combat aussi inégal, quelle que soit leur vaillance, suffit un instant à la déstabiliser mentalement, et elle exécuta un bref plongeon dans les tréfonds de la folie. Au lieu de s'éloigner de la créature monstrueusement difforme qui basculait résolument de marche en marche pour aller rejoindre la masse dont elle était issue, comme toute personne sensée l'aurait fait, Heather se précipita, l'Uzi braqué devant elle, se ruant dans l'escalier avec un hurlement étranglé de bête à l'agonie au fond d'un piège.

Tout en sachant qu'elle s'exposait à un terrible danger, abandonnant inconsciemment Toby en haut de l'escalier, Heather était incapable de se retenir. Elle descendit une, deux, trois, quatre, cinq marches en moins de temps que l'espèce de crabe n'en avait mis pour sauter deux degrés plus bas. Ils n'étaient qu'à quatre marches d'écart quand la chose changea soudain de direction, sans prendre la peine de se retourner, comme si l'avant, l'arrière et les côtés ne présentaient pour elle aucune différence. Manquant perdre l'équilibre, elle parvint à s'arrêter, et le crabe commença à gravir l'escalier beaucoup plus rapidement que dans l'autre sens.

Trois marches les séparaient à présent.

Deux.

Le doigt sur la détente, elle vida le chargeur de l'Uzi, réduisant la forme hideuse qui se hâtait vers elle en trois ou quatre morceaux sanglants. Retombant quelques marches plus bas, ces derniers se mirent à onduler souplement, se tortillant les uns vers les autres en silence.

Le pire aspect de cette chose, c'était son silence. Elle n'avait pas poussé un seul hurlement de douleur quand les balles de l'Uzi l'avaient perforée. Pas le moindre cri de rage. La rapidité de ses guérisons, le silence dans lequel elle se rétablissait de ses blessures, et ses assauts inlassablement répétés, réduisaient à néant les espoirs de victoire de Heather.

Au pied de l'escalier, la macabre apparition se dressait de toute sa hauteur. Le Passeur, toujours hideusement réparti dans le cadavre, entreprit à son tour de gravir les premières marches.

En un éclair, Heather retrouva sa lucidité. Elle vola en haut de l'escalier, se saisissant du jerricane à mi-parcours, et rejoignit Toby et Falstaff, qui l'attendaient sur le palier au premier étage.

Le chien tremblait de tout son poil. Ses aboiements ressemblaient plutôt à des gémissements plaintifs, comme s'il était parvenu à la même conclusion que Heather : un système de défense actif était voué à l'échec. Leur ennemi n'était pas de ceux qui se laissent abattre à coups de griffes ou de dents, pas plus qu'à coups de fusil-mitrailleur.

Toby demanda alors : « Il faut que je le fasse, vraiment ?... Non, je ne veux pas. »

Elle ne savait pas de quoi il parlait, mais elle n'avait pas le temps de lui poser la question. « Ne t'en fais pas, chéri, on va s'en sortir. »

Au rez-de-chaussée, dans la partie de l'escalier qu'on ne voyait pas du palier, au premier étage, des pas lourds retentirent. Un long sifflement se fit entendre, à la façon d'un jet de vapeur s'échappant d'un tuyau crevé — la chaleur en moins.

Posant l'Uzi à côté d'elle, elle s'attaqua au bouchon du jerricane d'essence.

Les flammes risquaient d'être efficaces, se répétait Heather pour s'en convaincre. Si la chose était carbonisée, il ne lui resterait rien, à partir de quoi se refaire. Les corps sont. Certes, mais les corps réduits en cendres ne pouvaient plus prétendre à la forme et à la fonction qu'ils possédaient précédemment, même s'ils étaient dotés d'un métabolisme différent. Bon sang, il *fallait* que ça marche.

« Ça n'a jamais peur », dit Toby d'une voix qui trahissait l'intensité de sa propre angoisse.

« File, bébé ! Fonce dans la chambre, dépêche-toi ! »

Le petit garçon se mit à courir, et le chien le suivit.

Entre la mer de neige où il était plongé et les nuages blancs qui bouchaient l'horizon, Jack avait l'impression d'explorer un monde plus étrange encore que la planète d'où venait l'envahisseur du ranch Quartermass. Bien qu'il sentît le sol à chacun de ses pas, il ne parvint pas à l'apercevoir une seule fois durant tout le trajet. La tempête déversait sur lui des torrents de flocons serrés, et il n'aurait pas été plus dépaysé au fond du Pacifique. La neige arrondissait tous les contours, formant une succession de courbes qui rappelait un paysage sous-marin, malgré les congères sculptées par le vent, qui dressaient leurs crêtes figées comme des vagues prêtes à déferler. La forêt, dont le vert sombre aurait pu contraster avec la blancheur ambiante, était presque entièrement dissimulée sous le voile des flocons, plus opaques qu'une brume polaire.

Dans ce désert monochrome, le risque de se perdre était grand. A deux reprises, alors qu'il se trouvait toujours sur les terres du ranch Quartermass, il s'égara loin du tracé de l'allée, pour retrouver ensuite la bonne direction, grâce à la prairie spongieuse qui, sous la couche de neige, lui indiquait qu'il avait quitté le chemin en dur.

Un pas après l'autre, Jack progressait, s'attendant à chaque instant à voir surgir du rideau de neige le Passeur en personne, ou l'un des substituts qu'il avait tirés de leurs tombes. Il avançait prudemment, prêt à recourir au fusil à pompe à la moindre alerte.

Heureusement, il avait pris ses lunettes de soleil. Même protégés par les verres teintés, ses yeux souffraient de la luminosité intense, et il s'efforçait de percer l'uniformité blanche devant lui, à l'affût d'un éventuel agresseur, tout en cherchant du regard les repères familiers pour ne pas s'égarer.

Il préférait ne pas penser à Heather et à Toby. Sinon, il ralentissait l'allure, à deux doigts de changer d'avis et de rebrousser chemin pour aller les retrouver. Mais, pour leur bien, et le sien, il se concentrait sur la distance à parcourir, fonçant comme un automate dans la poudreuse.

Le vent strident sifflait à ses oreilles, la neige lui glaçait le visage, et il marchait tête baissée. A deux reprises, il trébucha — perdant même le fusil à pompe, ce qui le contraignit à se jeter à quatre pattes dans la poudreuse pour le retrouver — et le mauvais temps devint un adversaire presque aussi réel que n'importe lequel des délinquants qu'il avait poursuivis dans sa carrière de flic. Lorsqu'il parvint au bout de l'allée, s'arrêtant sous l'arche en bois qui marquait l'entrée du ranch Quartermass, il se mit à maudire le vent comme si ce dernier avait eu des oreilles pour l'entendre.

D'un doigt ganté, il essuya la neige qui recouvrait les verres de ses lunettes. Il avait mal aux yeux, comme sous l'effet d'un collyre destiné à agrandir les pupilles, avant une consultation chez l'ophtalmologiste. Sans la protection des lunettes, il aurait peut-être déjà été victime de la réverbération.

A chaque respiration, la laine mouillée de l'écharpe, son goût dans la bouche, son odeur dans les narines, lui donnaient la nausée. La buée qu'il expirait avait saturé les fibres d'humidité, et elles avaient gelé. D'une main, il fit craquer la fine couche de glace, après l'avoir débarrassée des flocons accumulés. Tout de suite, il respira mieux.

Il était difficile de croire que le Passeur ne s'était pas rendu compte de son départ, mais Jack atteignit sans encombre les limites du ranch. Il lui restait encore une distance considérable à parcourir, mais c'était surtout dans l'enceinte de la propriété qu'il courait le plus de risques d'être attaqué.

Le Manipulateur n'était peut-être pas aussi omniscient qu'il prétendait l'être.

Une silhouette imposante, aux contours torturés, se hissa dans l'escalier : le Manipulateur et sa marionnette en décomposition progressaient, laborieusement mais efficacement, vers le premier étage. La chose avait sans aucun doute absorbé les débris étranges de chair que les balles lui avaient arrachés, mais elle n'avait pas interrompu sa marche pour autant.

Bien qu'elle ne se soit pas déplacée très rapidement, Heather trouva que la chose arrivait trop vite sur elle, comme si elle lui *fonçait* dessus, littéralement.

Malgré le tremblement qui lui agitait les mains, elle réussit enfin à dévisser le capuchon du jerricane d'essence, qu'elle renversa d'un geste résolu. Un jet doré jaillit de l'ouverture. Elle le dirigea d'un côté, puis de l'autre, imbibant la moquette sur toute la largeur des marches. Le flot ruissela jusqu'au milieu de la cage d'escalier.

Sur le mur en contrebas, l'ombre du Passeur apparut, forme démente qui agitait autour d'elle les serpents de ses appendices flexibles.

Heather reboucha le jerricane, et le transporta un peu plus loin dans le couloir, avant de revenir face à l'escalier.

Le Passeur avait atteint la deuxième partie de l'escalier, celle qui menait directement au premier étage, et s'apprêtait à se tourner vers elle.

Heather fouilla la poche où elle pensait avoir placé les allumettes, en vain. Ses doigts ne rencontrèrent qu'une réserve de munitions pour l'Uzi et le Korth. Pas d'allumettes. Tirant sur la fermeture Éclair d'une autre poche, elle en passa le contenu en revue, hâtivement. Encore des munitions, mais toujours pas d'allumettes.

Dans l'escalier, le cadavre leva la tête vers elle, la fixant de son œil glauque. Elle sut alors que le Passeur était en train de l'observer, posant sur elle son invisible regard.

Avait-il senti l'odeur de l'essence ? Savait-il qu'il s'agissait d'un liquide hautement inflammable ? Il était intelligent. Et même très intelligent. Avait-il compris qu'on projetait sa destruction ?

Une troisième poche. Des munitions. Mais elle n'était plus qu'un arsenal ambulant, bon sang !

L'œil unique qui restait accroché au cadavre, toujours voilé par une membrane jaunâtre, était rivé sur Heather, la dévisageant à travers des paupières à moitié décousues.

L'air *puait* l'essence. La jeune femme avait du mal à respirer, et elle fut prise d'une violente quinte de toux. Le Passeur ne semblait pas incommodé par l'odeur ; quant au cadavre, il ne respirait plus depuis déjà longtemps.

Trop de poches, bon sang, quatre à l'extérieur de la veste matelassée, trois à l'intérieur, deux sur chaque jambe, et toutes munies d'une fermeture Éclair.

L'orbite vide était partiellement recouverte par des lambeaux de paupière, d'où pendaient quelques brins de fil. Soudain, l'extrémité d'un tentacule en surgit.

Agitant ses multiples appendices, telle une monstrueuse anémone de mer aux prises avec un courant sous-marin, la chose se rapprochait.

Les allumettes.

Sous ses doigts, elle sentit une petite boîte en carton. Enfin...

Deux marches plus bas, le Passeur se mit à siffler doucement.

Heather faillit éparpiller les allumettes en ouvrant la boîte, et dut s'y reprendre à deux fois avant d'en saisir une.

La chose gravit une marche supplémentaire.

Lorsque sa mère lui avait intimé l'ordre de courir dans la chambre, Toby n'avait pas compris s'il s'agissait de la sienne ou de celle de ses parents. Tout ce qu'il voulait, c'était s'éloigner le plus possible de la chose qui montait l'escalier, et il se réfugia donc dans la grande pièce qu'il occupait au bout du couloir. En chemin, il s'était quand même retourné à deux reprises vers sa mère, tenaillé par l'envie de retourner à ses côtés.

Il ne voulait pas la laisser toute seule. C'était sa *maman*. Même s'il n'avait aperçu par la porte d'entrée qu'une forêt de tentacules enchevêtrés, il savait que, devant le Passeur, sa mère ne faisait pas le poids.

Lui non plus, d'ailleurs. Il fallait qu'il se force à ne rien faire, et il n'osait même plus réfléchir. Il savait pourtant quelle était la solution, mais il avait trop peur pour tenter quoi que ce soit. C'était normal, même les héros avaient peur, parfois, et seuls les fous ignoraient une telle sensation. Toby, lui, était sûr de ne pas faire partie de ces gens-là, parce qu'il était si terrifié qu'il avait envie de faire pipi. Cette chose, c'était à la fois *Terminator*, la créature d'*Alien*, le requin géant des *Dents de la mer*, les dinosaures de *Jurassic Park*, et Toby en oubliait certainement plein d'autres. *Lui*, par contre, il n'était qu'un gamin. Peut-être était-il, lui aussi, un héros, comme son papa le lui avait dit, même s'il n'en avait pas l'impression. Pour l'instant, il ressentait l'inverse, mais, s'il était effectivement un héros, il lui fallait convenir qu'il n'était pas en train de faire ce qu'il aurait dû.

Il rejoignit Falstaff, qui tremblait au bout du couloir, en gémissant plaintivement.

« Suis-moi, compagnon », lui dit Toby.

Il pénétra dans sa chambre, où toutes les lampes étaient allumées, sa mère et lui ayant éclairé toutes les pièces de la maison avant le départ de son père, bien qu'il fît encore jour.

« Rentre dans la chambre, Falstaff. Maman ne veut pas qu'on traîne dans le couloir. Viens ici ! »

Il se retourna et remarqua immédiatement que la porte donnant sur l'escalier en colimaçon était ouverte, alors qu'elle aurait dû être fermée, et le verrou, tiré. Lorsqu'ils avaient barricadé la maison, son père avait cloué la porte du bas, mais celle-ci non plus n'avait aucune raison d'être ouverte. Toby se précipita et repoussa le battant de toutes ses forces, puis il tira le verrou. Ouf. Il se sentit tout de suite beaucoup mieux.

Sur le seuil de la chambre, Falstaff attendait. Il ne gémissait plus.

Il grognait.

Jack était à l'entrée du ranch, et il faisait une pause, pour se remettre des efforts qu'avait exigés de lui la première partie de son périple, qui était aussi la plus dangereuse.

Il ne neigeait plus de tendres flocons, mais des particules de glace, dures comme des grains de sel, qui frappaient inlassablement son front exposé aux bourrasques du vent.

Une équipe d'entretien était visiblement déjà passée, car un mur de neige tassée de plus d'un mètre bouchait l'entrée de la voie privée qui menait à la grande maison. Il l'escalada et s'engagea sur la route.

L'allumette s'enflamma.

L'espace d'un instant, Heather crut que les vapeurs d'essence allaient provoquer une explosion, mais elles n'étaient pas assez concentrées, de toute évidence, pour être combustibles.

Apparemment inconscients du danger qui les guettait — ou certains qu'il n'y en avait aucun —, le parasite et sa monture escaladèrent une autre marche.

Sortant de la zone dangereuse, Heather recula de quelques pas et lança l'allumette devant elle.

Heurtant le mur du couloir, elle s'immobilisa, suivant des yeux la course du bâtonnet enflammé, qui traçait un arc de cercle en direction des marches imbibées d'essence. Un flot de pensées lui vint alors à l'esprit, et elle fut soudain partagée entre un rire hystérique et des sanglots de désespoir. *Je suis en train de mettre le feu à ma propre maison... Bienvenue dans le Montana, ses paysages magnifiques, ses cadavres ambulants et toutes sortes de choses venues d'ailleurs... Allez, que l'allumette fasse flamber tout ça, et que les flammes de l'enfer nous viennent en aide ! Ce n'est pas à Los Angeles qu'on provoquerait l'incendie de sa propre maison, ça, non... Là-bas, en général, d'autres que vous s'en chargent...*

Et la moquette imprégnée d'essence prit feu, dans une explosion de flammes qui léchèrent toute la cage d'escalier. Instantanément, tout s'était mis à flamber, et l'incendie gagnait déjà la rampe.

Une vague de chaleur reflua jusqu'à Heather, et elle cligna des paupières. L'air brûlant était insupportable, et il aurait fallu qu'elle se mette à l'abri de la fournaise, mais elle voulait savoir ce qu'était devenu le Passeur.

La cage d'escalier n'était plus qu'un immense brasier. Aucun être humain n'aurait pu tenir dans cet enfer plus de quelques secondes.

Au cœur de l'incandescence, l'homme mort et la bête, bien vivante, elle, ne formaient plus qu'une même masse noire, qui s'apprêtait à gravir une marche de plus. Puis une autre. Son ascension ne s'accompagnait d'aucun cri de douleur, et seule la rumeur des flammes grondait férocement, se rapprochant elle aussi du premier étage.

Tandis que Toby refermait la porte de l'escalier en colimaçon, et que Falstaff grognait sur le seuil de la chambre, une lueur rougeoyante envahit soudain le couloir. Les grognements du chien se transformèrent en un glapissement de surprise. L'éclair fut aussitôt suivi du reflet des flammes qui se mit à danser sur les murs du couloir.

Heather venait de mettre le feu au Passeur — elle était très forte, sa mère, et très maligne — et un espoir fou s'empara de Toby.

Puis il remarqua autour de lui une seconde anomalie. Les rideaux de l'alcôve.

Pourtant, il se souvenait très bien qu'ils étaient tirés lorsqu'il avait quitté sa chambre. Il ne les fermait que la nuit, pour dormir, ou pendant qu'il jouait. Il les avait ouverts le matin même, et, depuis, il n'avait pas eu le temps de s'amuser.

Il régnait dans la chambre une odeur nauséabonde, qu'il n'avait pas remarquée en entrant, à cause des battements désordonnés de son cœur et de la difficulté qu'il avait à reprendre son souffle.

Il s'approcha de son lit. Un pas, puis deux.

Plus il avançait vers l'alcôve, plus l'odeur empirait. Comme celle qui empuantissait l'escalier en colimaçon, le jour de leur arrivée dans le ranch Quartermass.

Arrivé près du lit, il s'immobilisa. Il se comportait en véritable héros, se dit-il. Les héros avaient le droit d'avoir peur, mais, même dans ce cas, il fallait qu'ils *fassent* quelque chose.

Sur le seuil de la chambre, Falstaff devenait fou de terreur.

Le revêtement de la chaussée n'était visible qu'en de rares endroits, là où le vent avait chassé la neige, et une couche de cinq centimètres de poudreuse recouvrait la route. De nombreuses congères s'étaient formées le long des parois que le chasse-neige avait creusées.

Pour autant que Jack puisse en juger, ce dernier avait accompli sa tournée deux heures auparavant, une heure et demie au maximum, et il n'allait sans doute pas tarder à repasser.

Prenant vers l'est, il se hâta en direction du ranch des Youngblood, espérant rencontrer en route l'équipe chargée du déneigement. Qu'ils aient disposé d'un gros engin ou d'un simple camion doté d'un système de salage, les cantonniers auraient vraisemblablement accès à un moyen de communication quelconque. S'il arrivait à les convaincre que son histoire n'était pas le produit de son cerveau troublé, il réussirait sans doute à les persuader de l'accompagner jusqu'à la maison, où Heather et Toby attendaient qu'on vienne les secourir.

Il réussirait sans doute à les persuader ? Bon sang, il était armé, pas vrai ? Bien sûr, qu'il les persuaderait. Le chasse-neige déblaierait la voie privée jusqu'à la porte d'entrée de la grande maison, et les cantonniers souriraient gentiment, chantant à tue-tête, tels les petits gardes du corps de Blanche-Neige, si c'était vraiment ce que Jack voulait qu'ils fassent.

C'était incroyable, mais il fallait admettre que la créature prisonnière des flammes qui embrasaient l'escalier était encore plus grotesque et plus impressionnante, et la fumée qui la dissimulait en partie la rendait d'autant plus terrifiante. Elle gravit une marche de plus, silencieusement. Puis une autre, toujours en silence. La chose émergea du brasier avec un panache digne du Seigneur des Ténèbres sortant de chez lui pour aller boire un verre.

La bête brûlait. Ou, du moins, la partie représentée par la dépouille d'Eduardo Fernandez était-elle en train de se consumer, tandis que l'être diabolique qui la montait se hissait hors de l'escalier, approchant à présent des dernières marches.

Heather ne pouvait plus attendre. La chaleur était insupportable. Le visage de la jeune femme avait déjà trop souffert de la température extrême, et elle ne s'en tirerait pas sans brûlures. Les flammes avides dévoraient le plafond du couloir, et sa position était plus que périlleuse.

De plus, le Passeur n'avait visiblement pas l'intention de rôtir dans l'incendie, contrairement à ce qu'elle avait espéré. Dès qu'il aurait atteint le palier, il se dirigerait vers elle, tentacules en avant, et il ferait son possible pour l'étreindre de ses multiples bras, dans le but ultime de la posséder corps et âme.

Le cœur battant, Heather se dirigea vers le jerricane qu'elle avait posé un peu plus loin, dans le couloir. D'une main, elle s'en saisit. Il pesait à présent beaucoup moins lourd, et elle en déduisit qu'elle avait déjà utilisé plus d'une dizaine de litres d'essence.

Elle jeta un coup d'œil derrière elle.

Résolu à suivre sa proie, tel un chasseur, le Passeur venait d'atteindre le palier du premier étage. Il était en flammes, tout comme le cadavre qui le portait. Mais, au lieu de se carboniser, les deux corps intimement mêlés flambaient comme de l'amadou, et Heather eut l'impression qu'une colonne de feu se dirigeait vers elle. Les plus longs des tentacules fouettaient l'air autour d'elles, et les braises ardentes qu'ils projetaient entreprirent de propager l'incendie plus loin dans le couloir, enflammant moquette et papiers peints.

Comme Toby s'approchait des rideaux abritant son lit, Falstaff se décida enfin à bondir. Bloquant le passage, le chien se mit à aboyer énergiquement, dans le but évident de l'empêcher d'avancer.

A ce moment précis, quelque chose se déplaça sur le lit, faisant bouger l'étoffe lourde. Les quelques secondes qui s'écoulèrent ensuite parurent durer des heures, et Toby eut vraiment l'impression de vivre au au ralenti. L'alcôve où il dormait était devenue la scène d'un théâtre de marionnettes, et le spectacle était sur le point de commencer. Inutile d'attendre le *Muppet Show*, ou les personnages de *1, Rue Sesame* : la représentation promettait de ne pas être drôle du tout, au contraire. Toby avait envie de fermer les yeux et de faire un vœu pour que la chose qui s'agitait derrière les rideaux disparaisse à jamais. Si l'on refusait d'y croire, peut-être que la chose n'existait plus. Serrée contre les plis du tissu, la créature semblait l'avertir de sa présence. *Coucou, petit, je suis là...* Peut-être qu'au contraire, il suffisait d'y croire pour qu'elle existe, comme la fée Clochette. Donc, si on fermait les yeux et qu'on se mette à penser à un lit vide et à la bonne odeur des cookies au chocolat de sa maman, il était possible que la chose disparaisse, ainsi que l'horrible odeur qui la suivait partout. C'était loin d'être un plan parfait, peut-être même était-ce un mauvais plan, mais c'était un plan. Et il fallait absolument que Toby en ait un, sinon il allait devenir dingue. Pas question, pourtant, de faire un pas de plus en direction de l'alcôve, même si Falstaff l'y autorisait : la peur le paralysait sur place. Son père n'avait pas fait état de ce phénomène. Il n'avait pas non plus dit que les héros pouvaient, éventuellement, être pris de nausée. Toby, lui, éprouvait justement une violente envie de vomir. Et il lui était impossible de s'enfuir sans tourner le dos aux rideaux, ce qui était absolument hors de question. Le meilleur plan, et le seul, c'était donc bien de fermer les yeux et de faire un vœu. Sauf qu'il aurait fallu le payer très, très cher pour qu'il consentît à baisser les paupières.

Falstaff se tenait toujours entre Toby et l'alcôve, tourné de façon à bondir sur tout ce qui bougerait, quoi que ce fût. Il n'aboyait pas. Il ne gémissait pas, il ne grognait pas non plus. Tremblant, mais prêt à se battre, il montrait les crocs et attendait.

Une main se glissa hors des rideaux. Ou plutôt un squelette de main, ganté d'une peau en lambeaux, racornie et moisie. Alors là, c'était sûr, ce vieux machin dégoûtant ne pouvait vraiment pas être vivant, à moins qu'on n'y croie très fort, parce que c'était encore plus impossible que la fée Clochette, et un million de fois plus dingue. Sur ce qui restait des doigts de la main décharnée, deux ongles tenaient encore, noirs, comme les carapaces luisantes de deux scarabées égarés. Il ne pouvait faire de vœu en fermant les yeux ? Il refusait de tourner le dos à la chose pour partir en courant ? Bon. Il pouvait au moins se mettre à hurler pour alerter sa mère, malgré l'humiliation qu'une telle option représentait pour un garçon de huit ans ou presque. Mais, après tout, c'était elle qui avait la mitraillette, pas lui. Un poignet venait d'apparaître, suivi d'un avant-bras encore un peu charnu, et du tissu déchiré et taché de la manche d'une robe qui avait dû être bleue. *Maman!* Il hurla le mot mais il fut le seul à l'entendre, aucun son n'ayant franchi sa gorge. Autour du poignet, était enroulé un bracelet d'un noir brillant, tacheté de rouge. Un accessoire de mode encore inédit. Puis, très vite, il se changea en gros ver de terre, non, en tentacule, comme si une pieuvre avait été tapie dans la manche bleue. *Maman, au secours!*

La grande chambre. Pas de Toby. Sous le lit? Dans

l'armoire, dans la salle de bains ? Non, ne perds pas ton temps à vérifier. Toby est peut-être caché quelque part, mais pas le chien. Il s'est sûrement réfugié dans sa chambre.

Le couloir, à nouveau. Des vagues de chaleur. Des flammes bondissantes et des ombres mouvantes. Et le sourd grondement de l'incendie.

Soudain, un autre genre de sifflement. Le Passeur s'approchait. Ses tentacules claquaient comme des fouets.

Suffoquée par la fumée, le jerricane à la main, Heather se dirigea en toussant vers l'arrière de la maison. L'essence clapotait furieusement à l'intérieur du bidon. La main droite de Heather était vide. Or, elle aurait dû tenir quelque chose.

Et merde !

Elle s'immobilisa à quelques pas de la chambre de Toby, et se retourna vers les flammes. Elle avait oublié l'Uzi sur le palier, à côté de l'escalier. Les deux chargeurs étaient vides, mais les poches de sa veste débordaient de munitions. C'était trop bête.

Non que les armes aient été d'une grande efficacité pour combattre la monstruosité qui la poursuivait. Les balles ne lui faisaient aucun mal, et ne réussissaient qu'à peine à la retarder. Mais l'Uzi représentait une puissance de feu bien supérieure à celle du.38 qui lui battait la hanche.

Impossible de revenir en arrière, sans risquer l'asphyxie. L'incendie avait absorbé tout l'oxygène de l'air ambiant. Et la chose qui brandissait ses tentacules se tenait à présent entre Heather et l'Uzi.

Une vision s'imposa alors follement à l'esprit de la jeune femme : Alma Bryson, debout au milieu de toute son artillerie. Une jolie jeune femme noire, fine et gentille, dont le flic de mari était mort pendant le service, et qui pouvait se montrer sacrément gonflée et capable d'affronter n'importe quoi. Et Gina Tendero, avec son pantalon et son blouson de cuir noir, et sa bombe lacrymo, et dans son sac à main, probablement, un flingue, qu'elle s'était procuré illégalement. Mais elles étaient toutes deux dans la Cité des Anges, attendant la fin du monde et s'y préparant activement, alors que c'était au Montana que ça se passait, les filles.

Tandis que les flammes gagnaient du terrain, une fumée âcre envahit soudain le couloir, et le Passeur disparut de la vue de Heather, qu'une quinte de toux irrépressible courba en deux.

En titubant, elle longea le couloir jusqu'à la chambre de Toby. Posant la main sur la poignée, elle ouvrit la porte et franchit le seuil au moment précis où Toby se mettait à hurler.

CHAPITRE VINGT-DEUX

Tenant le Mossberg à deux mains, Jack prit au petit trot la direction de l'est, tel un soldat d'une unité d'infanterie s'élançant au combat. La route était plus dégagée, maintenant, et il pourrait peut-être parcourir le trajet plus vite que prévu.

A chaque pas, il s'efforçait de faire bouger ses orteils à l'intérieur de ses chaussures. Malgré ses deux paires de chaussettes de laine et ses semelles isolantes, il avait de plus en plus froid aux pieds, et il fallait qu'il veille à ce que son sang circule, y compris dans les extrémités de son corps.

Les os récemment consolidés de sa jambe gauche se ressentaient de l'effort qu'il était en train d'accomplir, mais la douleur ne le gênait pas. En fait, il était en meilleure forme qu'il ne l'aurait supposé.

Bien que la visibilité soit toujours limitée à une trentaine de mètres, et parfois à beaucoup moins, Jack ne courait plus le risque de s'égarer dans la tempête. La neige entassée de chaque côté de la route par l'engin de déblaiement lui permettait de se repérer sans la moindre difficulté. Les poteaux électriques, qui supportaient également la ligne téléphonique, marquaient eux aussi la route à suivre.

Il avait parcouru environ la moitié de la distance qui le séparait encore du ranch des Youngblood, mais il s'aperçut que son allure fléchissait. Rassemblant ses forces, il redoubla d'ardeur et accéléra le pas.

Comme il marchait en rentrant le cou dans les épaules,

afin de se protéger des rafales de vent, et baissait la tête pour éviter la morsure des flocons gelés, les yeux fixés sur la route, il ne vit pas tout de suite la lumière dorée, mais il en distingua le reflet dans les fins cristaux de neige. D'abord, ce ne fut qu'une pointe de jaune, puis il eut soudain l'impression que le blizzard s'était mué en une pluie de poussière d'or.

Relevant la tête, il aperçut devant lui l'éclat brillant d'une source lumineuse, dont le noyau était d'un jaune intense. Pulsant mystérieusement à travers la tempête, qui en dissimulait l'origine, la lumière lui rappela celle qu'Eduardo Fernandez décrivait dans ses notes, et qu'il avait vue, pour la première fois, dans la forêt près de la grande maison. D'après ce qu'il avait écrit, elle était animée des mêmes pulsations, radiance surnaturelle qui annonçait l'ouverture du passage et l'arrivée du voyageur.

Il voulut s'arrêter et manqua perdre l'équilibre, tandis que l'intensité de la lueur augmentait graduellement, et il se demanda si le moment était venu de bondir derrière le premier tas de neige. Il n'entendait aucune des basses fréquences qu'Eduardo Fernandez avait décrites dans ses notes, seulement le sifflement strident du vent dans les branches des sapins. L'étrange lueur se diffusait partout, éclairant le ciel bas et Jack lui-même, sous la poussière d'or, dans la neige jusqu'aux chevilles, le canon du Mossberg étincelant comme s'il s'était trouvé sur le point d'entrer en fusion. De multiples sources lumineuses apparurent alors, chacune pulsant à son rythme, et les éclairs jaunes se succédèrent. Par-dessus le vent, un bruit se fit entendre. Un ronronnement assourdi, qui se transforma bientôt en un grondement mécanique. Un gros engin approchait. Crevant le blizzard, une énorme machine apparut enfin, et Jack se retrouva devant le chasse-neige, qui poussait une lame d'acier plus haute que lui.

Lorsqu'elle pénétra dans l'atmosphère plus saine de la chambre de Toby, clignant des yeux à cause de la fumée âcre, Heather distingua deux silhouettes floues, l'une, petite, l'autre, beaucoup plus grande. S'essuyant désespérément les yeux, elle finit par apercevoir l'origine des hurlements du petit garçon.

A proximité de Toby, un cadavre en état de décomposition sérieusement avancée, attifé de lambeaux de tissu bleu, servait de monture à un second Passeur, qui brandissait ses appendices en direction du petit garçon.

A la vue de ce cauchemar vivant, Falstaff bondit, mais les tentacules furent plus rapides que l'éclair. Saisissant le chien au vol, ils se débarrassèrent de lui plus aisément qu'une queue de vache d'une mouche. Hurlant de terreur, Falstaff vola à travers la pièce, s'écrasant contre le mur à côté de la fenêtre avec un gémissement de douleur.

Heather ne se souvenait pourtant pas d'avoir dégainé, mais le Korth.38 se trouvait dans sa main.

Avant même qu'elle ait le temps d'appuyer sur la détente, le nouveau Passeur — ou le nouvel aspect de l'unique Passeur existant, selon qu''il existait une entité dotée de nombreux corps, ou plusieurs individus indépendants les uns des autres — se saisit de Toby à l'aide de trois de ses tentacules luisants. Il le souleva du sol et le présenta à la femme au sourire décomposé, morte depuis longtemps, comme s'il avait voulu que le petit garçon dépose un baiser sur sa joue décharnée.

Poussant un cri de révolte, furieuse et terrifiée à la fois, et ne pouvant pas tirer de peur de blesser Toby, Heather se précipita sur la chose. Se jetant sur l'atroce équipage, elle sentit l'un des tentacules qui s'enroulait autour de sa taille. En dépit de sa combinaison matelassée, l'horrible contact la glaça ; la puanteur qui se dégageait du cadavre était insupportable. *Mon Dieu...* Les organes internes n'existaient plus depuis longtemps, et les appendices de la créature logeaient dans le cadavre. Celui-ci tourna la tête vers Heather, et toute une germination de langues noires sortit de la bouche béante. Ainsi que du cartilage des narines. Et des orbites vides. La lanière réfrigérante raffermit sa prise autour de la taille de Heather, mais celle-ci brandit le.38 sous le menton osseux du cadavre, qu'ornait une barbe de moisissure. Elle était prête à lui tirer dans la tête, s'il le fallait, comme si le crâne du cadavre contenait encore le cerveau qui l'avait occupé, mais, à part ça, Heather ne savait pas quoi faire. Toby hurla, le Passeur siffla, le.38 tonna à plusieurs reprises, de vieux os retournèrent à la poussière, le crâne se détacha des vertèbres qui l'attachaient encore à la dépouille en décomposition, le.38 retentit à nouveau — elle ne comptait plus le nombre de coups tirés — puis une série de cliquetis avertit Heather que les munitions étaient épuisées.

Quand la créature la lâcha enfin, Heather, qui luttait pour se dégager, faillit tomber à la renverse. Le.38 lui échappa des mains, et l'arme roula sur la moquette.

Le Passeur s'écroula à ses pieds, non parce qu'il était mort, mais parce que le pantin qu'il chevauchait ayant reçu plusieurs balles en certains points stratégiques de son squelette, il était désormais incapable de porter le corps de son maître, si mou et si lourd à la fois.

Toby était libre, lui aussi. Pour l'instant.

Livide, le petit garçon ouvrait de grands yeux. Il s'était mordu la lèvre inférieure si fort qu'elle saignait, mais, à part ça, il avait l'air en forme.

La fumée commençait à envahir la chambre, mais Heather savait par expérience que celle-ci était susceptible de s'épaissir d'un moment à l'autre, rendant toute visibilité strictement impossible.

« File », s'écria-t-elle en poussant Toby en direction de l'escalier en colimaçon. « File, *file* ! »

A quatre pattes, il obtempéra, et elle l'imita, la terreur les réduisant à adopter un mode de locomotion infantile. Arrivés au pied de la porte, elle se releva, Toby à ses côtés.

Dans la chambre se déroulait une scène de cauchemar : le Passeur rampait sur le sol, tel un énorme poulpe, quoique nettement plus inquiétant et étrange que n'importe quelle créature sous-marine terrestre. Les tentacules enchevêtrés ne tentaient même plus de capturer Toby et sa mère, et se battaient avec le squelette démantelé, dans le but de remettre sur pied le cadavre putréfié, et de s'installer à nouveau dans sa cage thoracique.

Elle tourna la poignée de la porte, en vain.

Celle-ci refusa de s'ouvrir.

Fermée.

Sur l'étagère à la tête du lit, le radio-réveil de Toby se mit en marche, et des accords de *rap* éclatèrent quelques secondes durant, à plein volume. Puis *l'autre* musique envahit l'espace sonore. Une succession de notes étranges, mais hypnotiques.

« Non ! » cria-t-elle à Toby tout en s'efforçant de faire jouer le verrou, qui offrait une résistance inattendue. « Non ! Dis-lui non ! » Bon sang, ce fichu verrou ne s'était pourtant jamais bloqué !

Le premier Passeur apparut alors dans l'encadrement de la porte, surgissant du couloir en flammes dans un nuage de fumée, toujours aussi étroitement imbriqué dans ce qui restait du cadavre calciné d'Eduardo Fernandez. Le feu qui dévorait la chose l'avait en partie consumée.

La molette du verrou refusait de tourner, comme si le mécanisme était grippé par la rouille. Heather insista, et *clac* !

Mais le loquet reprit aussitôt sa place dans le pêne, sans lui laisser le temps de tirer le battant.

Toby murmurait des paroles confuses. Il était en train de parler à quelqu'un, mais pas à elle.

« Non ! hurla-t-elle. Non ! Non ! Dis-lui non ! »

Haletante, Heather décoinça à nouveau le verrou et se cramponna à la molette de toutes ses forces. En vain. Contre la volonté de la jeune femme, la petite rondelle de cuivre reprit inexorablement sa place, lui glissant entre les doigts. Le Passeur. C'était le même genre de pouvoir télékinésique qui avait allumé la radio dans la cuisine. Ou qui était capable de ressusciter les morts. Elle voulut essayer d'actionner la poignée de la porte de l'autre main, mais elle était bloquée à son tour. Elle laissa tomber.

Poussant Toby derrière elle, elle se plaça le dos contre la porte de l'escalier, et fit face aux deux créatures. Sans arme.

L'énorme chasse-neige jaune était pourvu d'un puissant moteur diesel, dissimulé par le châssis rutilant, et la cabine du chauffeur était fermée. De loin, on aurait pu le confondre avec quelque énorme insecte exotique égaré dans un désert immaculé.

Quand le conducteur aperçut un homme debout au milieu de la chaussée, il ralentit son engin, mais Jack craignait que l'homme ne change d'avis en apercevant le fusil à pompe, et il se tenait prêt à bondir sur le chasse-neige si celui-ci faisait mine de ne pas s'arrêter.

Malgré le Mossberg, l'homme assis derrière le volant

freina. Jack s'élança vers ce qui semblait être la portière de la cabine de pilotage, située à trois mètres du sol.

Le conducteur de l'engin était perché sur des pneus d'un mètre cinquante de haut, dont la gomme avait l'air plus solide que les roues d'un véhicule militaire blindé, et le type là-haut n'avait certainement pas envie d'ouvrir sa portière et de descendre dans la neige pour le plaisir de discuter avec Jack. Il allait sans doute baisser sa vitre et crier quelques mots en direction de Jack, assez fort pour couvrir le bruit du vent, et si par malheur ce dernier disait quelque chose qui ne lui plaisait pas, le chauffeur appuierait sur l'accélérateur et le laisserait en plan. Dans le cas où le type se montrerait réfractaire à toutes ses explications, Jack était prêt à grimper jusqu'à la cabine et à prendre le contrôle du chasse-neige par n'importe quels moyens, hormis l'assassinat du chauffeur.

A sa grande surprise, l'homme ouvrit sa portière et se pencha à l'extérieur. Il avait un visage rond, un collier de barbe et des cheveux plutôt longs, et portait une casquette de base-ball. Criant plus fort que le moteur et la tempête réunis, il lança : « Des ennuis ?

— Ma famille a besoin d'aide.

— De quel genre ? »

Jack n'avait pas l'intention d'expliquer en dix secondes qu'il s'agissait tout simplement d'une rencontre du troisième type avec un extraterrestre. « Au nom du ciel, ils sont peut-être déjà morts !

— Morts ? Où ça ?

— Je viens du ranch Quartermass, et ils sont encore là-bas.

— Le nouveau propriétaire, c'est vous ?

— Oui !

— Montez ! »

Le type ne lui avait même pas demandé pourquoi il trimballait un fusil à pompe avec lui, comme si tout le monde dans le Montana se déplaçait armé jusqu'aux dents. Bon sang, c'était peut-être le cas, après tout.

Tenant le Mossberg d'une main, Jack se hissa jusqu'à la cabine, en veillant à ne pas glisser sur les plaques de glace sale qui recouvraient à certains endroits le châssis. Il le fit deux ou trois fois, mais il réussit à grimper.

Lorsqu'il parvint à la hauteur de la cabine, le conducteur s'apprêta à saisir le Mossberg des mains de Jack. Celui-ci hésita, craignant que, une fois débarrassé de l'arme, le type n'en profite pour lui balancer un coup de botte, histoire de le faire redescendre au ras des congères.

Mais le conducteur de l'engin était réellement un bon Samaritain. Il fourra le Mossberg derrière le dossier de son siège en disant : « On n'est pas une limousine, et il n'y a qu'une place à l'avant, vieux. Va falloir que vous passiez derrière moi. Cramponnez-vous. »

L'espace que le type proposait à Jack mesurait un mètre cinquante de long sur soixante centimètres de large. Le plafond de la cabine était bas. Deux caisses à outils occupaient déjà la place derrière le siège sur lequel était installé le chauffeur. Tandis que ce dernier se penchait sur les manettes du tableau de bord, Jack se faufila derrière lui, la tête la première, et se posa sur l'une des caisses à outils, les jambes étendues sur le côté, mi-couché, mi-assis.

Le conducteur referma la portière. Le moteur grondait bruyamment, sans parvenir à couvrir le bruit des rafales de vent.

Les genoux ramassés derrière le siège, Jack se tenait dans l'alignement du levier de vitesse, situé à droite du volant. En se penchant légèrement en avant, il pouvait parler directement dans l'oreille du chauffeur.

« Ça va ? lui demanda ce dernier.

— Parfait. »

Sans avoir à hurler, il fallait quand même parler fort.

« On est un peu à l'étroit, pas vrai ? dit le barbu. On ne se connaît pas, mais quand nous arriverons chez vous, on sera bons à marier, vous allez voir. » Il passa une vitesse. « Direction le ranch Quartermass, droit sur la grande maison, c'est ça ?

— Exactement. »

L'engin hoqueta, puis se mit à avancer. L'énorme lame d'acier à l'avant du chasse-neige raclait le bitume, provoquant des vibrations dans tout le châssis, et jusque dans les os de Jack.

Désarmée. Le dos à la porte.

A travers la fumée qui obscurcissait le couloir, on distinguait les flammes qui approchaient de la chambre de Toby.

Par-delà les fenêtres, la neige. Et le froid. C'était une issue possible, une sécurité éventuelle. Heather se voyait déjà fonçant dans la fenêtre, sans prendre le temps de l'ouvrir, la fracassant pour bondir sur le toit du porche et, de là, sauter sur la pelouse. C'était dangereux, mais ça pouvait marcher. Sauf que les deux Passeurs ne les laisseraient pas faire.

L'éruption sonore, quasi tellurique, qui provenait de la radio était assourdissante, et Heather avait l'impression qu'elle ne s'entendait même plus réfléchir.

Auprès d'elle, Falstaff aboyait rageusement en direction des créatures démoniaques qui les menaçaient, tout donnant l'impression qu'il savait, autant que Heather, qu'il était incapable de leur opposer une résistance efficace.

Lorsque le Passeur avait écarté le chien pour se saisir de Toby, Heather s'était retrouvée avec le .38 à la main, sans se souvenir de l'avoir dégainé. Au même instant, bien que sa mémoire lui fasse défaut, elle avait probablement posé sur le sol le jerricane d'essence, qui se trouvait maintenant au milieu de la pièce, hors de sa portée.

De toute façon, ça n'avait visiblement pas beaucoup d'importance, puisque l'une des créatures, pourtant en flammes, persistait à avancer gaillardement.

Les corps sont.

Le pauvre Eduardo Fernandez n'était plus qu'un squelette calciné. Ce qui lui restait de chair et de graisse bouillonnait encore sur certains os. Vêtements et cheveux n'étaient plus que cendres. Il ne restait presque plus assez du Passeur pour maintenir l'ossature de sa monture, pourtant l'assemblage macabre se dirigeait droit sur elle. Apparemment, tant qu'il resterait un fragment de vie dans l'organisme extraterrestre, la conscience du spécimen habiterait jusqu'à l'ultime cellule du dernier des tentacules.

Folie et chaos.

Le Passeur, *c'était* le chaos, l'incarnation parfaite de l'absurdité et du désespoir, faite de pure méchanceté et de démence. Même son apparence physique était chaotique, et sa résistance dépassait l'entendement. Tout simplement parce qu'*il n'y avait rien à comprendre*. C'était la conclusion qu'en tirait Heather. Cette chose paradoxalement vivante n'avait d'autre justification que sa seule existence. Et ça vivait parce que c'était vivant, et c'était vivant afin de vivre. Aucune ambition. Pas d'aspiration particulière, à part la haine. Simplement empli du besoin de Devenir, et de détruire la vie en la phagocytant, pour laisser derrière elle le chaos et la désolation.

Une épaisse fumée reflua soudain dans la pièce.

Une toux sèche secoua Falstaff, et Heather entendit, derrière elle, Toby qui commençait à s'asphyxier. « Remonte ton col sur ton nez, et respire doucement ! »

Mais, qu'ils meurent asphyxiés, ou d'une façon beaucoup moins propre, quelle importance ? Il valait peut-être mieux périr par le feu.

Chevauchant les restes pitoyables de la morte, l'autre Passeur propulsa soudain un long tentacule noir, qui vint s'enrouler autour de la cheville de Heather.

Elle hurla.

La chose qui chevauchait feu Eduardo Fernandez s'approcha alors, en boitant lourdement.

Le sifflement.

Derrière elle, recroquevillé contre la porte, Toby avait fermé les yeux. « Oui ! D'accord, oui ! » s'écria-t-il soudain.

« Non ! » lui hurla-t-elle, beaucoup trop tard.

Le conducteur du chasse-neige s'appelait Harlan Moffit, et il habitait Eagle's Roost, avec sa femme, Cindi — avec un *i* — et ses deux filles, Luci et Nanci — chacune avec un *i*, bien sûr — et Cindi travaillait à la coopérative des Éleveurs. Ils avaient vécu toute leur vie dans le Montana, et ils n'auraient vécu ailleurs pour rien au monde. Mais ils avaient vraiment pris du bon temps à Los Angeles, où ils avaient passé quelques jours de vacances, deux ans auparavant. Ils avaient visité Disneyland, les studios Universal, et ils avaient même vu, alors que leur taxi était arrêté à un feu rouge, un vieux clochard se faire agresser par deux gamins, au coin d'une rue. Ah, pour les vacances, d'accord, mais pour y vivre, jamais. Non merci. Le temps pour le chauffeur de placer toutes ces informations dans la conversation, comme s'il se sentait obligé de montrer à Jack qu'il pouvait compter sur ses voisins, quels que soient ses problèmes, ils s'étaient déjà engagés dans la voie privée du ranch Quartermass.

Ils roulaient vite, plus vite que Jack ne l'aurait cru possible, étant donné l'épaisseur de la couche de neige.

Harlan Moffit leva la lame de quelques dizaines de centimètres, et accéléra. « Vaut mieux éviter de racler le sol, sinon, on risque de se prendre une bosse et d'abîmer la lame. » Les trois quarts supérieurs de la couche de neige glissaient docilement vers les bas-côtés.

« Comment repérez-vous le tracé de l'allée ? » s'inquiéta Jack, pour qui le tapis uniformément blanc conservait son mystère.

« Je suis souvent passé par ici. Et puis, c'est l'instinct.
— L'instinct ?
— L'instinct du chasse-neige.
— On ne va pas se planter ?
— Avec des roues comme ça ? Et ce moteur ? » Harlan Moffit était fier de son engin, qui progressait à vive allure, fonçant dans la neige vierge comme dans de la barbe à papa. « Avec moi derrière le volant, sûrement pas. S'il le fallait, j'emmènerais ce petit jusqu'en enfer, sous le nez du diable en personne. Bon, mais, dites-moi, qu'est-ce qui se passe, là-haut ?
— Ils sont pris au piège, fit Jack, mystérieux.
— Par la neige, c'est ça ?
— Oui.
— C'est trop plat pour une avalanche, dans le coin.
— Ce n'est pas une avalanche », lui confirma Jack.

Ils avaient atteint le haut de la pente et abordaient le virage en bordure de la forêt. La maison ne tarderait plus à apparaître devant eux.

« Bloqués par la neige ? » répéta Harlan Moffit, d'un ton inquiet. Ses yeux ne quittèrent pas l'avant du chasse-neige, mais il donna l'impression de chercher le regard de Jack.

La grande maison se dressait à présent un peu plus loin. Malgré l'épaisseur des flocons, on la distinguait vaguement. Cette maison qui était la leur, leur nouvelle maison, leur nouvelle vie. Un nouvel avenir. En flammes.

Quand Toby s'était trouvé devant l'ordinateur de sa mère, relié mentalement au Passeur, mais pas complètement sous son influence, il avait fait la connaissance de la chose, en quelque sorte, et commencé à explorer les replis de son esprit. Sournoisement, il avait laissé la pensée du Passeur le pénétrer un peu, tout en opposant un *non* farouche à ses propositions inhumaines, et il en avait beaucoup appris. Comme, par exemple, le fait que la chose n'avait jamais rencontré d'espèces vivantes capables de s'introduire dans *son* esprit, ainsi qu'elle excellait à le faire. Elle ne se doutait même pas que Toby était en train de sonder le sien. Ne sentant pas sa présence, elle n'envisageait la communication qu'à sens unique. C'était relativement difficile à expliquer, mais il ne pouvait pas faire mieux. Il était seulement capable de se glisser dans les méandres angoissants de ce mental qui lui était parfaitement étranger, au fond de ces inquiétantes ténèbres. Pas un seul instant, il ne s'était dit qu'il se comportait bravement, se contentant au contraire de réagir à la situation, exactement comme le Captain Kirk, M. Spock ou Luke Skywalker l'auraient fait en pareilles circonstances, confrontés à une race inconnue venue des confins de la galaxie, dont les représentants étaient aussi intelligents qu'hostiles. Par tous les moyens possibles, ils auraient cherché à parfaire leurs connaissances en accumulant les informations.

Comme lui.

Pas de quoi flipper.

Alors, quand la radio s'était mise à produire les fréquences sonores exigeant de lui qu'il s'ouvre au Passeur — *ouvre la porte, et laisse-le entrer, laisse-le venir à toi, prends le plaisir et la paix qu'il te donne, et laisse-toi prendre* — Toby fit exactement ce qu'on lui demandait, tout en se gardant bien de lui ouvrir les profondeurs de son être. Tandis qu'il s'immisçait, lui, dans l'esprit du Passeur. Et comme le matin même, devant l'ordinateur, il oscillait maintenant entre l'esclavage et la liberté, en équilibre au bord du gouffre, veillant à dissimuler sa présence au Passeur jusqu'à ce qu'il se sente prêt. Prêt à frapper. Alors que, sûre de ses pouvoirs, la chose se plongeait dans l'exploration mentale du petit garçon, Toby s'isola. Il imagina que son esprit pesait un poids colossal, de l'ordre du trillion de tonnes, et même beaucoup plus lourd que ça, plus que toutes les planètes du système solaire réunies, dix billions de fois plus, et qu'il écrasait celui du Passeur, poussant de toute la force de ses tonnes spirituelles, aplatissant la chose comme une crêpe et lui rivant son clou. Une fois pour toutes. Peu importaient les pensées du Passeur, l'essentiel étant qu'elles soient incapables de se traduire en *action*.

Le tentacule avait brusquement lâché la cheville de Heather. Lui et ses semblables s'étaient rétractés, se fondant les uns dans les autres pour ne plus former qu'une énorme boule d'intestins grouillants.

A son tour, le second Passeur perdit le contrôle du cadavre carbonisé qui le soutenait. L'atroce chose et son commensal involontaire s'écroulèrent en un misérable tas.

Heather n'en croyait pas ses yeux, incapable de comprendre ce qui venait de se produire.

Une fumée opaque refoula dans la chambre.

Toby avait défait le verrou, et la porte de l'escalier en colimaçon était ouverte. Tirant Heather par le bas de sa manche, il lui dit : « Maman, vite. »

Eberluée, ahurie, stupéfaite, elle suivit son fils et le chien dans l'étroite cage d'escalier circulaire, refermant la porte derrière eux pour bloquer les fumées toxiques.

Toby dégringola les marches, le chien sur les talons, et Heather s'élança derrière eux, tandis qu'ils disparaissaient plus bas dans la cage d'escalier incurvée.

« Chéri, attends-moi !

— Pas le temps, lui cria-t-il en retour.

— Toby ! »

L'idée de dévaler les marches sans savoir ce qui les attendait en bas était d'une témérité terrifiante. Un troisième Passeur se trouvait forcément quelque part, puisque trois des tombes du petit cimetière avaient été profanées.

Au bas de l'escalier, la porte du vestibule qui donnait sur l'extérieur étant solidement clouée, elle retrouva Toby et le chien, qui l'attendaient impatiemment.

Elle était prête à jurer que son cœur n'avait jamais battu plus vite qu'au cours de cette folle descente, mais, dès qu'elle aperçut le visage du petit garçon, son pouls s'accéléra encore, jusqu'à ce que les pulsations en deviennent douloureuses, lui vrillant le crâne impitoyablement.

Si quelques instants plus tôt son visage était pâle de peur, Toby était maintenant livide. Ses traits blafards étaient ceux d'un masque mortuaire en plâtre. Le blanc de ses yeux était gris, l'une de ses pupilles démesurément plus large que l'autre, et il avait les lèvres exsangues. En proie à la terreur la plus profonde, il semblait subir une autre influence, qui le hantait intimement — et elle reconnut alors l'illumination intérieure qu'elle lisait sur son visage : c'était celle de l'épisode du matin, devant l'ordinateur, alors que Toby, sans être sous l'emprise du Passeur, n'en était pas non plus complètement libéré. *Entre les deux*, c'était ainsi qu'il avait décrit son état.

« On va l'avoir », dit-il.

Ayant identifié les nouvelles dispositions d'esprit de Toby, elle reconnut alors la même platitude dans sa voix que lorsqu'il était hypnotisé par la tempête de couleurs sur l'écran de l'IBM.

« Toby, qu'est-ce qui ne va pas ?
— Je l'ai.
— Tu as quoi ?
— *Ça*.
— Tu l'as où ?
— Dessous. »

Elle frôla la rupture cardiaque. « Dessous ?
— Sous moi. »

Elle saisit enfin ce qu'il voulait dire, et elle fut interloquée.

« C'est sous *toi* ? »

D'un hochement de tête, Toby fit *oui*. Comme cet enfant était pâle...

« C'est toi qui le contrôles ?
— Pour l'instant, oui.
— Comment fais-tu ? s'émerveilla-t-elle.
— Pas le temps de t'expliquer. Il veut sortir. Il est très, très fort. Ça pousse fort. »

Le front du petit garçon était couvert de sueur. Un peu

de sang perlait à sa lèvre inférieure, qu'il mordait nerveusement.

Heather tendit la main vers lui pour le convaincre d'arrêter, puis elle se ravisa, craignant qu'un contact physique ne lui fasse perdre le contrôle qu'il maintenait sur le Passeur.

« On va l'avoir », répéta-t-il.

Harlan Moffit faillit garer son énorme engin sous le porche, et la lame s'immobilisa à quelques centimètres de la rampe, repoussant une vague de neige jusque devant la porte d'entrée.

Il se pencha en avant, afin de permettre à Jack de se glisser hors de la cabine. « Allez-y, courez vous occuper de votre femme et de votre fils. De mon côté, je vais appeler le dépôt, et ils vous enverront les pompiers. »

Jack n'était pas encore descendu du chasse-neige qu'il entendait déjà Harlan Moffit parler à son responsable d'équipe dans son téléphone cellulaire.

Il ne se rappelait pas avoir eu aussi peur de toute son existence, même le jour où Anson Oliver avait ouvert le feu dans la station-service, même quand il avait compris que quelque chose parlait par l'intermédiaire de Toby. Jamais il n'avait ressenti une angoisse plus intense que celle qui lui tordait douloureusement l'estomac à cet instant même, en lui faisant sécréter une bile amère, au rythme affolé des battements de son cœur éperdu d'horreur. Il ne s'agissait pas seulement de sa propre existence, mais de celles qui comptaient plus encore que la sienne. La vie de Heather, clé pour lui du passé comme de l'avenir, gardienne de tous ses espoirs. Celle de Toby, le fils qui lui était né, sa chair et son sang, un fils selon son cœur, qu'il aimait infiniment.

Vu de l'extérieur, l'incendie semblait ravager le premier étage. Il pria pour que Heather et Toby aient eu le temps de se réfugier au rez-de-chaussée, ou au-dehors.

Il sauta par-dessus la rampe et, d'un coup de pied, se fraya un passage dans le tas de neige que la lame du chasse-neige avait repoussé jusque devant la porte d'entrée, largement béante. Les ustensiles de cuisine divers, étalés en travers du seuil, s'ornaient de minuscules congères que le vent avait eu le temps d'accumuler.

Il n'était pas armé. Bon Dieu, le Mossberg se trouvait dans le chasse-neige. Tant pis. De toute façon, si Heather et Toby étaient morts, sa vie n'avait plus d'importance.

Vers le haut du grand escalier, les flammes s'élançaient férocement à l'assaut du premier étage, et s'attaquaient maintenant aux marches qui descendaient vers le hall d'entrée, se propageant tel un feu grégeois. Comme le courant d'air aspirait la fumée noirâtre vers le haut de la maison, Jack avait une vue dégagée ; il n'y avait pas de flammes dans le bureau, ni sous les arches à l'entrée du salon et de la salle à manger.

« Heather ! Toby ! »

Pas de réponse.

« *Heather !* » Il poussa la porte du bureau et jeta un coup d'œil à l'intérieur, afin de s'assurer que la pièce était vraiment déserte. « *Heather !* » Depuis l'arche, il embrassa d'un seul coup d'œil la totalité du salon. Personne. L'arche ouvrant sur la salle à manger. « *Heather !* » Personne non plus. Il revint sur ses pas et fonça dans la cuisine. La porte du fond était fermée, mais quelqu'un l'avait ouverte, comme en témoignaient les plats et les débris de verre qui jonchaient le plancher. « *Heather !* »

Rien.

Puis : « Jack ! »

Au son de sa voix, il fit volte-face, incapable de localiser la provenance du cri de la jeune femme.

« *Heather !*

— Par ici ! On est dans la cave, au secours !... »

La porte de la cave était entrouverte. Jack tira le battant vers lui et regarda en bas.

Heather se trouvait dans l'escalier, un jerricane d'essence dans chaque main. « Nous avons besoin du tout, jack.

— Qu'est-ce que tu fais ? La maison est en train de brûler ! Sortons d'ici, et en vitesse !

— Il nous faut de l'essence pour finir le boulot, Jack !

— Qu'est-ce que tu racontes ?

— Toby l'a eu.

— Il a eu quoi ? demandant Jack en descendant quelques marches.

— Le monstre. Il l'a eu. Il est dessus, lança-t-elle dans un seul souffle.

— *Dessus ?* répéta-t-il en lui prenant les jerricanes des mains.

— C'est le contraire de ce qui s'est passé au cimetière. L'autre jour, c'était Toby qui était *dessous*. »

Jack eut l'horrible impression qu'il venait de prendre une balle en pleine poitrine. « Mais c'est un *petit* garçon, il a huit ans, bon Dieu !

— Il a paralysé le machin, et tous ses porteurs. Si tu avais vu ça ! Il dit qu'il n'a pas beaucoup de temps. Cette foutue pieuvre est vraiment très forte, Jack, très puissante. Toby ne va pas réussir à la contenir très longtemps, et si cette horreur prend l'avantage, elle ne lâchera jamais notre petit garçon. Elle va lui faire du mal, Jack. Pour se venger, tu comprends ? On n'a pas le choix, il faut qu'on la coince. On n'a pas le temps de procéder à un contre-interrogatoire, il faut faire exactement comme il dit. Tout faire, tout, bien comme il faut. » Elle lui tourna le dos et continua à descendre. « Je vais prendre deux jerricanes de plus.

— La baraque est en train de cramer, Heather ! protesta Jack.

— Le premier étage, c'est tout. Pas ici. »

Et si elle était devenue folle ? se dit Jack.

« Où est Toby ? lui demanda-t-il tandis qu'elle disparaissait au sous-sol.

— Sous le porche de la cuisine.

— Dépêche-toi de sortir d'ici ! » lança-t-il d'une voix forte en remontant vers le rez-de-chaussée, un jerricane dans chaque main. Et il se retrouva en train de transporter quarante litres d'essence à bout de bras, dans une maison dont le premier étage flambait allégrement, incapable de réprimer les images mentales de la rivière de feu devant la station-service.

Il fonça sous le porche. Pas la moindre flammèche de ce côté-ci. La neige ne reflétait même pas le brasier du premier étage. Le gros de l'incendie n'avait pas encore débordé sur l'arrière de la maison.

En haut des quelques marches qui menaient à la pelouse, face aux montagnes, Toby, immobile dans sa combinaison matelassée rouge et noire, attendait. Tout autour de lui, les flocons dansaient leur sarabande. Son capuchon pointu lui donnait l'air d'un petit lutin.

Le chien se tenait aux pieds de son maître. Tournant sa tête poilue vers Jack, il le salua d'un unique coup de queue.

Jack posa le jerricane et s'accroupit à côté de son fils. Lorsqu'il découvrit son visage, son cœur de père s'emballa follement.

Toby était d'une pâleur mortelle.

« Bout de chou ?

— Salut, p'pa. »

Il avait parlé d'une voix sans timbre. Jack eut l'impression qu'il était sous hypnose, comme l'autre matin, devant l'écran de l'IBM. Il ne dirigea pas son attention vers son père, gardant au contraire les yeux rivés sur la maisonnette du gardien, à l'autre bout de la pelouse, là-haut vers la forêt. Profitant d'un caprice du vent, elle émergeait du brouillard opaque qui rendait la forêt presque indiscernable.

« Tu es entre les deux ? demanda Jack, d'une voix vibrante qui le surprit lui-même.

— Oui. Entre les deux.

— Tu crois vraiment que c'est une bonne idée ?

— Ouais.

— Tu n'as pas peur ?

— Si, mais ça va.

— Qu'est-ce que tu regardes ?

— La lumière bleue.

— Je ne vois aucune lumière bleue dans le coin, Toby.

— C'était quand je dormais.

— Tu as vu une lumière bleue pendant que tu dormais, c'est ça ?

— Dans la petite maison.

— Tu as rêvé d'une lumière bleue ?

— Peut-être que ça n'était pas seulement un rêve.

— Alors, c'est là que ça se tient, hein ?

— Ouais. Et aussi une partie de moi.

— Une partie de toi se trouve dans la maison du gardien ?

— Ouais. Il est dessous. Et moi, je le tiens.

— Tu crois qu'il faut y mettre le feu ?

— Possible. Mais il faut qu'on soit certains de l'avoir intégralement. »

Harlan Moffit s'approchait du porche, un jerricane dans chaque main. « Y a une dame, là-dedans, qui m'a dit de prendre les bidons et de vous les apporter. C'est votre femme ? »

Jack se redressa. « Oui, elle s'appelle Heather. Où est-elle ?

— Elle est redescendue en chercher deux autres, dit Harlan Moffit, comme si elle s'était pas rendu compte que votre baraque était en train de partir en fumée. »

Sur la vaste pelouse enneigée, on distinguait nettement le reflet de l'incendie qui faisait rage au premier étage, gagnant à présent la charpente et le toit. Mais même si le brasier ne s'étendait pas encore jusqu'au bas du grand escalier, la maison tout entière serait bientôt livrée aux flammes, dès que le toit s'effondrerait sur les pièces du premier étage, et que celles-ci feraient de même sur le rez-de-chaussée.

Jack se dirigea vers la cuisine, mais Harlan Moffit, posant les quarante litres d'essence sur le sol, l'attrapa par le bras. « Dites donc, il se passe des trucs plutôt louches, chez vous, vous trouvez pas ? »

Jack essaya de se dégager de l'étreinte du conducteur d'engin, mais le barbu était plus costaud qu'on n'aurait pu le croire — imprudemment.

« Vous me dites que votre famille est en danger, qu'ils vont tous mourir au fond d'un piège quelque part, et quand on arrive chez vous, je m'aperçois que le danger, c'est justement votre femme et votre fils. C'est eux qui ont foutu le feu, c'est ça ? »

Du second étage leur parvint l'écho d'un formidable craquement, suivi du fracas caractéristique que produit un plafond en s'effondrant.

« Heather ! » hurla Jack.

Il s'arracha à la poigne de Harlan Moffit, et fonça dans la cuisine au moment où elle remontait du sous-sol, ses jerricanes à la main. Il en prit un et la guida vers le porche.

« Il ne faut pas rester à l'intérieur, lui dit-il catégoriquement.

— C'est bon, répondit-elle. J'ai tout remonté. »

Après avoir mis la clé de la petite maison dans sa poche, Jack emboîta le pas à Heather.

Toby, déjà, traversait la pelouse, remontant en direction de la petite maison, nichée dans les sapins. De temps en temps, la neige lui arrivait aux genoux, freinant sa progression, mais il accélérait lorsque la couche ne dépassait pas le niveau de ses chevilles. Balayant inlassablement le terrain en pente douce qui s'élevait jusqu'à l'orée de la forêt, juste derrière la maisonnette, le vent ne laissait pas la poudreuse s'accumuler dans le pré, et l'on voyait même parfois affleurer l'herbe sèche.

Falstaff, compagnon récent, certes, mais à la fidélité déjà éprouvée, lui collait aux talons. Curieux, non ? Les plus belles qualités — déjà rares chez les humains, et peut-être introuvables parmi les peuples intelligents censés partager l'Univers avec la race des bipèdes — se retrouvaient communément dans la belle nature canine. Parfois, Jack en venait à se demander si l'espèce vivante que Dieu avait créée à son image était, non pas celle qui marchait debout, mais plutôt celle qui trottait à quatre pattes en remuant la queue.

Saisissant au passage un deuxième jerricane, Heather s'élança vers la maisonnette. « Venez, vite !

— Vous avez l'intention de la brûler aussi, celle-là ? », demanda sèchement Harlan Moffit, qui venait de repérer la petite construction en pierre.

« Et il faut absolument que vous nous donniez un coup de main. » Et Jack se chargea de deux jerricanes, qu'il déposa sous le porche. De toute évidence, Harlan Moffit les prenait pour des dingues.

Passablement intrigué, le gros barbu restait quand même sur ses gardes. « Vous, les gens de la ville, vous êtes incroyables ! Vous ne savez donc pas qu'il y a des moyens plus simples de se débarrasser des termites... »

Impossible de lui expliquer ce qui se passait de façon rationnelle et méthodique, surtout dans l'urgence de la situation. Jack prit soudain une décision. Prenant une profonde inspiration, il plongea le regard dans celui de Harlan Moffit : « Puisque vous savez que je suis le nouveau propriétaire du ranch, vous devez également savoir que j'étais flic, à L.A., et pas un de ces scénaristes bidons bourrés d'idées, et surtout d'autres choses — un flic, un pauvre type qui fait son boulot, comme tout le monde.

Bon, maintenant, je sais que ça va vous faire drôle, mais nous nous battons actuellement contre quelque chose qui vient d'ailleurs, qui n'est pas de notre monde, et qui a débarqué dans le ranch Quartermass quand Ed...

— Vous voulez dire des créatures qu'on n'a jamais vues sur la Terre ? » l'interrompit Harlan Moffit, blême.

Jack n'aurait pas trouvé un euphémisme plus absurde que celui-là. « Oui, voilà, des créatures étranges qui...

— Putain de bordel de merde ! » Harlan Moffit serra un poing massif, et un torrent de paroles jaillit de sa bouche. « Je le savais... Je savais qu'ils débarqueraient un jour ou l'autre. J'ai lu tous les articles des journaux, là-dessus. Sans compter les bouquins. Y en a qui sont sympas, et y a des salopards, comme partout. Alors, ceux-là, c'est des vrais salopards, hein ? Qui se croient chez eux parce qu'ils arrivent en vaisseau spatial ! Nom de Dieu de bon Dieu ! Et c'est sur moi que ça tombe ! » Il agrippa les deux derniers jerricanes et chargea droit devant lui, à travers la neige, dont les cristaux ondulaient, sous la lueur spectrale des flammes qui ravageaient toute la partie supérieure de la maison. « Allons-y, exterminons ces connards ! »

En d'autres circonstances, si la vie de son fils n'avait pas tenu qu'à un fil, à un cheveu, à un filament microscopique, Jack aurait éclaté de rire. Il eut quand même du mal à se retenir de s'asseoir dans la neige, sur une marche, pour se payer une bonne partie de rigolade. Décidément, l'humour et la mort étaient cousins. Impossible d'affronter l'une sans le soutien de l'autre. Tous les flics savaient ça. Et comme la vie était absurde, jusque dans ses fondements les plus essentiels, on trouvait toujours un truc rigolo, même quand c'était l'enfer tout autour. Atlas ne portait plus le globe terrestre sur ses épaules depuis longtemps, et aucun géant supercostaud n'endossait plus la responsabilité de la planète ; l'équilibre du monde dépendait d'une pyramide de clowns, très affairés à souffler dans leur pipeau et à se bousculer les uns les autres. Mais même si la vie n'avait pas de sens, même si elle était à la fois catastrophique et hilarante, c'était une expérience unique. Et limitée dans le temps. Non seulement la vie était dure, mais en plus, à la fin, il fallait mourir. Toby risquait la mort tous les jours. Heather aussi. Tout le monde.

Luther Bryson était en train de plaisanter quand les balles d'Anson Oliver lui avaient sauvagement perforé la poitrine.

Jack se hâta de rejoindre Harlan Moffit.

Le vent était glacial.

La neige du pré était verglacée, par endroits.

Décidément, la journée manquait de charme.

Tout en grimpant vers la maisonnette, Toby faisait marcher son imagination. *On dirait que je serait dans un bateau vert qui voguerait sur une mer noire et glacée.* Vert, parce que c'était sa couleur préférée. Pas de terre émergée en vue. Seulement le petit bateau vert, avec lui tout seul dedans. Les eaux de la mer seraient vieilles, ce serait une mer de l'ancien temps, si âgée qu'elle serait devenue presque vivante, et elle réfléchirait aux choses, elle voudrait des trucs, et elle voudrait toujours commander. La mer voudrait alors se jeter sur le petit bateau vert, pour le noyer et l'entraîner dans ses profondeurs glauques, avec Toby qui serait resté à bord, descendant toujours plus bas. Puis ils arriveraient dans un endroit où il n'y avait pas de lumière, mais une drôle de musique. Dans le bateau vert, Toby aurait emporté des sacs de stabilisateur antivagues, que quelqu'un de très connu lui aurait offerts, comme Indiana Jones ou E.T., ou peut-être Aladin — Aladin, sûrement, qui se les était procurés par l'intermédiaire de son bon génie. Alors, Toby se pencherait par-dessus le bastingage et il éparpillerait sur la mer la poudre superperformante, qui ressemblerait à du sable argenté, plus léger qu'une plume, quand il la prendrait par poignées, mais qui deviendrait extraordinairement lourde dès que les grains entreraient en contact avec l'eau noire. Ce serait une drôle de lourdeur, qui ne ferait pas couler les grains de poudre au fond de la mer, qui repasserait vagues et creux comme par magie et transformerait la face de l'antique mare en un miroir parfaitement lisse. Alors la mer voudrait soulever ses flots pour inonder le bateau vert, mais la poudre enchantée pèserait plus lourd que l'acier le plus épais, plus lourd que le plomb le plus dense, et les eaux sombres ainsi lestées seraient réduites au calme plat. Du fond de ses abysses et de ses fosses les plus basses, la mer serait furieuse contre Toby, et elle n'aurait plus qu'une idée, le tuer. Elle crèverait d'envie de le noyer, pour ensuite jeter son cadavre en pâture aux rochers, qui le lacéreraient goulûment, avant de rejeter ses os sur la rive amère, où ils finiraient en poussière de sable, éternellement roulés par le ressac. Mais la mer ne gagnerait pas. Et tout serait calme et paisible. Ce serait enfin le calme et la paix.

Peut-être à cause de l'intense concentration qu'exigeait de lui le contrôle du Passeur, Toby n'avait pas la force de marcher jusque là-haut, malgré la faible épaisseur de neige. Aux deux tiers du parcours, Jack posa les jerricanes et emporta Toby sur son dos, jusqu'à la petite maison en pierre. Donnant les clés à Heather, il retourna chercher l'essence.

Lorsque Jack fut de retour, la porte d'entrée était ouverte. A l'intérieur, il faisait sombre. Il n'avait pas eu le temps de chercher les raisons de la panne, mais il savait à présent pourquoi Paul Youngblood avait été incapable de rétablir l'électricité, lors de leur première visite. Le clandestin qui s'y cachait n'avait pas voulu les laisser entrer.

Toutes les fenêtres étaient bouchées par du contreplaqué, mais ils n'avaient pas le temps de l'arracher. Heureusement, Heather s'était souvenue du problème, et avait songé à y remédier. Du fond de deux de ses poches, elle tira, non pas des munitions, cette fois, mais deux lampes électriques.

Jack avait nettement l'impression que tout finissait toujours ainsi : ça se terminait chaque fois par un coin sombre. Sous-sols obscurs, allées mal éclairées, maisons abandonnées, chaufferies désertes, entrepôts désaffectés. Même en plein jour, quand un flic prenait en chasse un criminel et que la poursuite se déroulait à l'extérieur, l'affrontement final, face à tout être malfaisant, avait invariablement lieu dans un recoin obscur, comme si le soleil se refusait à honorer de ses rayons l'endroit où l'on finissait par rencontrer son destin.

Le premier, Toby entra dans la petite maison, soit parce qu'il n'avait pas peur du noir, soit parce qu'il avait hâte d'accomplir sa tâche.

Heather et Jack, une lampe électrique à la main, prirent chacun un jerricane, en laissant deux autres dehors, tout près de la porte d'entrée.

Harlan Moffit déposa ses quarante litres d'essence devant eux. « A quoi ressemblent ces enflures ? Ne me dites pas qu'ils n'ont pas un poil sur le caillou et de gros yeux tout ronds, comme ceux qui ont kidnappé Whitley Strieber ? »

Dans le salon sans lumière et sans meubles, Toby était debout face à une forme sombre, et quand le rayon lumineux des lampes électriques éclaira ce que le petit garçon défiait du regard, Harlan Moffit obtint la réponse à sa question. Ni chauve ni doté d'yeux télescopiques. Ah, ce n'était pas la jolie petite bouille des héros d'un film de Spielberg. Là, on avait un corps en état de décomposition avancée, sur des jambes vacillantes, mais qui s'acharnaient à se maintenir en équilibre. Une créature particulièrement répugnante était vautrée dans le dos du cadavre, accrochée au squelette par plusieurs de ses tentacules gluants, *occupant* littéralement l'anatomie pourrissante du mort, comme pour fusionner avec la chair putréfiée. La dite créature se tenait tranquille, mais on voyait d'étranges pulsations dilater ses membres longs et soyeux.

L'homme à qui avait appartenu le corps squatté à présent par l'organisme atroce n'était autre que le vieil ami de Jack, son partenaire de tant d'années, Tommy Fernandez.

Heather se rendit compte, mais trop tard, que Jack n'avait pas encore été directement confronté à la vision de l'horrible Manipulateur paradant sur sa bête de somme. Le spectacle rendait amplement caduques la plupart des certitudes de son flic de mari sur la nature intrinsèquement bienveillante — ou l'absolue neutralité — de l'Univers, et sur l'incontournable justice des hommes. La façon dont avait été traitée la dépouille mortelle de Tommy Fernandez, et dont le Passeur les consommerait, elle, Jack, Toby, et le reste de l'humanité, s'il en avait l'occasion, cette façon d'agir n'avait vraiment rien de bénin, au contraire. Une pareille révélation aurait sur Jack des effets plus pénétrants encore, puisque l'inconcevable profanation avait été commise sur le corps de son ami disparu.

Elle écarta promptement le rayon de sa lampe électrique du pauvre Tommy Fernandez, soulagée de constater que Jack suivait son exemple. S'éterniser devant une telle horreur ne lui ressemblait pas. Elle aimait à croire qu'en dépit de tout ce qu'il avait déjà enduré, il se cramponnerait toujours à cet optimisme et à cet amour de la vie qui le rendaient si précieux à ses yeux.

« Une bestiole pareille, ça devrait pas avoir le droit d'être vivant », annonça froidement Harlan Moffit. Il ne restait pas grand-chose de son exubérance naturelle. Et il ne jouait plus du tout les amateurs d'objets volants — ou autres — non identifiables. Hautement fantaisistes et invariablement apocryphes, toutes les descriptions de Martiens lues dans les magazines et tous les soi-disants extraterrestres vus dans les films de science-fiction trouvaient dans la grotesque créature la preuve de leur totale incompétence. Et de leur naïveté, car l'image qu'ils donnaient de l'agressivité hostile des extraterrestres relevait de la fête foraine de quartier, comparée aux abominations et aux sévices très surprenants que l'Univers glacial gardait en réserve. « Faut que ça crève, et tout de suite. »

S'écartant alors du corps rompu d'Eduardo Fernandez, Toby retourna à l'obscurité.

De sa lampe, Heather le suivit. « Chéri ?

— Pas le temps, dit-il

— Mais où vas-tu ? »

Ils le suivirent jusque dans la cuisine, où se trouvait l'ancienne lingerie, un réduit à présent abandonné aux toiles d'araignées. La carcasse desséchée d'un rat gisait dans un coin, sa longue queue marquant un point d'interrogation dans la poussière qui couvrait le sol.

Montrant une porte blanche écaillée, Toby leur dit : « Dans la cave. C'est dans la cave. »

Avant de partir à la rencontre de ce qui les attendait en bas, quoi que ce fût, ils laissèrent Falstaff dans la cuisine, en prenant soin de refermer sur eux la porte du réduit.

Ce qui déplut fortement à l'animal.

Comme Jack ouvrait la porte blanche, on entendit les griffes du chien qui grattaient le sol.

Emboîtant le pas à Jack, Toby entreprit de descendre

l'escalier, tout en se concentrant intensément sur le petit bateau vert qui naviguait dans sa tête, un petit bateau rudement bien construit, sans la moindre voie d'eau et, pour tout dire, insubmersible. Sur le pont, étaient entassées des piles de sacs de poudre argentée, en nombre suffisant pour figer la colère de la mer et la forcer au silence, en dépit des tempêtes qu'elle nourrissait dans ses hauts-fonds. Le soleil brillait et il voguait sur un océan d'huile, jetant sa poudre magique par-dessus bord, et tout était comme il fallait, comme il aimait que les choses soient, douces et rassurantes. L'antique mer projetait à la surface de ses flots d'encre des images destinées à l'effrayer et à l'empêcher de répandre la poudre bienfaitrice — sa mère en train de se faire dévorer par des rats géants, le corps éventré de son père grouillant de cafards et d'orvets, sa propre personne transpercées par les tentacules du Passeur, à cheval sur son dos —, mais il les écarta très vite, levant le visage vers le ciel bleu et les caresses du soleil, afin que la peur qui l'habitait ne fasse pas de lui un odieux trouillard.

La cave consistait en une grande pièce, avec un fourneau bancal, un vieux chauffe-eau — sans oublier le Passeur, le vrai, dont s'étaient détachés tous les autres passeurs, d'une taille nettement moindre que l'original. Celui-ci occupait la moitié de la pièce, la remplissant du sol au plafond. Gros comme un éléphant.

Ça faisait vraiment peur.

Mais tout allait bien.

Il ne fallait pas qu'il parte en courant, c'était tout.

Ce Passeur-là ressemblait beaucoup aux autres, avec des tentacules qui s'agitaient dans tous les sens, mais il comptait plus d'une centaine de bouches qui se crispaient spasmodiquement, toutes dépourvues de lèvres, de simples fentes ridées. Les bouches du Passeur, lui-même très calme, articulaient lentement des mots destinés à Toby, et à lui seulement. Le Passeur le réclamait. Il voulait son corps pour s'en repaître, pour le vider de ses entrailles et se loger à l'intérieur.

Toby se mit à trembler, incapable, malgré ses efforts, de se contrôler.

Le petit bateau vert, la poudre d'argent magique, l'onde lisse et tranquille...

Tandis que le rayon des lampes électriques se rapprochait, il constata que chacune des bouches ruisselait de sang écarlate. Des amas de glandes rougeâtres suintaient des humeurs visqueuses. Ici et là, la chose se hérissait de piquants dignes d'un cactus géant. Sans pieds ni tête, ni face, ni dos, ni haut, ni bas, elle était tout à la fois, tel un organisme en perpétuelle mutation. Partout, les bouches remuaient, tentant de le convaincre, cherchant à le persuader, lui proposant de laisser la chose immonde enfoncer ses appendices souples au fond de ses oreilles de petit garçon, l'autorisant ainsi à se mêler intimement à sa chair d'enfant, lui permettant de le décerveler, pour qu'enfin elle vienne à lui. Pour qu'elle devienne lui, et qu'elle en use à son gré, puisqu'il n'était bon qu'à ça, puisque tout n'était bon qu'à ça. Toute chair était bonne à fournir de la viande, et toute viande, bonne à prendre.

Le petit bateau vert.

Des tonnes de poudre magique.

Et la mer lisse, si lisse...

Dans les profondeurs de la tanière de la bête, qui dominait Jack de toute sa masse, celui-ci se hâta de vider les réserves d'essence sur les appendices inertes, gros comme des pythons, puis sur d'autres parties de l'inconcevable organisme, plus baroques et plus répugnantes encore, qu'il préférait ne pas mémoriser, craignant de ne plus jamais trouver le sommeil.

L'idée qu'un tel monstre soit prisonnier d'un petit garçon et de son imagination débordante le rendait hystérique.

Mais, au bout du compte, l'imagination restait la plus puissante de toutes les armes. N'était-ce pas sa capacité à inventer qui avait conduit l'humanité hors des grottes préhistoriques, et peut-être bientôt jusqu'aux étoiles ?

Jack observa Toby, dont la pâleur était accentuée par la lueur électrique des lampes. On aurait dit que son petit visage avait été sculpté dans le plus pur des marbres. Bien que plongé dans une grave tourmente émotionnelle, et à moitié mort de peur, Toby se maîtrisait, apparemment détaché de toutes préoccupations. Sa placidité et son teint marmoréen rappelaient à son père les visages béats des statues qu'abritaient les cathédrales. De fait, il représentait leur unique chance de salut.

Le Passeur frémit soudain, et une ondulation sournoise parcourut la masse de ses tentacules.

Heather retint un cri d'effroi, et Harlan Moffit faillit en lâcher son bidon d'essence à moitié vide.

Une seconde ondulation, cette fois beaucoup plus franche. Les bouches repoussantes bâillèrent, comme pour se mettre à geindre, dans un geste collectif atrocement dégoûtant.

Jack se retourna vers Toby.

Il n'exprimait plus du tout la placidité. La terreur qui ombrait à présent les traits du petit garçon se figea dans ses yeux, l'espace de quelques secondes, puis il récupéra sa sérénité.

Le Passeur retomba dans sa léthargie.

« Vite », le pressa Heather.

Harlan Moffit insista pour être le dernier à sortir de la cave, ce qu'il fit, tout en versant sur les marches de l'escalier, puis sur le sol de la petite maison, la traînée d'essence qu'ils enflammeraient ensuite à l'aide d'une allumette, dès qu'ils seraient en sécurité à l'extérieur. En passant par le salon, le barbu prit soin d'imbiber de combustible le cadavre apprivoisé et son dompteur.

Il n'avait jamais eu aussi peur. Pour un peu, il en aurait sali sa paire de pantalons en velours côtelé. Mais ce n'était pas une raison pour sortir avant les autres, pas vrai ? Bien sûr, il aurait pu laisser le flic fermer la marche. Mais le truc, là, couché par terre, ne lui disait vraiment rien qui vaille...

Il se disait qu'il avait insisté pour jeter l'allumette fatidique, à cause de Cindi, de Luci et de Nanci, à cause aussi de tous ses voisins d'Eagle's Roost, et parce que la vue de ce foutu truc lui avait fait comprendre à quel point il aimait sa famille. En fait, il aimait sa femme et ses deux filles bien plus qu'il ne le pensait. Même les gens qu'il avait toujours eu du mal à supporter, comme Mme Kerry, la patronne de son restaurant favori, ou Bob Falkenberg, qui travaillait chez Hensen, *Fourrage & Céréales*, eh bien, il lui semblait maintenant qu'ils avaient en commun le même monde, et que, vivant sur la même planète qu'eux, il aurait forcément des choses à leur dire. Un putain de truc, ce truc... Une putain d'expérience, que celle qui consistait à *voir*, à savoir qu'on était un être humain et que ça voulait dire pleins de trucs.

Son père gratta l'allumette, et la neige s'enflamma. Une ligne de feu reflua rapidement en direction de l'entrée de la petite maison en pierres.

La mer noire se déchaîna.

Le petit bateau vert.

L'explosion fit voler en éclats toutes les vitres, et certains des panneaux bouchant les fenêtres s'envolèrent instantanément. Les flammes léchaient déjà les pierres des murs.

La mer était plus noire que de la boue, et plus épaisse encore, et elle roulait vers lui des vagues de haine, cherchant à l'attirer hors du petit bateau vert, à le faire passer par-dessus bord pour l'entraîner jusqu'au plus profond de la noirceur aveugle. Une partie de lui-même l'aurait presque écoutée, mais il s'accrocha à son petit bateau vert, cramponné d'une main au bastingage, dispersant de l'autre la poudre magique, tenant bon à la vie, et imposant aux flots le calme et le silence. Mission accomplie, devoir rempli : il s'était acquitté de sa tâche. Il avait fait ce qu'il avait à faire.

Quelques heures plus tard, les assistants du shérif recueillaient les dépositions de Heather et Harlan Moffit, d'autres policiers fouillaient les décombres calcinés de la maison principale, à la recherche de preuves en tout genre, et Jack se tenait dans l'écurie, en compagnie de Toby. Le père et le fils étaient en train de se réchauffer auprès d'un radiateur électrique, caressant à tour de rôle un Falstaff affamé de caresses, qui se frottait aux jambes de l'un, puis de l'autre, inlassablement.

« C'est terminé, tu crois ? finit par demander Jack.

— C'est possible.

— Tu n'en es pas sûr ?

— Juste avant la fin, dit le petit garçon, quand la chose

était en train de brûler, elle a changé des petits bouts de tentacules en minuscules asticots, du genre vorace. J'ai vu qu'ils s'incrustaient dans les murs de la cave. Mais peut-être qu'ils ont quand même brûlé dans l'incendie, de toute façon.

— On ira vérifier. Pas nous, mais les gens compétents, comme les spécialistes qui vont bientôt arriver au ranch, les experts militaires et les chercheurs scientifiques. On peut vraiment essayer de les retrouver tous, un par un, si tu crois que c'est nécessaire.

— Tu sais, p'pa, ça peut se remettre à grandir », dit le petit garçon.

Les flocons tombaient, maintenant plus clairsemés qu'au cours de la journée, et le vent donnait l'impression de vouloir se calmer.

« Et pour toi, fiston, ça va aller ?

— Ouais...

— Tu en es sûr ?

— Plus jamais le même, dit Toby, très solennel. Je ne serai plus jamais comme j'étais avant, mais... Ça va aller, p'pa. »

Ainsi allait donc la vie, se dit Jack. L'horreur nous transforme, parce que nous n'oublions jamais. Maudite mémoire, qui démarre avec la prise de conscience de notre condition de mortel, quand on est assez vieux pour savoir ce que représente la mort et pour comprendre que, tôt ou tard, nous perdrons chacun de ceux que nous aimons. Après ça, on n'est plus tout à fait pareil, plus jamais. Mais ça va quand même. On continue.

Onze jours avant Noël, ils se trouvaient à nouveau sur les collines de Hollywood, et Los Angeles s'étalait sous leurs yeux, à perte de vue. La journée était belle, l'air inhabituellement clair, et les palmiers plus majestueux que jamais.

A l'arrière de l'Explorer, Falstaff passait d'un côté à l'autre de la voiture, inspectant la ville de loin, et ses gémissements semblaient tout à fait approbateurs.

Heather avait hâte de revoir Gina Tendero, Alma Bryson, et tous leurs amis, et aussi leurs voisins. Elle avait l'impression de rentrer à la maison après des années d'exil, et son cœur s'emplit d'allégresse.

L.A. n'était pas un endroit parfait, mais c'était chez eux, et ils espéraient pouvoir continuer à y améliorer les choses.

Cette nuit-là, la pleine lune se leva dans le ciel d'hiver, et son chatoiement d'argent caressa longuement les vagues du Pacifique

Achevé d'imprimer en octobre 1996
sur les presses de l'Imprimerie Bussière
à Saint-Amand (Cher)

POCKET - 12, avenue d'Italie - 75627 Paris Cedex 13
Tél. : 44-16-05-00

— Nº d'imp. 2064. —
Dépôt légal : juin 1995.
Imprimé en France